Ce livre appartient à

Pierrette V.

JEANNE KALOGRIDIS

LE TEMPS DES BÛCHERS

Traduit de l'anglais par Marie-Claude Elsen

ÉDITIONS DU
ROCHER
Jean-Paul Bertrand

Titre original : *The Burning Times*.

Tous droits de traduction, de reproduction et d'adaptation réservés pour tous pays.
© 2001 by Jeanne Kalogridis
© Éditions du Rocher, 2001
ISBN 2 268 04073 9

REMERCIEMENTS

Pour quelqu'un qui gagne sa vie grâce aux mots, j'ai le plus grand mal à les trouver ici. Ce livre m'a habitée pendant douze ans, sous la forme d'une idée pour commencer, puis d'un manuscrit inachevé. Comment pourrais-je exprimer la profondeur de la gratitude que j'éprouve à l'égard de tous ceux qui ont souffert avec moi pendant tout son enfantement et/ou qui m'ont prodigué leurs conseils avisés, au fil de ses innombrables versions ?

Il me faut, bien entendu, commencer par remercier celui qui a prêté attention à mes idées à l'état brut et qui m'a suggéré de les coucher sur le papier : mon agent, Russell Galen. Sans ses encouragements et sa foi en mes capacités, ce roman n'aurait pas vu le jour.

Ma gratitude va également à mon éditrice de Harper Collins UK, Jane Johnson, dont l'enthousiasme pour *Le Temps des bûchers* était si grand qu'elle l'a acheté non pas une mais deux fois ; à mon éditrice américaine de Simon & Schuster, Denise Roy, qui m'a fait bénéficier de son savoir dans le domaine historique ; à mon éditrice allemande enfin, Doris Johanssen de List Verlag, qui a fait preuve de beaucoup de patience et de confiance.

Un remerciement spécial à mes lecteurs, qui m'ont accordé généreusement leur temps et dont les commentaires ont exercé un grand impact sur le livre ; à ma cousine, Laeta, écrivain et éditrice perspicace, qui a lu les différentes moutures du manuscrit ; à ma chère amie, Lauren Hoey, l'une des lectrices les plus prévenantes que je connaisse ; à George, Beverly et Sharon.

Il me faut enfin remercier deux personnes qui ont indirectement contribué au projet : Jan et David, dont le geste, inspiré par la gentillesse, m'a apporté une telle paix d'esprit.

À mon Bien-aimé

C'est l'hérétique qui fait le feu
Pas celle qui brûle dedans.
Le Conte d'Hiver.

Il n'y a pas de crainte dans l'amour ;
Mais l'amour parfait bannit la crainte.
Première épître de saint Jean 4,18.

PROLOGUE

SYBILLE

I

Une pluie cinglante, assourdissante.

Des nuages maléfiques filent dans le ciel nocturne, ils jettent un linceul sur la lune, les étoiles et le velours d'un noir plus tendre de la voûte céleste. Un épais voile de ténèbres recouvre tout, hormis les instants où des éclairs illuminent les montagnes, au loin.

Alors, je vois la robe de ma monture lancée au galop qui luit comme l'onyx, sa crinière humide, fouettée par le vent en furie, qui se déploie comme la chevelure d'une Gorgone. Je vois aussi la route menant à Carcassonne qui s'étend devant nous, parsemée de pierres et de ronces d'églantine. Des touffes de romarin écrasées sous les sabots du cheval s'élève un parfum âcre.

Le romarin fait remonter des souvenirs à la mémoire ; les roses ne sont pas sans épines ; les pierres sont dures.

Dures comme les gouttes de pluie, longues, irrégulières et cristallines à la lueur des éclairs, averse de petites aiguilles glacées, piquantes et perçantes. En ces circonstances où la souffrance du corps semble devoir l'emporter sur le reste, je suis néanmoins balayée d'une vague de pitié envers mon étalon. Il suffoque, épuisé par notre longue course éperdue. Pourtant, lorsque je parviens enfin à lui serrer la bride, il me résiste et redresse la tête.

Il ralentit à contrecœur, soulève ses jambes longues et gracieuses pour aller l'amble. Je pose une paume sur son épaule dont je sens les muscles raidis par l'effort.

Il est sensible, mon coursier, comme la plupart des animaux. Pourtant, il ne possède point le don de Vision : il ne voit pas nos poursuivants, mais il est capable de percevoir le mal ancré dans le cœur de l'un d'eux. Ce n'est pas la fraîcheur automnale qui le fait tressaillir. Ses grands yeux noirs interrogateurs roulent dans leurs orbites. La terreur se lit dans leur blanc.

Si nous fuyons nos ennemis depuis si longtemps, pourquoi les attendre à présent ?

— Ils ne te feront pas de mal, lui dis-je d'une voix douce.

Je réponds à son hennissement de protestation d'une caresse sur l'encolure. La sueur et la pluie mouillent et refroidissent sa robe, mais de la chaleur émane des muscles en dessous.

— Tu es une bonne bête. Ils vont t'emmener dans un endroit chaud et sec. Ils te donneront à manger. Tu seras traité avec bonté.

Si seulement le même sort pouvait m'être réservé !

Des larmes me montent soudain aux yeux, dures et amères comme la pluie. Dure, implacable. L'étalon le sent. Affligé, il accélère le train. Je me ressaisis et caresse de nouveau son encolure mouillée. Mes poursuivants diraient que je jette un maléfice à ce pauvre animal. Je sais quant à moi que, par ce geste, je me contente d'ouvrir mon cœur à celui d'une autre créature, de lui communiquer sans mot dire ma sérénité. Une véritable sérénité qu'il me faut aller chercher au tréfonds de mon être. On ne peut mentir aux animaux.

J'approche du terme de mon odyssée, mais la Déesse s'est prononcée : fuir ne sert plus à rien. Si je m'obstine et si mon Ennemi continue à me pourchasser, mon Bien-aimé n'en sera pas pour autant sauvé. Mon unique chance réside dans ma reddition. Une chance ténue, lourde de risques, dont ma Vision refuse de me révéler l'issue. Je vivrai ou je mourrai.

Bien vite, mon cheval et moi parvenons à trouver le silence et le calme. La pluie s'est apaisée ; son bruit s'est tu. En son absence, j'en entends un autre.

Le tonnerre. Pourtant, aucun éclair ne zèbre le ciel.

Ce n'est donc pas l'orage. Une cavalcade. Et non point un, mais plusieurs chevaux. Nous attendons, mon coursier et moi, qu'ils se rapprochent, de plus en plus…

De l'obscurité surgissent enfin quatre, sept, dix cavaliers drapés dans des capes. M'apparaissent en chair et en os ceux-là mêmes que j'ai vus en pensée durant les sombres heures de ma fuite. Un nuage noir glisse, révélant un croissant de nouvelle lune et un éclat métallique : neuf de ces hommes sont des gendarmes d'Avignon appartenant au cadre privé du pape. Je suis encerclée. Ils se rapprochent, resserrent le collet et brandissent leurs épées.

Les nouvelles lunes sont pour les commencements ; celle-ci présage une fin.

Mon étalon et moi restons parfaitement tranquilles, parfaitement immobiles.

Pris de soupçons, certains des gendarmes font volte-face : où sont mes protecteurs ? Tapis sans nul doute à proximité, prêts à bondir sur mes ravisseurs. Comment m'auraient-ils abandonnée ainsi, une femme menue et désarmée, leur prétendue reine des sorcières ?

Eh bien non ! C'est moi qui ai tenté de prendre la fuite sans eux. Mais telle était leur loyauté à mon égard qu'ils s'en sont vite aperçus et qu'ils m'ont rejointe. Et lorsque la Déesse a exigé ma reddition – la mienne et non la leur, car Elle avait besoin ailleurs de leurs services –, je les ai congédiés. Au début, ils ont refusé de me quitter. Édouard a même juré qu'il préférait mourir. Je n'ai pu que fermer les yeux et leur ouvrir mon âme et mon cœur, afin de leur permettre d'entendre la Déesse comme je l'entendais moi.

Édouard sanglotait si fort que son cœur semblait sur le point de se briser. Les visages des autres étaient dissimulés par leurs capuches, mais j'ai deviné les larmes silencieuses qui ruisselaient sur leurs joues. Nous n'avons rien ajouté. À quoi cela aurait-il servi, tout était déjà dit. Et c'est ainsi que mes braves chevaliers se sont éloignés sur leurs destriers.

Je vois maintenant trois des sbires de l'Ennemi sauter à bas de leurs montures. Ils plongent leurs épées dans des mûriers sauvages chatoyants, dans des buissons hauts et touffus. Leurs lames sifflent, des brins de feuilles et de tiges s'envolent de toutes parts. Un homme grimpe à un olivier proche dont il taillade les branches jusqu'à s'assurer qu'aucune embuscade ne leur a été tendue.

Mystifiés, ils reviennent près de leurs montures et me fixent du regard. Je suis toujours en selle, aussi calme et silencieuse que mon étalon. Obscurité ou non, je distingue la peur sur le visage des gendarmes. Ils se demandent ce qui m'empêche de leur jeter simplement un sort, de les transformer en pourceaux, peut-être, et de m'enfuir.

Tous, à l'exception du dixième homme, manifestement persuadé d'être le maître d'œuvre de ma capture. C'est le cardinal Domenico Chrétien. Contrairement aux autres, drapés de noir lugubre, il porte sur le dos et sur la tête la couleur du sang. Son visage large et dodu possède des lèvres épaisses et bestiales et des yeux cachés dans des replis profonds. Tout son corps est d'ailleurs mou, à l'image du cœur qu'il contient.

D'une voix autoritaire, il m'interpelle :

– Mère abbesse Marie-Françoise ?

C'est lui, l'Ennemi. Nous ne nous sommes rencontrés qu'une fois sur cette terre, alors que nous sommes de vieilles connaissances dans un autre royaume. J'ai du mal à ne pas le toiser avec mépris comme d'ordinaire. Tellement plein de dégoût de lui-même qu'il tuerait quiconque lui rappelle ce qu'il est. Un seul être vivant est capable de faire davantage de mal à mon peuple que lui : celui que je voulais arrêter, de crainte que moi et ma Race ne soyons éradiquées de la face de ce monde.

– En personne.

Je me débats pour juguler ma haine ; si je n'y parvenais point, mon âme serait aussi fermée que la sienne.

– Vous êtes en état d'arrestation, accusée d'hérésie, de sorcellerie, de MALEFICIUM dirigés contre le Saint-Père lui-même. Qu'avez-vous à répondre ?

– Que vous savez mieux que moi ce dont je suis coupable.

Humble aveu à première vue, mais mon Ennemi comprend cette réprimande voilée. Son visage s'assombrit imperceptiblement, même s'il n'ose rien répliquer devant ses hommes. Ses hommes, qui n'ont aucune idée de ce qui se passe véritablement et qui ne le croiraient pas si on le leur apprenait.

– Suivez-moi, abbesse.

Je n'oppose aucune résistance ; j'acquiesce même d'un signe de tête. Cela n'empêche pas les gardes de m'arracher à mon cheval qui se cabre et projette l'un d'eux à terre. S'ensuit un moment de vague inquiétude, jusqu'à ce qu'ils parviennent à le maîtriser. J'ai dit vrai, mon étalon est une excellente monture. Les gendarmes s'en aperçoivent. L'un d'eux attrape ses rênes et l'apaise d'une voix rassurante.

Quant à moi, on me dépouille de la cape qui cache mon habit sombre, mon voile et ma guimpe et on me garrotte les bras derrière le dos. Puis on me jette, face contre terre, en travers d'un autre cheval et on m'attache à la selle. Un homme murmure : « Tiens donc, la position idéale pour une dame de haute naissance ! »

Cette boutade fait ricaner les autres, mais aucun ne rit franchement, alors que je suis ligotée, seule contre tous et en apparence à leur merci. Dans le silence qui s'installe vite, j'entends leur peur.

La chevauchée de retour est pénible. Mon visage cogne contre le cuir mouillé du cheval et lorsque la pluie recommence à tomber dru, mon habit est vite trempé et le froid transperce mon échine de douleur. L'eau dégouline le long de mes bras, de mes jambes et de mon cou. Mon voile retourné s'alourdit de pluie. Bien vite il tombe, ma guimpe glisse, dénudant ma tête rasée. La pluie pénètre dans mes oreilles, mon nez et mes yeux.

J'essaie de me réconforter moi-même : il s'agit de la volonté de la Déesse. De la mission de ma vie, annoncée dès ma naissance.

Sur le chemin menant à ma destinée, le cheval écrase de temps à autre sous ses sabots une herbe dont l'odeur piquante m'oblige à clore mes yeux brûlants de douleur.

Le romarin fait remonter des souvenirs à la mémoire.

PREMIÈRE PARTIE

MICHEL

Carcassonne

Octobre 1357

II

Au milieu du vaste quadrilatère d'ombre projeté par la cathédrale Saint-Nazaire qui venait d'être achevée après plusieurs siècles de travaux, frère Michel, le notaire, ralentit le pas afin de s'intéresser à l'activité qui régnait devant l'église. Il s'empressa de se mordre la langue, dans l'espoir que la douleur allait lui faire oublier la bouffée de colère qui montait en lui.

Sur une berme, des ouvriers balançaient des maillets au-dessus de leurs têtes et les abattaient sur des pieux d'un bon mètre de haut qui résonnaient sous leurs coups. En cette journée d'automne, le soleil brillait d'un éclat inhabituel ; des vagues de chaleur menaçantes montaient de la terre trouée et ondulaient autour des chevilles et des tibias des hommes, comme si les flammes étaient déjà allumées. Les pieux étaient fichés dans le sol selon l'habituel demi-cercle, face au grand vantail de la basilique. Bâti dans le style architectural du XIe siècle, l'édifice était une boîte gothique s'élançant vers le ciel, percée de grandes et hautes fenêtres en ogive qui évoquaient des mains jointes en prière.

La foule qui se pressait du coude dans les étroites ruelles pavées de pierres rondes, commerçants, paysannes et leurs enfants, mendiants, nobles à cheval, moines en robes de bure et nonnes en habits noirs, contemplait la scène avec une vive curiosité. Les gens avançaient à pas lents, expressions fermées et lèvres rentrées comme si cette chaleur inattendue les avait fait fondre, mais au spectacle des ouvriers, visages, gestes et langues se déliaient.

Un marchand incrédule à son compagnon, tous deux portant épinglé sur la poitrine le rond de feutre jaune qui les désignait aux yeux du monde comme le « vomi de Jérusalem », selon l'expression du célèbre inquisiteur, Bernard Gui : « Un bûcher, dans ce cas… la décision est déjà prise ? »

Une veuve à guimpe noire de la petite noblesse, les yeux rétrécis par l'indignation, à sa servante qui portait des paniers : « Ils veulent en faire une martyre, mais elle est déjà sainte. Tout ça parce qu'elle est de Toulouse, c'est moi qui te le dis… »

Deux moines à califourchon sur un âne : « Bon débarras ! Que le diable l'emporte ! »

« Si on venait avec des victuailles et avec les enfants ? » Cette dernière réflexion, sortie de la bouche d'une matrone paysanne affligée d'une légère coquetterie dans l'œil et enturbannée de blanc, était accompagnée d'un sourire à l'adresse de son morne mari, dévoilant trois dents de devant proprement brisées en diagonale.

Vu l'étroitesse de la ruelle, il était impossible de ne pas entendre chaque mot et, même, de ne pas sentir chaque souffle qui les accompagnait. Frôlé par les corps en sueur des hommes, des femmes et des animaux, frère Michel porta d'instinct la main à l'encrier d'ivoire attaché par une lanière à sa hanche. Il ne craignait pas tant de se le voir subtiliser par des malandrins qu'arracher au milieu de ce flot humain. À sa taille était noué un gros baluchon noir contenant écritoire, plume d'oie et rouleau de parchemin. Ce bagage l'obligeait à marcher un demi-bras derrière son maître, le prêtre et inquisiteur dominicain Charles Donjeon, qui se frayait un chemin avec assurance au milieu de ce remue-ménage.

Michel s'obligea à détourner le regard des ouvriers et du bûcher, car ce procès-là l'emplissait d'une rage démesurée. « Je croyais qu'il s'agissait de les sauver, non de les tuer ! » avait-il hurlé en pareille circonstance à son père adoptif, le cardinal Domenico Chrétien, chef de l'Inquisition française, outré que les autorités civiles tinssent pour acquis que des exécutions auraient bien lieu. Depuis lors, cette colère ne l'avait pas quitté, d'autant qu'il était de ceux qui croyaient, comme la veuve, que l'abbesse était une sainte accusée à tort. Dans sa ville natale d'Avignon, il l'avait en effet vue de ses propres yeux guérir un blessé d'une simple imposition des mains.

Chaque martèlement lointain des maillets résonnait donc aux oreilles de Michel comme une provocation. *Mon Dieu, faites que ce bûcher ne soit point utilisé,* pria-t-il tout bas ; *et en voici un autre…*

Tout indiquait que le bras séculier de la loi avait déjà décidé qu'un grand nombre d'exécutions auraient lieu. *Aucune ne s'est vu offrir une chance de salut, et pourtant, ils sont déjà impatients d'allumer les brasiers,* songea Michel. Sa mission l'indignait. Il n'en était qu'à sa seconde inquisition, mais la première continuait à le hanter et à lui inspirer des cauchemars.

La trayeuse de vaches qui le suivait lui donna un solide coup de genou sans verser une goutte des baquets suspendus sur ses épaules ; l'exiguïté du passage empêcha Michel de se retourner complètement pour la dévisager, mais il entendit le doux clapotement du liquide et sentit l'odeur du lait qui commençait à tourner par cette chaleur inaccoutumée. Devant lui, la foule marquait le pas. Tous étaient fascinés par la perspective de l'exécution à venir. Il se retrouva pressé contre le dos du père Charles ; le froissement du délicat parchemin, entre leurs deux corps, le fit grimacer.

Malgré la bousculade de la trayeuse, Charles ne trébucha pas, laissant même dans son sillage calme et dignité. C'était un homme de petite taille qui mesurait une bonne tête de moins que son protégé, mais il avait belle prestance, un torse large et robuste sous son habit, simple et noir, en un temps où les membres du clergé appartenant comme lui à l'aristocratie et d'une stature égale à la sienne au sein de l'Église se paraient de soies, satins et fourrures aux couleurs bigarrées. Lui et Michel avaient été conviés à séjourner dans le luxueux palais de l'évêque, situé près de la basilique et construit directement à l'intérieur des anciennes fortifications de la cité. Le père Charles avait trouvé un moyen diplomatique d'accepter et de refuser à la fois l'invitation : les deux hommes seraient logés à très faible distance, dans le cloître des dominicains jouxtant Saint-Nazaire. Ayant franchi les portes de Carcassonne la veille bien après le crépuscule et ayant assisté aux mâtines avec les moines à minuit, ils s'étaient cependant levés bien avant l'aurore pour laudes. Après prime, ils avaient partagé la pitance des frères au réfectoire (une soupe d'orge et de choux). Le soleil levé, ils étaient allés présenter leurs respects à l'évêque qui avait tenu à les restaurer encore, leur offrant pour sa part saucisses et riches pâtisseries.

L'évêque Bernard Rigaud était un vieillard étrange à la mine revêche. De sa calotte dépassait un crâne aussi rose et duveteux que celui d'un nouveau-né. Ses yeux bleus étaient si globuleux que Michel avait autant de mal à en détourner le regard que de l'assiette du dignitaire de l'église, dans laquelle on ne reconnaissait plus les pâtisseries et saucisses, réduites en bouillie.

— Pour le bien de l'Église et de Sa Sainteté suprême, exemple doit être fait de l'abbesse Marie-Françoise : personne ne devrait être autorisé à commettre une atrocité contre le pape – qui plus est devant son palais – et à garder la vie sauve.

Rigaud se pencha en avant et baissa la voix, comme s'il craignait d'être entendu.

– Mais il nous faut agir avec célérité, la plus grande célérité possible, et en toute discrétion. Moult habitants de la région ont déjà pris offense de ces arrestations.

Cette réaction n'avait rien de surprenant. La populace du Sud, et plus particulièrement en Languedoc, n'avait point oublié les massacres perpétrés à Carcassonne et dans la ville voisine de Toulouse. Des dizaines de milliers d'êtres humains avaient été exterminés par les Barons du Nord, au nom de Dieu et du roi parisien. Peu importait que les victimes eussent été des hérétiques, des Albigeois qui croyaient en deux dieux, l'un maléfique et l'autre bon, et des *Fraticelli*, ces dissidents radicaux des franciscains qui prétendaient que comme le Christ vivait dans le dénuement, l'Église ne devait rien posséder non plus.

L'idée de mettre l'abbesse à mort sans qu'elle eût été jugée et condamnée dans les règles fit monter une protestation de stupéfaction aux lèvres de Michel. Il n'osa prononcer les premiers mots qui lui venaient à l'esprit : *Mais c'est une vraie sainte, à qui Dieu a confié une mission de miséricorde,* car ils étaient par trop imprudents. Avant l'arrestation de mère Marie-Françoise, l'Église avait adopté à l'égard de l'abbesse une attitude officielle de scepticisme prononcé. Michel s'était gardé d'ébruiter ses pensées, afin d'éviter que gêne et, pire encore, soupçons ne retombassent sur lui et sur son mentor.

Avant qu'il n'ait le temps de formuler une question moins accusatrice : *Mais, Monseigneur, comment pouvons-nous être certains de sa culpabilité sans l'avoir interrogée ?,* le père Charles prit la parole sur un ton empreint du plus grand respect :

– Monseigneur, je comprends bien évidemment votre inquiétude. Mais je ne peux agir que suivant ce que Dieu et la loi de l'Église…

– Vous devez obéir aux ordres du cardinal Chrétien, répliqua Rigaud d'un ton péremptoire. Disons qu'il s'inquiète du… peu de condamnations prononcées à votre initiative, Père, et de votre répugnance à faire usage comme il se doit de la torture. L'abbesse Marie-Françoise représente une chance de vous… racheter.

– Racheter ? répéta Michel, oubliant, dans sa hâte de défendre son mentor, d'imiter le ton déférent du père Charles. Mais Monseigneur, nous avons pris congé du cardinal Chrétien il y a moins de deux jours, et il ne nous a nullement donné pareilles instructions. S'il voulait en toucher mot au père Charles, il aurait pu aisément le faire. En outre, il n'existe aucune inimitié entre son éminence et le père Charles... loin s'en faut.

Le père Charles posa une main sur l'épaule de son jeune secrétaire pour le retenir, mais ce fut peine perdue.

L'évêque, face à l'impudence de Michel, avait rejeté la tête en arrière et bombé le torse comme une vipère prête à frapper.

— Me traiteriez-vous de menteur, mon garçon ?

Une pensée traversa alors l'esprit du prélat. Il abandonna un peu de sa superbe et esquissa un sourire.

— J'oubliais, Michel, que vous êtes son fils adoptif. J'imagine que votre père vous a initié aux rouages de la politique. Il m'a fait remarquer que l'abbesse était sûrement chrétienne quand elle est entrée au couvent. Se tourner vers la sorcellerie a donc fait d'elle une *relapse*.

D'un geste brutal, il enfourna une cuillerée de bouillie dans sa bouche et s'en délecta un moment, entre langue et palais.

Relapse, terme fatal qui s'appliquait à une âme chrétienne retombée dans l'hérésie. Crime abominable contre le Saint-Esprit, que ni Dieu ni l'Église ne pourraient jamais accepter. Dès que le mot *relaps* était prononcé, l'exécution suivait dans les plus brefs délais.

Michel s'attendait à voir le père Charles bondir au secours de l'abbesse. Mais le prêtre garda le silence, incitant le jeune frère à riposter :

— Pardonnez-moi, Monseigneur, mais comment pouvons-nous avoir la certitude qu'elle est *relapse* sans avoir entendu son témoignage ?

D'un léger mouvement de la tête et des épaules, l'évêque donna l'impression de plonger en avant. Ses yeux bleus protubérants, voilés par l'âge, posèrent un regard courroucé sur Michel.

— Vous souhaitez donc faire tomber en plus grande disgrâce le bon père ici présent et vous-même ?

— Mais non, se hâta d'intervenir le père Charles. Michel est une âme bonne, il désire simplement voir tout le monde ramené dans le giron du Christ. Tout comme moi, Monseigneur.

L'évêque s'inclina en arrière, légèrement apaisé.

— Noble visée, reconnut-il. Mais point toujours facile à atteindre. Vous êtes encore jeune, frère Michel. Le moment venu, vous vous apercevrez qu'il existe des âmes emportées par une si grande folie, aux cœurs si pleins de vilenie, que Dieu lui-même est impuissant à les sauver.

— Mais si..., demanda humblement Michel en évitant de croiser le regard de l'évêque, si l'on parvenait à prouver que la mère Marie-

Françoise n'est point *relapse*... et que ses actes ont été dictés par Dieu, et non par le diable...

– Pure rhétorique, répliqua Rigaud, dont l'agacement reprenait le dessus. Elle est coupable ; il y a des témoins. Si je ne me trompe pas, vous-même en faites partie.

Cette remarque incita Michel à baisser légèrement la tête, alors que la confusion régnait dans son cœur. Comment l'évêque, un dominicain, pouvait-il accuser l'abbesse de malfaisance ? Les dominicains vouaient une dévotion particulière à la mère du Christ qui avait donné le rosaire à saint Dominique ; on racontait que la mère Marie-Françoise communiait directement avec la Vierge et qu'elle était sa représentante sur terre. Chaque jour voyait éclore le récit d'une autre de ses guérisons miraculeuses.

Monseigneur, de par son grand âge, avait manifestement les idées confuses. Il était impensable que Chrétien eût tenu de tels propos au sujet de l'abbesse. En outre, un messager parti d'Avignon aurait dû chevaucher à bride abattue la nuit durant pour en aviser l'évêque par une dépêche, avant l'arrivée de Michel et de Charles à Carcassonne.

Aux côtés de Michel, le père Charles restait imperturbable, silencieux, implacable.

Rigaud laissa un vague sourire errer sur ses lèvres minces et bleuies ; il possédait encore la plupart de ses dents de devant, piquées de taches brunes comme l'écorce d'un chêne.

– Je sais que je peux vous faire confiance, père Charles, ainsi qu'au jeune frère, pour agir comme il siéra. Le crime commis contre le Saint-Père mérite à lui seul la plus dure des condamnations ; reste la question de la malencontreuse influence exercée par l'abbesse sur le peuple. Survivrait-elle, même en état d'excommunication, que subsisterait la possibilité d'une émeute populaire contre l'Église... Mais il y a plus grave : nous courons aussi le danger qu'elle obtienne un soutien politique de certains... supérieurs manquant de discernement.

Des supérieurs au sein de l'Église. Michel savait que Rigaud disait vrai : sa réputation de sainte conférait à mère Marie-Françoise un grand pouvoir politique. Si grand, à la vérité, qu'avant son arrestation elle avait davantage d'ascendant sur l'archevêque de Toulouse que l'évêque de Carcassonne en personne. Telle était donc la situation : Rigaud, par peur et par jalousie, était résolu à faire exécuter l'abbesse.

Michel entendit sur-le-champ dans sa tête l'admonestation familière du père Charles : *Ne sois pas si emporté, mon garçon ; il te faut apprendre à respecter tes supérieurs. Dieu les a placés au-dessus de toi pour te permettre d'apprendre l'humilité.*

L'humilité. Comment faire preuve d'humilité lorsque l'on était agenouillé près d'un bûcher sur lequel un être se tordait et poussait des cris perçants au milieu des flammes ? Après s'être vu contraint d'assister au châtiment par le feu du premier homme dont il avait noté la condamnation en qualité de clerc, Michel avait regagné sa cellule au monastère d'un pas chancelant. Là, il s'était vidé jusqu'à ne plus avoir de bile, mais cela ne l'avait pas empêché d'être encore secoué de haut-le-cœur pendant plus d'une heure. Chrétien l'y avait suivi. Plus tard, alors que Michel gisait, suffoquant, la tête appuyée sur les genoux drapés de brocart de son père adoptif, le grand inquisiteur lui avait éponge le front d'un linge humide en disant : « C'est dur, mon fils, je te l'accorde ; c'est très dur. »

Michel lui avait alors déclaré sans ambages qu'il voulait abandonner, qu'il était incapable de poursuivre une profession si révoltante, mais Chrétien était allé chercher des paroles de sagesse pour le convaincre de n'en rien faire :

« Pour commencer, le poids des morts ne repose que sur mes propres épaules. Fais fi de ton orgueil, Michel, souviens-toi que tu n'es qu'un notaire.

» Ensuite, Dieu nous a confié la plus ardue de toutes les tâches. Une tâche qui nous oblige à mettre quotidiennement notre courage à l'épreuve. Serais-je au banc des accusés que je souhaiterais être confronté à un homme aussi dévoué et bienveillant que toi. Car je connais la bonté de ton cœur ; je sais que tu ne cesses de prier pour les pêcheurs, comme je sais que Dieu t'entend. Je t'ai vu aux côtés des condamnés qui périssaient par le feu et je crois fermement qu'à l'heure de leurs morts tes prières ont amené leurs âmes au Christ. Dieu t'a donné une croix particulière à porter ici bas : préférerais-tu être remplacé par un homme cynique et implacable ? Ou accepteras-tu avec joie ton fardeau et, ce faisant, apporteras-tu le plus grand bien à ceux qui en ont le plus grand besoin ?

» Le jour où tu as été abandonné, encore nouveau-né, devant le portail de la cathédrale, Michel, Dieu m'a envoyé un rêve : dans ce rêve, je t'ai vu devenir le plus grand des inquisiteurs, le maître d'œuvre de la réunification de l'Église en une seule foi véritable. Dieu t'a élu pour une grande mission : sois courageux et prie-Le pour qu'Il t'en donne la force. »

Ce souvenir vint se mêler à l'image de Rigaud se levant de son siège recouvert de coussins, squelette aux épaules voûtées et à la démarche traînante, drapé de satin crème et écarlate.

– Trois jours, déclara-t-il, vous avez trois jours pour obtenir la confession de ces femmes et pour les remettre aux mains de la justice séculière afin qu'elles soient exécutées.

– Trois *jours*…, haleta le père Charles, abasourdi, avant même que Michel n'eût le temps de répéter comme lui ces mots fatidiques.

Il était impossible que cet ordre vînt de Chrétien.

– Ils vous suffiront amplement, affirma l'évêque d'un ton catégorique.

– Mais Monseigneur, intervint Charles, six femmes sont accusées, et des jours et des jours sont parfois nécessaires pour obtenir une seule confession. J'officie seul avec le père Thomas, je ne vois donc point comment…

– Ils vous suffiront, répéta Rigaud d'un ton qui, cette fois, ne souffrait aucune contradiction.

Sans rien ajouter, il souleva ses bras pliés, paumes tendues et légèrement en coupe, afin, présuma Michel, de bénir les deux hommes et de les envoyer à leur tâche. Calquant ses gestes sur ceux du père Charles, le jeune clerc se laissa tomber à genoux de son tabouret.

Un objet lumineux et brillant glissa des doigts du vieillard, descendit de deux, cinq, dix centimètres, et se balança dans les airs. C'était un crucifix d'or pendant à une chaîne ; non, deux crucifix. Un dans chaque main. L'évêque s'avança d'abord vers Charles, puis vers Michel, et les plaça solennellement autour des cous des deux hommes. La croix faisait deux fois la largeur du pouce de Michel et presque le double de sa longueur. Ses bords n'étaient pas droits mais festonnés d'un filigrane au style très orné. Le Christ doré crucifié était si minutieusement gravé que l'on discernait chaque épine de sa couronne et les pupilles de ses yeux. Au-dessus de sa tête était cloué un ruban portant l'inscription « I.N.R.I., Jésus de Nazareth, roi des Juifs », surmonté, chose fort inhabituelle, d'une étoile de David à six branches. Tout cet or valait une fortune.

L'évêque traça le signe de la croix au-dessus des deux hommes agenouillés d'une main légèrement tremblante en raison de son grand âge et dit :

– Ces crucifix ont été purifiés et bénis par le Pape en personne. Portez-les en toutes circonstances durant votre mission, car cette femme est dangereuse. Ils vous protégeront contre ses pouvoirs.

Rigaud se détourna légèrement, puis il marqua une pause pour ajouter, avec une ombre de sourire :

– Vous aurez besoin de cette protection, car les espions de Chrétien sont partout ; vous serez surveillés de près. Prenez garde de ne point le décevoir, père Charles. Votre échec serait sévèrement puni.

Lorsque l'audience avec l'évêque fut achevée, c'était tierce, soit le début de la matinée. Dans la rue, le soleil qui brillait d'un éclat douloureux après la pénombre du palais avait commencé à réchauffer les pavés. Les deux hommes cheminèrent un moment en silence, puis Michel prit la parole :

– Mon père, dites-moi que j'ai mal entendu. Dites-moi que l'évêque n'a pas proféré de menaces à notre endroit si nous ne trouvons pas l'abbesse coupable.

Charles s'immobilisa et fit face à son scribe.

– Pour commencer, Michel, ce n'est pas *nous* qui déciderons de sa culpabilité ou de son innocence. C'est *moi*, et cela ne vous regarde point.

Mortifié, Michel baissa la tête en signe de compréhension.

– La tiendriez-vous donc pour sainte ? demanda alors Charles d'un ton plus aimable.

Michel marqua une hésitation avant d'admettre à voix basse :

– Oui.

– Dans ce cas, je comprends votre désarroi, répondit simplement Charles. Il n'empêche : juger de l'innocence ou de la culpabilité des prisonnières n'est pas de votre ressort. Cette tâche me revient. Le cardinal Chrétien et moi ne partageons pas du tout votre opinion et n'oubliez point que nous sommes vos supérieurs. Quant à l'évêque Rigaud, qu'il profère donc ses menaces tout à loisir, cela ne m'empêchera pas d'envoyer dès ce soir une dépêche au cardinal, par laquelle je l'aviserai de ses commentaires déplacés. Vous n'avez point à le craindre.

En dépit des paroles prononcées par le père Charles à l'endroit de l'abbesse, Michel faisait confiance au prêtre pour agir selon la justice divine, car il l'avait toujours fait par le passé. Mère Marie-Françoise était une sainte (Michel la priait même en secret). Le père Charles le constaterait lorsqu'il la rencontrerait en chair et en os et qu'il entendrait son témoignage et il ne manquerait pas de rendre un verdict juste.

Quant à Michel, il prierait instamment Dieu d'adoucir le cœur du cardinal.

La foule se remit enfin en branle et le doux clapotis reprit, accompagné de l'odeur légèrement surie du lait chaud. L'allure s'accéléra et bientôt les deux hommes forcèrent le pas, passant devant d'étroites échoppes dont les étals de bois s'ouvraient directement sur la ruelle, si proches que la manche de Michel frôlait des miches de pain odorantes encore chaudes, des roues de fromage à l'arôme pénétrant et des chaussures tout juste sorties des mains du savetier. Au-dessus de leurs têtes, les étages supérieurs des hauts logis de bois où vivaient les marchands et leurs familles s'inclinaient vers l'avant de façon alarmante. Parfois, les maisons bâties des deux côtés de la venelle allaient jusqu'à se toucher, plongeant les passants dans l'ombre. Un rire incita Michel à lever les yeux. De sa fenêtre du troisième étage, la femme du boulanger, le bras tendu, donnait une tape taquine à sa voisine, l'épouse du fabricant de vins, qui se tenait dans sa propre demeure du côté opposé du passage.

Peu à peu, les boutiques s'espacèrent et la voie s'élargit. La geôle se dressait à l'intersection avec une autre avenue. C'était un bâtiment de pierres, carré, à peine plus petit et moins élevé qu'une cathédrale, dénué de tout style architectural. Michel en gravit les marches fuyantes et vermoulues par le temps aux côtés du prêtre. Les deux hommes croisèrent des avocats en conversation avec leurs clients et arrivèrent à l'épaisse double porte de bois. À l'approche des dominicains, une sentinelle, son front luisant de sueur et creusé d'une ride de perpétuelle maussaderie, leur désigna le battant ouvert d'un signe muet.

Michel pénétra dans la bâtisse et dut plisser les yeux pour s'habituer à la pénombre soudaine. Aucune fenêtre ne perçait le vestibule long et étroit. La seule source de lumière provenait d'un flambeau de chiffons fixé dans le mur suintant l'humidité.

– Geôlier ! appela le prêtre.

D'un geste délicat, il sortit un mouchoir blanc de sa manche et s'en couvrit le nez, dissimulant sa moustache noire et la plus grande partie de sa fine barbichette. S'il faisait ici sans nul doute plus frais qu'à l'extérieur, l'atmosphère n'y était cependant pas plus agréable : au parfum de la rose et de la lavande venaient se mêler des miasmes de merde humaine, d'urine sanguinolente et de malheur. Une odeur identique se dégageait de toutes les prisons et, à chacune de ses visites, Michel était empoigné par le même terrifiant souvenir d'enfance : celui d'un cochon dont le cuisinier du monastère avait bâclé l'exécution. Comme il ne lui avait tranché qu'à moitié la gorge, l'animal s'était échappé comme une flèche dans la cour de la grange avec des cris d'orfraie, répandant dans son sillage du sang et des excréments, ainsi qu'une odeur plus forte, plus âcre. L'odeur de la peur, avait expliqué plus tard le cuisinier à Michel.

La torture des êtres humains produisait la même puanteur sinistre, aux relents beaucoup plus tenaces que les souffrances elles-mêmes.

Un silence tomba, suivi par un bruit de pas claudicants qui s'approchaient, accompagnés d'un cliquetis de métal. De l'obscurité émergea le geôlier. C'était un individu souffrant d'un léger pied bot, trapu, massif, aux membres courtauds. À première vue, son crâne semblait dénudé par une tonsure monastique, mais, à y regarder de plus près, cette calvitie n'était l'œuvre que du temps et de la nature.

— Ah, mon père ! s'écria-t-il !

Il lui manquait deux dents de devant et une canine.

— Vous êtes bien le père Charles ? Bienvenue ! Bienvenue ! Nous vous attendions avec impatience. Il est fort rare qu'un expert comme vous nous fasse la grâce d'une visite.

Ses consonnes sifflantes chuintaient.

Derrière son mouchoir, le prêtre se détendit un peu, sans pourtant esquisser de sourire. Le labeur qui l'attendait était par trop sinistre. Il se contenta de répondre d'un aimable signe de tête et de demander d'une voix légèrement étouffée :

— Le père Thomas et son secrétaire sont-ils arrivés ?

Le geôlier secoua la tête.

— Les bourreaux sont ici, mais nous n'avons aucune nouvelle du père Thomas.

Ce dernier, en qualité de membre du tribunal de l'Inquisition, aurait dû faire le voyage d'Avignon en compagnie du père Charles et du frère Michel, mais il avait été retenu quelques heures pour « affaires personnelles ». S'il s'était agi d'un autre prêtre, Michel aurait craint qu'il n'eût rencontré des brigands en chemin, mais les cancans étaient parvenus jusqu'à lui. Au silence crispé du père Charles, il comprit que le retard du père Thomas était sans doute dû à sa maîtresse. Thomas bénéficiait cependant d'une clémence particulière, car il appartenait au cercle des protégés favoris de Chrétien (Michel soupçonnait parfois ce dernier de le préférer à son propre fils).

— Pouvons-nous voir la prisonnière ? s'enquit alors avec affabilité le père Charles auprès de leur hôte. La mère abbesse Marie-Françoise ?

— Bien sûr, bien sûr.

35

Le geôlier fit rouler ses yeux noirs, si petits et si profondément enfoncés dans leurs orbites qu'on n'en voyait jamais le blanc.

– La grande catin de Carcassonne, comme la dénomment certains ; mais il vous faut savoir que d'autres ici la tiennent pour sainte et que ce procès leur déplaît fort. Non que j'en fasse partie.

Il marqua un silence, avant d'ajouter avec une pointe de lascivité dans ses paroles :

– Mon père, ce que l'on raconte est-il vrai ? Ces choses qu'elle aurait faites dans le palais papal ?

Michel sentit ses lèvres se tordre de dégoût : la rumeur selon laquelle l'abbesse s'était livrée à un acte sexuel obscène, un acte de magie, dans le but d'offenser le pape Innocent IV, était venue à ses oreilles. Loin d'avoir commis pareil crime, l'abbesse avait en fait accompli l'inverse : d'une simple imposition des mains, elle avait guéri un homme blessé.

Rigaud ne se trompait pas : Michel avait été témoin de ce miracle. Au début, il avait cru (sans pourtant s'en ouvrir à quiconque) avoir posé les yeux sur la Sainte Mère en personne, tant elle irradiait de l'intérieur. Puis cette image s'était estompée, cédant la place à celle d'une simple femme en habit de franciscaine. Pourtant, le sentiment d'être face à une émissaire de Dieu ne l'avait pas quitté, car du visage de l'abbesse, lorsqu'elle s'était détournée de l'homme abasourdi qu'elle venait de guérir, n'émanait pas moins qu'une lumière divine. Comment des pêcheurs osaient-ils parler si vilainement d'une telle sainte ?

Dans l'antichambre de la prison, Charles adoptait à présent une expression sévère et un regard lourd de sens. Il baissa son mouchoir, afin de dévoiler complètement son visage majestueux, aux joues émaciées et aux sourcils épais et charbonneux.

– Nous verrons l'abbesse de suite, déclara-t-il au geôlier.

– Bien sûr.

L'homme se tourna habilement, de manière à faire cliqueter ensemble toutes les clés du large trousseau suspendu à sa hanche, puis il leur ouvrit la voie à pas lents. Une de ses épaules s'inclinait fortement lorsqu'il marchait sur son pied légèrement estropié, tandis que l'autre se soulevait lorsqu'il posait son pied valide sur le sol. Charles et Michel le suivirent dans le corridor jusqu'à un escalier de pierres en colimaçon, encore plus étroit que les venelles de la cité, si bien qu'on ne pouvait l'emprunter qu'à la file.

De la cave montèrent les hurlements déchirants d'une femme. D'instinct, Michel s'arma pour ne pas succomber à la compassion et se mit à prier : « Sainte Marie, mère de Dieu, que le Seigneur soit avec vous. Vous êtes bénie entre toutes les femmes, et Jésus, le fruit de vos entrailles, est béni. Sainte Marie, mère de Dieu, priez pour nous, pauvres pêcheurs, maintenant et à l'heure de notre mort... »

La main du père Charles, pareille aux serres d'un faucon, se referma brutalement sur l'épaule du geôlier lorsque ces cris leur parvinrent.

– Détenez-vous ici d'autres prisonnières que les sœurs franciscaines ?

L'homme marqua une hésitation suffisante pour que Charles comprît sur-le-champ sa réponse sans qu'il eût besoin de l'exprimer et pour qu'il insistât :

– Les bourreaux sont donc déjà à l'œuvre avec mes prisonnières ? Ils n'ont aucun droit d'agir sans mes ordres !

Scandalisé, Michel éprouvait grand-peine à respirer.

Le gardien baissa la tête et étudia les souliers de Charles.

– Ils sont arrivés de Paris il y a une heure, *monseigneur*, et ils m'ont donné l'ordre de leur amener les nonnes. J'ai cru – je vous l'assure, *monseigneur* –, j'ai cru que leurs instructions venaient de vous.

– En aucun cas !

L'homme leva les yeux, subitement prompt à accuser.

– Je le comprends bien à présent, mon bon père. Maintenant que vous me parlez d'eux, il me semble qu'ils étaient fort ivres quand ils m'ont donné cet ordre. À mon avis, ils sortaient tout droit d'une taverne et d'un lupanar. Ils n'ont sans doute pas dormi de la nuit...

– J'exige de les voir tout de suite !

D'un geste bref et violent de son bras drapé de noir, le père Charles intima au geôlier de se taire et de continuer à descendre. L'homme s'exécuta avec empressement.

Ils atteignirent enfin le bas de l'escalier qui donnait sur une vaste cave. Sur leur dextre se trouvait la grande cellule commune, qui n'était rien d'autre qu'un espace clos de barreaux de fer, au sol jonché de paille. À l'intérieur, six nonnes, toutes défroquées et en chemises, se serraient furtivement les unes contre les autres, l'air égaré. Leurs longs nez, leur peau douce et la blancheur de leurs nuques ployées qu'accentuaient leurs cheveux ras semblaient indiquer qu'elles étaient toutes de noble souche. Des femmes nées dans des familles prospères, qui avaient été données à un couvent et qui ne connaissaient rien de la vie en dehors des travaux d'aiguille, de la lecture et de la contemplation. Elles n'étaient pas aux fers, mais simplement assises sur la paille, signe de la sympathie que leur portait peut-être le geôlier sans l'admettre.

Au passage du frère Michel et du père Charles, les religieuses tournèrent la tête à l'unisson et les suivirent du regard. Deux d'entre elles, l'une blonde et l'autre brune, dont les paupières, roses comme la peau d'un nouveau-né, étaient enflées, marmonnaient des prières sans retenir leurs larmes ; les autres exprimaient la stupéfaction muette dont Michel avait si souvent été témoin.

Le geôlier s'arrêta devant la porte de la chambre de tortures ; de l'intérieur leur parvint un rire guttural. Michel ne put se retenir davantage. Conscient de s'exposer à une réprimande de son maître, il bondit en avant pour ouvrir la porte. Tout de suite, il entrevit une silhouette pâle, suspendue à une quinzaine de centimètres au-dessus du sol par une poulie et des chaînes autour des poignets qui faisaient remonter ses bras en arrière. Il s'agissait de l'estrapade, qui utilisait les propres bras du torturé pour déboîter ses épaules. Cet instrument, infligeant la dislocation et une souffrance atroce en quelques minutes, ne se contentait pas d'être efficace, il permettait d'obtenir rapidement la soumission et les aveux de la victime, car la douleur ne cessait d'augmenter une fois la séance de torture achevée.

La femme martyrisée semblait évanouie : sa tête était tombée en avant, son menton reposait sur sa clavicule ; sous ses petits seins en forme de coquillage, sa cage thoracique ressortait au-dessus d'un long ventre plat et du delta formé par sa toison dorée entre des os iliaques protubérants. Ses jambes étaient minces, dégingandées, légèrement arquées. Derrière elle, sa silhouette, telle celle d'un messie féminin suspendu à un crucifix invisible, vacillait sur le mur de pierres à la lueur des flambeaux.

L'un des bourreaux s'était hissé sur la pointe des pieds devant elle pour pouvoir lui empoigner les seins ; l'autre, presque trop aviné pour garder l'équilibre, n'en traînait pas moins une boîte derrière elle, tout en tâtonnant pour se dégager de ses chausses.

– Descendez-la ! hurla Michel en se précipitant dans la salle.

D'un coup de poing à la fois gracieux et énergique qui déconcerta l'homme occupé à tirer la boîte, il le fit tomber à terre. L'autre bourreau, les yeux rendus vitreux par la boisson, abandonna sa proie pour se tourner vers celui qui volait à son secours. Michel avait beau être grand, le bourreau le dépassait et il était plus robuste que lui. L'espace d'un battement de cœur, les deux hommes se toisèrent d'un regard farouche. Michel se prépara à l'assaut.

– *Descendez-la !* tonna Charles du seuil de la porte avec une férocité digne de celle du Christ expulsant les marchands hors du Temple.

Le bourreau encore debout tourna son menton couleur rouge bette-rave en direction du prêtre.

– Mais on nous a dit…

– Peu me chaut ce que d'autres vous ont dit. Désormais, vous n'écouterez que *moi*.

– Mais vous…

Le père Charles leva la main d'un air menaçant pour obtenir le silence.

Le bon sens l'emporta sur le naturel et sur la boisson et le bourreau, s'avisant que l'ecclésiastique était un ennemi dangereux dans d'autres domaines que celui de la force physique, poussa un soupir et saisit la poulie de l'estrapade. La femme s'affaissa sur le sol comme un pantin désarticulé. Michel souleva ce pauvre sac de peau et d'os délicats dans ses bras, jusqu'à ce que le second gaillard lui enlève les chaînes qui retenaient ses poignets captifs. Cette situation excluait toute fausse modestie : Michel n'éprouvait aucune gêne, rien que de l'horreur devant les meurtrissures, les os démis et l'indignité que cette femme avait subie. Des manches de son habit, il tenta de son mieux de lui recouvrir le corps, puis il passa devant le père Charles pour la trans-porter dans le couloir.

Bien que les lois de l'Inquisition interdissent aux geôliers, aux bour-reaux et aux inquisiteurs de battre ou de violer les détenues, ces crimes n'étaient que trop souvent perpétrés. Il arrivait souvent à Charles et Michel de rencontrer de tels abus, qui allaient de pair avec une igno-rance ou un dédain pur et simple des droits des prisonniers. La pratique établie interdisait la torture en l'absence de l'inquisiteur ou sans sa permission ; le *Pratica officii Inquisitionis heretice pravitatis*[1], publié une trentaine d'années auparavant par l'inquisiteur Bernard Gui, était d'une extrême précision dans ce domaine. L'un des droits accordés aux accusés leur offrait la possibilité de se confesser *avant* d'être torturés ; selon un autre, la torture ne devait jamais être appliquée gratuitement, mais judicieusement et toujours dans le but d'obtenir une confession.

– Je devrais dénoncer tout de suite votre conduite, déclara le prêtre, en proie à une rage lugubre, aux deux hommes, et vous faire accuser non seulement d'infraction au règlement mais du crime que vous étiez sur le point de commettre. Cependant, le temps m'est compté. Je vous offre donc une seconde chance d'obéir à la loi. Veillez à vous y appli-

---

1. Traité de la pratique de l'Inquisition (NdT).

quer... sinon, je me ferai un devoir de vous interroger moi-même. Et je suis persuadé que vous imaginerez sans mal la créativité dont peut faire preuve un bourreau appliquant son art sur un confrère.

Sur ces entrefaites, Charles regagna le corridor et accompagna Michel, avec l'aide des clés du geôlier, dans la cellule commune. Le jeune moine déposa en douceur la nonne inconsciente sur la paille ; immédiatement, une nuée de mouches s'abattit sur eux. Sans prêter attention aux inquisiteurs, les nonnes se rassemblèrent tout de suite autour de leur sœur et recouvrirent sa nudité d'une couverture sale, accompagnant cette tâche de murmures et de sanglots étouffés.

D'une voix solennelle, Charles s'adressa à elles de l'autre côté des barreaux :

– Mes sœurs, je vous prie de pardonner cette infraction à la justice et je vous rappelle que possibilité vous sera offerte d'éviter un tel sort.

Une ou deux nonnes lui jetèrent un regard, de leurs yeux voilés comme l'étaient jadis leurs têtes. Il était impossible de dire si leurs visages graves exprimaient la contrition ou une haine refoulée. Les autres ne se détournèrent pas de la femme suppliciée qu'elles entouraient. Aucune ne remarqua le départ des inquisiteurs et les barreaux que le geôlier refermait sur elles.

Sans prononcer une parole, le gardien ennuyé mena les deux ecclésiastiques au bout du corridor. Ils passèrent devant une autre cellule commune qui n'abritait aucun prisonnier, puis devant une rangée de cachots privés vides. L'homme s'immobilisa devant le dernier. La porte de bois tenait en place grâce à du métal rouillé. Des barreaux placés à hauteur de regard formaient une espèce de judas et une fente près du sol permettait de pousser pitance ou eau à l'intérieur du cachot. Cette porte n'était pas verrouillée. Elle s'ouvrit en gémissant.

Michel pénétra dans la pièce derrière Charles.

Le cachot ressemblait à beaucoup d'autres, avec son sol de terre battue jonché de paille humide, un baquet rempli d'urine en guise de latrines, une petite torche de chiffons huilés près de l'entrée qui diffusait une faible lumière et une fumée recouvrant presque tout d'une fine pellicule de suie noire.

Mais il présentait aussi une légère différence : par terre, dans un support de céramique, brûlait une fine bougie blanche dont le rai de lumière vacillant tressautait contre les murs. La puanteur y était moins accablante, si bien que Charles enfonça son mouchoir dans la manche de sa robe.

Un lieu saint, songea sur-le-champ Michel qui crut même percevoir un faible parfum de roses. Le souvenir de la dernière fois qu'il l'avait vue, à Avignon, au milieu d'une foule bruyante, l'assaillit brutalement.

Sur une planche de bois suspendue par des chaînes à la pierre, une femme gisait sur le dos, le visage tourné vers le mur. Dès que les deux inquisiteurs s'interposèrent entre la bougie et elle, leurs ombres retombèrent sur son corps. Au-dessus, sur le mur, on distinguait même le contour sinistre des volutes de fumée qui s'enroulaient autour de leurs épaules.

Malgré l'obscurité, Michel vit clairement que sous l'épaisse casaque de cheveux noirs luisants coupés à hauteur de sa nuque, la ligne de ses pommettes était enflée, brisée peut-être, et qu'elle avait la respiration courte, aiguë, creuse, d'une personne blessée, souffrant de côtes cassées. Les bourreaux s'étaient d'abord consacré à elle. D'instinct, il songea à la pharmacopée qu'il conservait à Avignon et lui prescrivit mentalement de l'écorce de saule contre la douleur et une pâte de feuilles de consoude, de pétales de soucis et d'huile d'olive contre les hématomes…

Le père Charles prit place sur l'un des tabourets disposés à l'intention des inquisiteurs. Michel l'imita, s'asseyant légèrement en retrait derrière lui, et défit le baluchon attaché à sa taille, pendant que son maître demandait avec douceur :

– Mère Marie-Françoise ?

Le corps de la femme se crispa légèrement.

– Je suis le père Charles, un prêtre dominicain dépêché par l'Église pour enquêter sur votre cas. Et voici (il désigna son secrétaire d'un geste qui dénotait une fierté quasi paternelle) mon secrétaire, le frère dominicain Michel. Il est le fils adoptif du cardinal Chrétien.

Il maintint cette pose un certain temps, comme s'il s'attendait à voir l'abbesse se tourner pour les saluer. Comme elle n'en faisait rien, son attitude s'assombrit.

– Mais pour commencer, ma mère, je dois vous demander pardon pour le tort que vous avez subi. Ces hommes n'avaient aucun droit de porter la main sur vous avant que l'occasion de vous confesser ne vous ait été offerte. Leur conduite sera signalée.

La prisonnière tourna alors lentement le visage vers eux.

Michel étouffa un cri d'horreur. Il s'attendait à la femme menue et voilée qu'il avait vue si récemment sur une place publique d'Avignon, la main en coupe sur l'œil d'un prisonnier agenouillé ; une femme belle, au teint olivâtre, aux grands yeux et au nez retroussé.

41

Mais l'abbesse qui les regardait n'avait plus qu'un œil marron foncé valide ; l'autre, gonflé, à demi dissimulé par sa pommette brisée et boursouflée, s'était clos de lui-même et était recouvert de sang coagulé tombé de l'arcade sourcilière qui avait été fendue en plein centre sur la largeur d'un ongle. La plaie béait, rouge et à vif. Le sang s'était répandu sur une tempe et sur la joue, ainsi que le long de l'aile du nez, lui-même meurtri et ruisselant sur la lèvre supérieure fendue et violette.

Sous ses blessures, les traits de l'abbesse ne présentaient rien de particulier. Elle était menue et sans doute âgée d'une vingtaine d'années, ce qui était fort jeune pour occuper déjà la position influente de mère supérieure et susciter des opinions si divergentes.

Une beauté se dégageait néanmoins de son maintien, de sa dignité sereine face à un sort si désastreux. Des innombrables prisonniers que Michel avait eu l'occasion de voir au cours de ses années de service auprès du père Charles, elle était la première à ne manifester aucune frayeur.

Il revint à nouveau en pensée à Avignon, au moment où elle avait levé la tête du blessé qu'elle venait de guérir pour le regarder lui, Michel. Il avait alors eu la conviction qu'elle le connaissait intimement, que chacune de ses pensées, chacune des intentions de son cœur lui étaient familières. Il irradiait d'elle un amour dirigé spécifiquement vers lui, un amour si saint, si intense, si pur qu'il avait manqué défaillir, non sans lui avoir retourné son regard et son amour, accompagnés d'une certitude intérieure : *Dieu est là.*

Subitement, il avait été consumé d'un désir charnel comme il n'en avait encore jamais connu, qui ne lui brûlait pas seulement les reins, mais le corps entier, jusqu'au bout de ses doigts douloureux. Honteux, effaré d'éprouver un attrait sensuel pour une telle sainte, il s'était plongé dans une prière muette : *Éloigne-toi de moi, Satan. Je vous salue, Marie, pleine de grâce...*

Il avait prononcé cette dernière phrase directement à l'attention de l'abbesse.

La voix du père Charles, légèrement scandalisée, ramena Michel au présent.

– Ils paieront pour leur crime, ma mère. D'ici là, (le prêtre revint à un ton officiel) ne perdons point de temps. Une liste d'accusations préliminaires a été dressée contre vous.

Sans regarder son secrétaire, il tendit une paume ouverte dans sa direction.

Michel se ressaisit, ouvrit son baluchon et déroula plusieurs parchemins. Après en avoir extrait la pièce appropriée, il la tendit au père Charles. Bien qu'il se reposât depuis longtemps sur Michel pour lire à sa place, le vieillard connaissait la liste par cœur : massacre d'enfants innocents, commerce avec le diable, ensorcellements, *maleficium* contre différents individus à Carcassonne, sans mentionner la plus grave des accusations : *maleficium* contre Sa Sainteté, le pape Innocent IV…

Hormis cette dernière accusation et le nom de l'accusé, tous les parchemins que Michel transportait dans ses bagages étaient rédigés dans les mêmes termes.

– Ma mère, je vous le demande maintenant : reconnaîtrez-vous la véracité de ces accusations préliminaires ? conclut lentement le père Charles.

Les larmes embuèrent soudain l'œil valide de l'abbesse ; l'une d'elles s'en échappa et coula le long de son nez.

Le père Charles déploya le parchemin devant elle d'un air lugubre, pendant que Michel tendait la main vers son encrier et sa plume d'oie.

– Le document est prêt, dit le prêtre. Il vous suffit de le signer. C'est la liste des accusations que je viens de vous lire.

Alors qu'il tendait la plume d'oie au père, Michel vit l'abbesse poser les yeux non pas sur le parchemin, mais directement sur lui et sur son maître. Et, en cet instant, il eut une révélation stupéfiante, inexplicable : elle ne pleurait ni à cause de la souffrance que lui avaient infligée ses bourreaux, ni en raison de la honte que lui inspirait son emprisonnement, ni par crainte d'une mort douloureuse. Elle versait des larmes de pitié sur eux, ses inquisiteurs. Des larmes d'infinie compassion. Sa gorge se serra douloureusement.

Elle contemplait Michel, les joues striées de larmes mêlées de sang, le visage empreint d'une expression de sérénité absolue. Comme elle paraissait innocente, gracile et blessée dans sa chemise blanche déchirée et maculée, avec ses cheveux coupés ras et ses grands yeux qui la faisaient ressembler à un enfant androgyne !

Quiconque posait le regard sur elle en cet état ne pouvait manquer de deviner en elle la sainte, de voir son caractère divin. En dépit de ses blessures affreuses, la spiritualité irradiait de son visage et de son œil ouvert. Peut-être était-ce ainsi, songea Michel, que Jésus était apparu à ceux qui avaient procédé à son arrestation, la veille de sa crucifixion.

Il voulut se tourner vers le père Charles, mesurer la réaction du vieil homme, mais il fut subitement pris de vertige et crut s'évanouir…

43

Il n'est plus lui-même, le moine Michel, mais un autre, un étranger, allongé sur le dos, contemplant un ciel éclaboussé de soleil. Un ciel si bleu, si tranquille, un lieu si indifférent et si froid, empli de pierres et de cris… à présent si serein, si silencieux. Dans cette immensité bleue, au-dessus de sa tête, se déplacent des tourbillons noirs miroitants : s'agit-il d'oiseaux charognards ? Ou de l'approche du trépas ? Il se sent trop faible, trop calme, trop foudroyé pour s'en soucier.

Puis le ciel et les oiseaux de mort cèdent la place à un visage de femme en forme de cœur, aux yeux noirs brillants, au petit nez et aux lèvres dessinées comme un bouton de fleur entrouvert. Des sourcils et des cils indigo ; une peau olive qui a été exposée au soleil. Souriante, elle tend un bras vers lui. Il essaie de lui rendre son sourire, mais n'y parvient point. Il y a trop de sang partout, du sang sur le métal, du sang sur la terre, du sang sur sa langue, mais tout cela n'a aucune importance, car il L'a enfin vue…

… en dépit de son état de faiblesse, il est submergé d'une dévotion absolue et d'un désir charnel insoutenable. L'objectivité des mourants l'empêche pourtant d'éprouver la moindre honte. Une telle passion paraît sacrée, elle est inséparable du Pouvoir qu'Elle lui transmet.

Il entend Sa voix, belle et basse, une voix qu'il connaît depuis longtemps, très longtemps ; une voix qu'il a toujours connue, mais qu'il a oubliée : Le Dieu que tu cherches est *ICI*, ne le vois-tu donc point ? Ta vie est *ici*…

Ces paroles et cette ferveur évoquent une telle liberté, une joie si profonde et un tel soulagement qu'il laisse échapper un dernier souffle rauque et rend l'âme en paix.

Michel revint brutalement au présent. Il avait l'impression d'avoir rêvé, mais sans s'être endormi, car il venait tout juste de passer la plume au père Charles, comme si rien ne s'était passé. Non, il n'avait pas dormi ; il avait été entraîné dans les derniers instants d'un mourant, d'un étranger.

Il s'agissait d'une vision, envoyée par Dieu, dont la signification lui échappait totalement mais dont la part de lubricité l'embarrassait, car ce désir charnel ne pouvait provenir que de sa nature de pécheur.

La main de Michel se porta d'instinct sur le crucifix caché contre son cœur. Au même instant, le père Charles lui jeta un regard perçant, avant de présenter la plume et le parchemin à la femme toujours étendue.

Les larmes de l'abbesse se tarirent sur-le-champ. Elle hocha la tête.

– Non.

À l'étonnement de Michel, Charles n'insista pas. Il baissa les bras, rendit les objets rejetés au jeune frère qui les replaça dans son baluchon et sortit une tablette de cire et un style qui servaient à enregistrer les noms et accusations supplémentaires, ainsi que les amendements aux confessions.

À l'aide du style, le notaire inscrivit dans la cire : *En l'année 1357, le 22ᵉ jour d'octobre, une mère Marie-Françoise du couvent de franciscaines de Carcassonne a été officiellement traduite en justice devant le père dominicain, Charles Donjeon, d'Avignon, et elle a effectivement refusé de reconnaître les crimes dont elle était accusée.* Il attendit alors, style en l'air, que le père Charles eût demandé à la religieuse si elle souhaitait avouer d'autres crimes ou faire une déclaration.

Au lieu de quoi, et à sa vive stupéfaction, son maître déclara :

– Vous n'avez manifestement aucun désir de coopérer avec cette enquête.

Sans plus attendre, Charles se leva et se tourna vers la porte ; décontenancé, Michel rassembla en hâte son nécessaire d'écriture et l'imita.

– Si, je vais me confesser, déclara soudain l'abbesse avec véhémence. Mais je ne reconnais point les accusations contenues dans votre document.

La volte-face de Charles dans sa direction fit voleter le bas de sa robe noire, et Michel crut percevoir un brin de désapprobation dans sa voix.

– Vous allez…

– Me confesser, répéta-t-elle.

Sa voix et ses traits n'exprimaient pourtant aucune trace de pénitence ou de regret.

– Avec mes propres mots, et à lui seulement.

Elle désignait Michel.

Les épais sourcils noirs du prêtre se haussèrent en un V menaçant ; ses lèvres pincées devinrent blêmes et il foudroya l'abbesse allongée d'un regard étincelant pendant de longues secondes. Puis il se décida à parler :

– Dois-je vous répéter ce que vous savez déjà ? Que mon secrétaire n'est pas encore ordonné prêtre et qu'officiellement il n'a point le droit d'entendre votre confession ? Que je ne lui permettrai jamais de demeurer seul en votre présence ?

– Dois-je vous dire ce que *vous* savez déjà ? le contra-t-elle avec une audace et un manque de respect absolus. Que vous avez reçu l'ordre de me trouver *relapse* et de me condamner à mort, quoique je dise ?

45

Elle se tut pour désigner Michel d'un regard.

– *Lui* ne craint point d'entendre la vérité et d'en prendre note.

Le visage terreux, Charles se tourna avec lourdeur vers son secrétaire.

– Celle-ci ne peut être aidée. Appelez le geôlier, Michel.

– Mais, mon père…

– Appelez-le !

Michel dut avoir recours à toute la loyauté et à toute la discipline qu'il avait accumulées au fil de ses années au monastère pour obéir. Il regarda par la petite ouverture munie de barreaux et s'exécuta d'une voix plus tonitruante que nécessaire, car l'homme attendait juste derrière le battant. Il ouvrit d'ailleurs la porte avec une gaieté et un empressement qui ne parvinrent pas entièrement à dissimuler son embarras d'avoir été surpris en flagrant délit d'espionnage.

Au fil de leur journée de labeur, marquée par trois interrogatoires improductifs, le père Charles parut se renfermer de plus en plus. Lorsque les inquisiteurs sortirent de la prison et retrouvèrent la lumière et l'air tiède et pur, son front s'était creusé et il marchait à pas lents. Au lieu d'évoquer les événements de la journée comme il le faisait d'ordinaire, il gardait le silence.

Michel se tenait coi aussi, car il était profondément déçu par son maître. La loi exigeait que fussent offertes à l'abbesse plusieurs occasions de se confesser. Mais Charles avait prononcé des paroles menaçantes, des paroles qui n'étaient encore jamais sorties de sa bouche, des paroles qui sonnaient clairement le glas de l'accusée : « Celle-ci ne peut être aidée. »

Je deviens fou, se disait Michel. Il avait l'impression que le monde et toutes ses convictions avaient été bouleversés. Son maître était un homme d'une honnêteté scrupuleuse ; jamais le père Charles n'avait manqué d'accorder une audience équitable à un prisonnier. Pourtant, il venait pratiquement de condamner l'abbesse à mourir sans lui laisser prononcer davantage que quelques mots. L'Église était administrée par des hommes de bien, de saints hommes, mais aujourd'hui l'évêque Rigaud avait eu recours au chantage pour convaincre un prêtre de passer outre les lois de l'Inquisition.

Charles poussa un soupir et jeta un regard en arrière à la rue et aux piétons dont le nombre avait diminué, à présent qu'avait sonné l'heure du souper. Son visage, éclairé par la lumière de fin d'après-midi, avait l'air blême, presque hagard.

– Michel, dit-il, je pense qu'il vaudrait mieux qu'un autre notaire que toi m'assiste demain matin.

Ainsi donc, Michel voyait juste : le père Charles retournerait voir l'abbesse le lendemain matin et recommanderait son exécution. Et il ne voulait pas que son neveu adoptif fût témoin de sa conduite honteuse.

– Mais pour quelle raison, mon père ? demanda-t-il, ayant grand mal à croire qu'il ne faisait pas fausse route. J'ignore pourquoi, mais l'abbesse me fait confiance. Si ma présence peut aider à obtenir sa confession…

– Elle veut te voir seul, Michel, pour des raisons qui n'ont rien à voir avec la confiance. J'ai remarqué ton expression étrange quand elle te regardait ce matin. Tu n'étais plus toi-même. Puis-je te demander ce qui te passait alors par la tête ?

Michel hésita. D'un côté, il pensait que sa mystérieuse vision devait rester secrète, inviolable ; de l'autre, il savait que le père Charles ne souhaitait que le protéger du mal.

– Je… j'ai cru faire un rêve éveillé. Je regardais par les yeux d'un mourant, mais je me trouvais en un autre lieu, à une autre époque… Et elle, l'abbesse… était présente. (Il se fit véhément.) C'était une vision envoyée par Dieu, mon père, j'en suis persuadé. J'ai senti Sa présence.

– Toutes ces sornettes… « sentir Dieu », avoir des visions ! Le regard que tu portes sur la religion est par trop teinté de sentiments. Dieu se trouve dans la liturgie, dans le bréviaire, point dans des envolées chimériques.

Le père Charles hocha la tête et poussa un autre soupir, encore plus chagrin.

– Elle t'a ensorcelé.

– Mais l'évêque nous a affirmé que le Saint-Père lui-même avait béni le crucifix, qu'il nous prot…

– Je l'entends bien, Michel. Mais les faits sont là : elle t'a ensorcelé. Ton « rêve éveillé » ne t'a point été envoyé par Dieu. À ton avis, poursuivit-il après un silence, qu'est-ce qui m'a poussé à t'éloigner si rapidement d'elle ? Pensais-tu que je me contentais de suivre les ordres de l'évêque Rigaud ? ajouta-t-il ironiquement.

Cette question incita le jeune frère à la réflexion.

– Si vous dites vrai, répondit-il humblement, je prierai pour être pardonné. J'accomplirai toutes les absolutions que vous estimerez nécessaires, mon père, mais je veux vous aider, rester à vos côtés. Je sais que Dieu peut la sauver, et je sais que je peux être utile. Je le *sais*.

– Michel, mon fils, tu ne comprends donc point ? Elle est ici pour t'empoisonner.

– Comment pouvez-vous en avoir la certitude, mon père ? Vous ne disposez que d'ouï-dire. Vous n'étiez pas là, sous le dais, vous ne l'avez pas vue comme moi... N'est-il point important de connaître la vérité, de sauver une âme qui est peut-être innocente ? Une âme qui pourrait même être *sainte* ? Dieu était présent dans son cachot aujourd'hui ; il était dans la foule à Avignon, le jour où j'ai assisté à ma première exécution. Ne sauriez-vous plus le reconnaître ?

Le prêtre se tourna vers le moine comme s'il l'avait giflé. Michel regretta la souffrance que sa question lui causait, mais il insista :

– Admettons qu'elle soit une sorcière, mon père. Pourquoi voudrait-elle m'ensorceler *moi* ? Pourquoi pas vous ? Je ne suis qu'un secrétaire, de peu d'utilité pour elle. Comme vous me l'avez fait remarquer, ce n'est pas moi qui vais décider de son destin. Je ne puis que prier pour elle.

Les yeux bruns du prêtre se remplirent de larmes. Il ouvrit la bouche, voulut parler mais la referma, car son émotion était manifestement trop intense. Pour finir, il marmonna d'une voix enrouée :

– Je donnerai ma vie avec joie pour te protéger du mal. Ne t'en remettras-tu point à un vieil homme en cette matière ? Ne me feras-tu point confiance ? Je refuse qu'un mal quelconque te soit fait, tout comme je refuse de voir entamée ton intégrité.

– Mais aucun mal...

Michel s'interrompit, car il venait de comprendre le sens des paroles de son maître, qui souhaitait en fait protéger son neveu adoptif de plusieurs maux : non seulement d'un éventuel ensorcellement, mais de la culpabilité qui serait sienne s'il jouait un rôle dans la condamnation de l'abbesse.

Le jeune moine baissa modestement la tête.

– Il me faut protester à regret, mon père.

– Tu n'as pas le choix, Michel. Tu dois obéir aux ordres de ton maître. J'ai moi aussi commencé comme notaire ; en cette occasion, je travaillerai seul.

Michel passa la soirée en prières. Se voir interdire de la sorte le cachot de l'abbesse le plongeait dans un désarroi infini. Il désirait croire que Charles écouterait la prisonnière en toute équité, même si cela lui valait de s'attirer le courroux de l'évêque, mais la réaction de rejet rigide qu'avait eue le prêtre dans le cachot de l'accusée lui avait paru tout à fait sincère.

Michel envisagea donc le chemin qu'il lui faudrait prendre si l'abbesse était exécutée, que l'évêque en soit damné. Il devrait pour le moins dénoncer cette action, écrire si cela s'avérait nécessaire une missive au pape. Rigaud tenterait sans doute d'exercer son influence pour le faire exclure de l'ordre des Dominicains, perspective qui ne le troublait guère, car le cardinal Chrétien, qui était beaucoup plus puissant que l'évêque, ne manquerait pas de le protéger de son courroux. Réflexion faite, le jeune moine se dit qu'une expulsion de l'ordre le soulagerait peut-être grandement. Au lieu de servir Dieu en assistant impassiblement à la condamnation à mort des coupables, il pourrait entrer chez les franciscains et parcourir la campagne pour prêcher et sauver les âmes avant qu'elles ne s'attirent l'ire de l'Inquisition.

Pour l'instant, néanmoins, la loyauté exigeait de lui obéissance aux ordres. En définitive, la dureté de Charles n'était peut-être que feinte, il se pouvait qu'il trouvât l'abbesse innocente et fût lui-même confronté au blâme de Rigaud. Cette éventualité rongeait Michel. Si cela se produisait, comment ferait-il pour protéger son mentor ?

Cette situation était véritablement inextricable : dans les deux cas de figure, un être qu'il révérait aurait à souffrir.

Profondément troublé, il évita de partager le repas du soir des moines et demeura dans sa cellule pour méditer et prier.

Sauvez mère Marie-Françoise et ses sœurs, Seigneur, et je ferai tout ce que Vous me demanderez. Je prierai sans cesse, je me flagellerai chaque nuit, je me prosternerai en public, je jeûnerai dans le désert...

Et Seigneur, faites en sorte que les cœurs du père Charles, de l'évêque et du cardinal s'ouvrent à la charité. Aidez-les à voir qu'elle est Votre servante.

Pendant qu'il priait, les flots de soleil qui pénétraient par la petite fenêtre dénuée de volets de sa cellule déclinèrent. Le crépuscule tomba, suivi de l'obscurité. Il resta agenouillé jusqu'aux environs de minuit, puis il finit par rouler sur le flanc et par s'endormir sur la pierre froide.

Il est de nouveau l'étranger, il regarde par les yeux d'un autre, il entend par ses oreilles. Mais le visage de cet étranger lui échappe, car son âme semble avoir pris possession de son cœur, son corps et son esprit.

L'étranger chevauche, par un matin frisquet, enserrant des cuisses et des mollets les muscles ondulant de son destrier. Sa dextre agrippe une lance. L'arme est lourde, mais son bras de jeune homme est bien assez robuste pour la soutenir. Sur sa hanche, il porte une épée aussi longue que sa propre jambe.

Sur le fourreau de l'épée est brodée une simple rose rouge.

Au loin, la bannière cramoisie du roi frissonne dans le vent, oriflamme fourchue, tissée de fils d'or flamboyants. Sur sa senestre, un chevalier en armure à la barbe poivre et sel, les traits cachés derrière son casque, porte le drapeau de Notre-Dame entouré d'étoiles. Un homme plus jeune, aux cheveux blond-roux, chevauche sur sa dextre. Il lui adresse un regard d'encouragement empreint de gravité.

Il connaît ces hommes. Intimement, comme eux le connaissent. Lentement, lentement, ils avancent ensemble et il finit par s'apercevoir qu'ils ne représentent à eux trois qu'une seule goutte dans un océan d'hommes et de bêtes. Un grand silence règne, seulement rompu par les cris d'un aigle, le froissement des feuilles mortes foulées par les sabots des chevaux, une toux étouffée par moments. Au sommet d'une colline, à travers les branches des arbres à demi dénudées, il regarde en contrebas et, entre les écharpes de brume, il aperçoit le méandre d'une rivière qui chatoie comme du vif-argent à la lumière du soleil levant.

Au loin, retentit subitement une fanfare de trompettes.

La scène s'estompe et elle, l'abbesse, apparaît. Elle n'est plus ni nonne, ni sorcière, mais femme. Une femme éblouissante, vêtue d'une chemise non point en toile de jute, mais confectionnée dans un tissu blanc arachnéen, aussi lumineux que la lune. Des vagues bleu-noir cascadent de ses épaules parfaites, le long de ses bras et de son dos. Elle est assise sur un banc de bois dans son cachot, les genoux repliés contre sa poitrine, les bras enserrant étroitement ses mollets.

Plume et parchemin dans les mains, Michel se tient devant elle, prêt à noter sa confession. S'avisant qu'il est seul, sans le père Charles pour le détourner de son désir lubrique, il sent l'effroi l'envahir.

Cet effroi se dissipe pourtant lorsqu'il plonge le regard dans ses yeux noirs, emplis d'un amour saint et de désir. Elle se lève, sans le quitter du regard, et fait un pas vers lui. Sa chemise se fond alors dans l'obscurité et elle lui apparaît dans sa nudité rayonnante.

Elle lui prend la plume et le parchemin des mains sans qu'il lui oppose la moindre résistance, et elle les jette sur le sol ; il ne proteste pas davantage lorsqu'elle l'enlace et l'oblige à baisser la tête pour pouvoir presser ses lèvres douces, qui ne sont plus tuméfiées, contre les siennes.

Il l'embrasse. Envahi d'une allégresse qu'il n'a encore jamais connue, il pose la main sur sa poitrine et éprouve alors une extase dénuée de la moindre impureté, la joie innocente d'Adam et Ève s'unissant au jardin d'Éden.

Bien que vierge, il la prend là, sur le sol humide et froid. C'est elle, plus avisée, qui le guide. La nature l'emportant, il se presse d'instinct contre elle, chair contre chair, visage contre visage. Alors que sa joie et sa volupté atteignent une intensité insoutenable, elle lui effleure le visage des doigts en murmurant : « Dieu est *ici*, tu ne comprends pas. Dieu est *ici*. »

Michel s'éveilla en plein orgasme en inspirant un souffle rauque et profond, le corps balayé d'un plaisir intense qu'accompagnait un sentiment de culpabilité inspiré par la palpitation lancinante, la semence éjaculée et les nouveaux spasmes qui s'apaisaient peu à peu à l'unisson des battements de son cœur.

Une seconde lui suffit pour reprendre totalement conscience. Il était un moine de Carcassonne, allongé sur le sol d'une cellule que lui avaient octroyée les frères dominicains, embarrassé une fois de plus par les pensées perverses qu'il nourrissait à l'égard de l'abbesse et l'esprit embrouillé par le rêve dans lequel il endossait la peau du chevalier.

Dégoûté, il s'empressa de s'asseoir et de se nettoyer d'une main, essuyant d'un geste brusque le sperme répandu dans les plis de ses sous-vêtements défaits, afin d'éviter de tirer un surcroît de plaisir de ce contact. On frappa un coup bref à la porte de sa cellule. Michel lâcha le tissu humide, puis il s'efforça de calmer son souffle encore irrégulier.

– Oui.

Il était impossible que ce fût déjà matines ; les cloches auraient sonné.

– C'est frère André, entendit-il murmurer derrière la porte pour ne pas réveiller les autres. Puis-je entrer ?

La mince porte de bois s'ouvrit de la longueur d'un avant-bras, et un vieux moine bossu se glissa à l'intérieur de la cellule sans piper mot. La lampe à l'huile qu'il tenait à la main éclairait son visage d'une lumière crue ; les ombres qui creusaient davantage les rides, autour de sa bouche et de ses yeux, lui donnaient vaguement l'apparence d'un vampire.

– Frère Michel, chuchota le vieillard d'un ton confidentiel et pressant, le père Charles est fort malade. Il vous fait quérir…

Michel se leva d'un bond et saisit sa robe, suspendue à une patère au mur. Tandis qu'il l'enfilait, l'inquiétude eut vite fait d'effacer son rêve.

– Malade ?

Le frère André se signa, puis il laissa glisser un mot lourd de menaces sur le souffle qu'il exhalait :

– La peste…

III

Ils avaient transporté le prêtre de sa cellule monacale à des quartiers plus confortables : une pièce réservée aux visiteurs, qui contenait des meubles seyant à des personnes de haut rang, dont un vrai lit de plumes agrémenté d'oreillers. Non loin de ce dernier, deux bougies, placées sur un candélabre à six branches posé sur une table de chevet sculptée, diffusaient un éclairage tremblotant.

Le père Charles semblait cependant tout à fait hors d'état d'apprécier ce changement de décor : il se débattait sur le lit, agitant bras et jambes et tournant brusquement la tête d'un côté à l'autre. Par moments, il gardait les yeux hermétiquement clos ; à d'autres, il les écarquillait et l'on y lisait l'horreur d'un lointain spectacle de lui seul visible.

Près du lit, un autre moine était assis sur un tabouret. D'un certain âge lui aussi, il avait peut-être atteint la quatrième décennie de sa vie.

Comme Michel entrait et que son guide s'esquivait, ce dominicain se mit debout et leva une main en guise d'avertissement. Il s'adressa au frère à voix basse, comme s'il ne voulait pas que le malade puisse l'entendre.

– C'est la peste. Avez-vous…

– Peu importe, répondit Michel en s'approchant du lit. Je vais vous aider à le soigner.

Le père Charles laissa échapper une toux grasse et étranglée. Le moine qui veillait sur lui le souleva sur-le-champ par les épaules, l'inclina en avant et porta un large mouchoir blanc à ses lèvres.

Tout en essuyant avec douceur un mélange de sang et de flegme à l'odeur putride sur la barbe et la moustache du malade, le moine dit à Michel :

– Je suis vraiment navré de vous l'apprendre : il s'agit de la pire espèce, celle qui s'attaque aux poumons. La plupart de ceux qui en sont atteints y succombent. Si Dieu le réclame, nous le saurons au plus tard d'ici un jour ou deux. J'ai déjà fait appeler un prêtre.

Michel commença par n'éprouver aucune douleur. Il avait froid, simplement, et il était grandement étonné. Puis il se souvint qu'il devait respirer et, ce faisant, il ressentit une souffrance presque intolérable. Il parvint, sans savoir comment, à la dominer et à ne pas fondre en larmes, mais l'autre moine s'en aperçut et ajouta, comme s'il cherchait à s'excuser :

– Il lui arrive encore de se déclarer à la campagne. C'est l'air, vous comprenez, et cette chaleur étrange et subite…

– Michel ? haleta le père Charles, les yeux écarquillés mais aveugles et les mains tâtonnant dans l'obscurité. C'est Michel ?

Ce dernier s'approcha du malade et prit l'une de ses mains fiévreuses et moites entre les siennes. La peau et les lèvres du prêtre étaient grises ; sur son front et dans sa moustache noire argentée, des perles de sueur, pareilles à des centaines de minuscules joyaux étincelants, reflétaient les flammes des bougies.

– Je suis ici, mon père, je suis ici. Je vais rester à votre chevet et prier toute la nuit pour vous.

La voix de son neveu sembla apaiser légèrement le prêtre. Michel se tourna vers l'autre moine et lui dit à voix plus basse :

– Allez vous coucher, frère.

Le moine acquiesça et sortit de la pièce. Michel s'installa sur le tabouret, sans lâcher la main de Charles.

– Je suis ici, mon père, répéta-t-il, je ne…

Charles tenta de s'asseoir.

– Je suis puni pour mon arrogance, tu comprends ? déclara-t-il d'une voix éraillée.

Michel se leva pour le contraindre à se rallonger.

– Mon arrogance ! Je t'ai fait trotter partout toute la journée comme un poney dressé, je t'ai exhibé comme pour dire : « Il est à moi ! Il est à moi ! » Que Dieu ait pitié de mon âme !

Le prêtre fut secoué d'une violente quinte de toux. Michel l'aida à se redresser, passa un bras autour de son torse, tendit la main vers le mouchoir que l'autre moine avait laissé sur la table de chevet et le porta à la bouche de son maître.

La toux persista un moment ; la respiration se fit gargouillante et ronflante. Lorsque la crise fut passée, Michel ôta le mouchoir, trempé d'un rouge vif qui ne présageait rien de bon, et cala le malade contre les oreillers pour lui permettre de respirer plus à son aise.

– Sois béni, Michel, déclara le prêtre pendant un bref instant de lucidité. Tu es un vrai fils pour moi…

Michel se releva, prit le rosaire attaché à sa ceinture et s'agenouilla.

– Je vais prier pour vous, mon père. Si vous en avez la force, priez avec moi… Sainte Vierge, intercédez en faveur de votre serviteur Charles, afin que ses souffrances disparaissent et qu'il recouvre la santé. Oh, Sainte Mère de Dieu…

– *Elle !*

Le prêtre se redressa dans le lit, ses yeux lançaient des éclairs de démence.

– C'est *elle* qui m'a envoyé cette maladie !

Épouvanté par ce sacrilège, Michel se signa.

– Tout cela est son œuvre, ne le vois-tu point ? insista Charles avec une telle véhémence que des postillons retombèrent sur la main du jeune moine. Une partie de sa sorcellerie !

Michel, qui ne comprenait rien à cette diatribe, s'avisa alors que le prêtre évoquait l'abbesse, et non la Sainte Vierge.

Sans se départir de son calme apparent, il se leva et, d'un geste ferme mais affectueux, repoussa Charles contre les oreillers.

– Ne vous inquiétez pas, mon père. Dieu est plus puissant que le diable. Il nous protégera et il vous guérira.

– Dieu et le diable n'ont rien à voir dans cette affaire ! s'emporta le prêtre, les muscles de ses bras raidis, les yeux écarquillés et flamboyants. Tu ignores tout de sa force à *elle* et de *son* désespoir… J'ai été stupide, je pensais être capable de l'empêcher de voir… Et l'évêque, l'évêque, tu dois prendre garde, tu ne peux pas avoir confiance, Chrétien préférerait te voir mort. Je ne puis empêcher… quel fou suis-je donc ! Quelle arrogance que la mienne ! Me pardonneras-tu ? Me pardonneras-tu ?

Il fondit alors en larmes de manière si pitoyable que Michel finit par répondre :

– Bien sûr, je vous pardonne. Bien sûr. Maintenant, calmez-vous. Vous ne devez pas prononcer de telles paroles sur vous-même ou sur le bon cardinal.

Il maintint alors Charles allongé, sans cesser de murmurer « Calmez-vous, mon père, calmez-vous », jusqu'au moment où les yeux du prêtre se révulsèrent et se fermèrent et où il s'affaissa mollement sur le lit.

D'un seul coup, le corps de Charles sursauta brutalement. Une mixture nauséabonde de sang noir et de bile couleur chartreuse se déversa de sa bouche sur sa poitrine. Michel prit un linge près de la cuvette et épongea le liquide avec minutie.

Durant l'heure suivante, il resta assis sur le tabouret et continua à essuyer l'écume qui bouillonnait des lèvres du malade, pendant qu'un autre dominicain venait lui administrer l'extrême-onction. Après le départ du prêtre, comme Charles ne reprenait pas conscience, Michel se laissa tomber à genoux et se plongea en prières.

Au matin, la température était agréablement plus clémente. Michel retourna à la prison, chargé de plusieurs tablettes de cire vierges et des confessions non signées. Il avait passé la nuit allongé sur le sol près du lit de son maître, à réfléchir à la situation dans laquelle il se trouvait. Il n'était qu'un simple secrétaire, dénué du pouvoir de libérer ou de condamner les prisonnières ; pourtant, la mère Marie-Françoise avait affirmé qu'elle ne se confesserait qu'à lui. Malgré l'immense désarroi dans lequel le plongeait la maladie du père Charles, Michel se disait donc que Dieu s'était peut-être servi de la peste en guise de réponse aux prières qu'il lui adressait au sujet de l'abbesse.

Car s'il se voyait accorder le pouvoir de la condamner ou de la libérer, il choisirait sans nul doute la seconde solution, ce qui lui vaudrait de supporter le courroux de Rigaud.

Ainsi, le père Charles, si Dieu jugeait bon de lui faire quitter son lit de malade, éviterait toutes responsabilité et représailles.

Lorsque vint le matin, Michel confia donc le prêtre, blême et insensible, aux bons soins des dominicains. Alors qu'il gravissait les marches menant à la prison d'un pas alourdi par la lassitude, une voix le héla par-derrière :

– Michel ! Frère Michel !

Il se tourna et aperçut un beau jeune homme au visage lisse, aux cheveux, cils et sourcils blond filasse et aux yeux bleu pâle.

– Père Thomas !

– Où est donc passée votre sempiternelle ombre ? s'enquit avec légèreté ce dernier, d'un ton pimenté d'humour – humour qui cachait un cœur endurci, Michel le savait.

Le jeune prêtre portait une robe de satin bleu bordée de passepoil bourgogne (fort discrète en comparaison de celle de soie rose brodée qu'il arborait souvent dans le cadre plus décadent d'Avignon). Il avait glissé une brindille de romarin, cueillie sur l'une des innombrables haies sauvages qui parsemaient le Languedoc, dans l'une des manches bien ajustées du vêtement.

Aux yeux de Michel, Thomas incarnait le pire aspect de la prêtrise. *Bon vivant**, indiscipliné et dénué d'esprit religieux, il s'intéressait davantage aux femmes et à la boisson qu'à Dieu. Un an auparavant, il avait fait irruption de nulle part dans le cercle des protégés de Chrétien. Le cardinal raffolait tellement de ce jeune homme que le bruit courait qu'il était son fils illégitime. On ne savait rien du passé de Thomas, hormis qu'il avait manifestement reçu une éducation raffinée et qu'il semblait être issu, de par sa physionomie, de l'aristocratie française. Il ne s'était jamais ouvert de lui-même sur son passé, et personne n'osait lui poser de questions, car contrarier Thomas revenait à essuyer l'ire de Chrétien.

Un fait demeurait néanmoins : si le cardinal faisait souvent preuve de favoritisme à l'égard de Thomas, Michel était son seul fils adoptif et par conséquent l'unique héritier de l'immense fortune du cardinal. État que Thomas ne parvenait apparemment pas à pardonner au jeune moine.

– À dire vrai, répondit Michel, le père Charles est souffrant.

Le simple fait de prononcer cette phrase raviva sa peine. Chrétien était peut-être son père adoptif, mais il considérait Charles, le bras droit du cardinal, comme un oncle et un confident. Les très lourdes responsabilités de Chrétien l'avaient contraint à confier l'éducation de son fils adoptif à des tiers. À des nonnes pour commencer, puis à Charles, un homme sage et tolérant, l'être dont Michel se sentait le plus proche au monde.

Le sourire de Thomas s'effaça sur-le-champ.

– Seigneur ! J'espère qu'il ne s'agit point de la peste. Elle s'est déclarée dans le monastère dominicain où loge mon secrétaire…

Il plissa les yeux en direction de Michel.

– J'oubliais : le père Charles et vous y logez aussi.

Michel acquiesça d'une légère inclinaison de la tête. Ce geste suffit à faire comprendre à Thomas la gravité de l'état du religieux.

– Pauvre diable, murmura le jeune prêtre, avant d'ajouter avec emphase : j'espère que *vous* vous portez bien, frère Michel ?

– Fort bien, affirma Michel catégoriquement.

---

* En français dans le texte.

Thomas adopta un ton prosaïque.

– Dans ce cas, déclara-t-il, Dieu doit avoir un plan : mon scribe me fait défaut ; vous n'avez pas d'inquisiteur.

Il fit un pas vers l'entrée. Comme Michel ne bougeait pas, il lui demanda :

– Qu'y a-t-il, frère ?

– L'abbesse, répondit Michel, à la fois abasourdi et inquiet de se jouer si facilement des mots qui lui montaient aux lèvres. Elle a accepté de se confesser hier, mais point de reconnaître la déclaration déjà rédigée.

– Alors que le père Charles lui en offrait bien évidemment l'occasion, souffla Thomas.

Il ne s'agissait pas d'une question.

Michel hocha tristement la tête.

– Elle a déclaré qu'elle ne se confesserait qu'à moi et à moi seul. Je sais que c'est inconvenant ; je ne suis pas encore prêtre. Eh non, l'occasion de se confesser requise par la loi ne lui a point été offerte.

Le père Thomas haussa un sourcil or pâle.

– Nous voici donc face à un grave dilemme, observa-t-il calmement, car l'évêque et… pouvons-nous parler franchement ? et votre père ont grande hâte de la voir condamnée. Si nous déclarons qu'elle a refusé de parler… nous sommes déjà confrontés à la vindicte publique… Le peuple pensera que nous l'avons mise à mort sans procès équitable.

Il réfléchit brièvement, avant d'ajouter :

– Frère Michel… je crois savoir que vous avez reçu l'enseignement nécessaire pour être ordonné prêtre et devenir inquisiteur ?

– Oui, Chrétien y a tenu.

Michel voulut poursuivre, mais Thomas lui intima d'un geste de n'en rien faire ; son regard se tourna vers l'intérieur, alors qu'il gardait les yeux fixés sur le moine.

– Vous êtes donc qualifié, en vertu de vos études et de votre expérience, sinon par la loi de l'Église, à entendre la confession de l'abbesse…

Il lui fallut un certain temps pour émerger de ses réflexions.

– Par conséquent, voici comment nous procéderons : nous allons nous rendre ensemble auprès d'elle. Si elle se confesse en ma présence, tout est pour le mieux. Si elle n'accepte de se confesser qu'à vous, je me chargerai des autres prisonnières et j'userai de toute mon influence pour vous faire ordonner aujourd'hui même. Après tout, je suis prêtre ; il est beaucoup plus séant que ce soit moi, plutôt qu'un simple moine, qui en fasse la requête à Chrétien.

Michel afficha une attitude de morne hésitation.

– Évidemment, répondit-il, sans relever le coup de patte de Thomas.

En vérité, son cœur était empli de gratitude. Jamais Dieu n'avait répondu de façon si retentissante à l'une de ses prières.

En même temps, il éprouvait un grand trouble. Ainsi donc, il avait vu juste : son père adoptif – un homme dont il n'avait jamais mis en doute l'équité – avait donné l'ordre de faire exécuter l'abbesse, avant même que l'Inquisition n'ait œuvré dans les règles.

Ils descendirent à la cave. Le brin de romarin du père Thomas ne pouvait rivaliser avec la puanteur qui y régnait, particulièrement âcre ce matin-là, comme elle le devenait toujours dès que l'on appliquait la torture. Une odeur de sang : du sang dans les fèces, du sang dans les urines, du sang dans le vomi ; du sang séchant sur la peau, sur le tissu, dans les cheveux.

La geôle était mieux éclairée, grâce à des flambeaux supplémentaires. Peut-être avaient-ils été allumés pour améliorer le confort des bourreaux venus de Paris, dont les bavardages et les rires leur parvenaient de derrière les hautes portes à double battant de leur lugubre chambre. Malgré ses yeux qu'il gardait baissés, Michel entrevit néanmoins au passage des piles de linge rougi sur la paille de la cellule commune qu'ils traversaient.

Comme la veille, le geôlier ouvrit la porte du cachot de l'abbesse. Cette fois, il ne se donna même pas la peine de la verrouiller derrière lui pour aller chercher des tabourets à la demande du père Thomas.

Mère Marie-Françoise était assise sur le banc de bois suspendu. Ses blessures étaient encore plus affreuses à voir que la veille : une croûte rouge noirâtre recouvrait la profonde entaille de son arcade sourcilière. En dessous, sa paupière mauve foncé était si enflée que, de profil, elle dépassait de l'arête de son nez et que son œil n'était plus qu'une fente noire luisante. Sa lèvre supérieure était d'un rouge violacé marbré et tuméfié.

Pourtant, elle n'avait pas de nouvelles blessures et elle s'exprimait d'une voix forte, qui tremblait néanmoins de rage et de chagrin.

– Mes sœurs ! les apostropha-t-elle, alors que le geôlier leur apportait deux tabourets.

Thomas approcha le sien d'elle sans crainte, une expression profondément calculatrice et glaciale sur le visage. Michel s'installa près du prêtre, légèrement en retrait. En dépit des blessures de l'abbesse, il fut de nouveau submergé de passion pour elle. L'image de son corps, nu et luisant, lui apparut. Il vit ses seins lumineux comme la lune et ses bras qui se tendaient vers lui, qui l'enveloppaient...

Une bouffée de chaleur empourpra subitement ses oreilles et ses joues. Il dut lutter pour maîtriser son désir lubrique et sa honte. Que Satan l'attaque si tel était son bon plaisir ; lui, Michel, allait se concentrer sur Dieu et sur la tâche sainte qu'il devait mener à bien.

– Mes sœurs ! répéta mère Marie-Françoise, d'un ton empreint d'une passion d'un tout autre ordre. Cela fait deux jours que je les entends hurler. Pour quelle raison sont-elles ainsi torturées, alors que c'est *moi* qui suis accusée de crime ?

Elle se tenait les côtes d'un bras et se désignait farouchement de l'autre.

– Pourtant, personne ne m'a touchée depuis l'arrivée de vos bourreaux. C'est *moi* qu'on a trouvée dans le palais papal, et non elles ; c'est *moi* qui...

– Nous irons droit au but, mère Marie-Françoise, l'interrompit calmement le père Thomas. Vous n'avez que deux façons de vous sortir de votre situation fâcheuse et d'aider vos nonnes : la mort et la damnation ou la confession qui mène à la vie éternelle et met un terme à la nécessité dans laquelle nous sommes d'obtenir des informations de vos sœurs. Malheureusement, le bon cardinal ne nous a accordé que très peu de temps.

Thomas fit une pause pour désigner le moine d'un signe de tête.

– Mais si j'en crois frère Michel, vous avez refusé de signer la liste des accusations qui vous a été présentée. Est-ce vrai ?

Après avoir jeté un regard courroucé à Michel, l'abbesse revint à Thomas et acquiesça brusquement. La veille, Michel l'avait trouvée fragile et menue ; aujourd'hui, elle lui apparaissait tout à fait capable d'administrer un couvent et même davantage. Il la sentait apte à effrayer un évêque et à conseiller le pape avec autorité. *Jésus à l'intérieur du Temple, éparpillant les Pharisiens*, songea-t-il avec admiration, tandis que Thomas insistait :

– Et vous avez affirmé vouloir vous confesser à lui et à personne d'autre ?

– Oui, oui, je l'ai dit, mais tout cela n'a rien à voir avec la souffrance infligée à mes sœurs !

Michel trouvait sa colère justifiée, car elle provenait d'une profonde compassion à l'égard de son prochain et était dénuée du moindre égoïsme.

Thomas écarta les lèvres afin de laisser échapper un petit bruit d'exaspération.

— Vos sœurs seront traitées avec équité, selon la loi de l'Église – tout comme vous le serez. Mais parlez-moi, vite et franchement : vous confesserez-vous à moi ?

— Je le répète : je ne me confesserai qu'au frère Michel.

— Très bien, déclara alors le prêtre d'un ton cassant. Étant donné votre position au sein de l'Église, je vais accéder à votre requête. Mais mentiriez-vous ou abuseriez-vous, de quelque manière que ce soit, du privilège que nous vous accordons, que vous en seriez punie, ainsi que vos sœurs.

Thomas se leva dans un bruissement de soie et sortit de la cellule ; Michel lui emboîta le pas.

Derrière la porte, Thomas hésita. Il avait un regard flou et distant. Un éclat de rire grossier leur parvint de l'autre bout du couloir, mais il ne parut pas l'entendre. Il attira Michel à l'écart ; le notaire ne l'avait jamais vu aussi grave.

— Transcrivez sa confession, frère, et je la légaliserai au regard de l'Église. Faites simplement en sorte d'obtenir suffisamment de preuves pour la condamner au cours des trois jours qui nous sont alloués. Des protestataires se sont déjà rassemblés devant le palais de l'évêque Rigaud ; nous avons dû faire appel aux gendarmes pour les disperser. Elle doit mourir vite.

Thomas tendit les mains. Michel lui remit le baluchon noir, ainsi que la lanière qui retenait l'encrier et la plume d'oie, gardant pour sa part les plaquettes de cire et le style. Puis le prêtre blond se dirigea vers la cellule commune.

Michel inspira triomphalement et pénétra de nouveau dans le cachot dont il referma la porte non verrouillée derrière lui.

— Mère Marie-Françoise ? demanda-t-il avec respect.

À présent qu'il se retrouvait en tête-à-tête avec elle comme il l'était dans ses rêves, il se sentait capable de dominer ses impulsions indécentes, même si elles refusaient de le laisser en paix. Il n'avait qu'un seul souhait : la secourir et la traiter avec la dévotion que méritait sa sainteté.

Elle tourna son visage tuméfié dans sa direction et posa sur lui un regard troublé par une émotion si profonde qu'il fut incapable de l'interpréter.

— Frère…, commença-t-elle d'une voix plus douce, comme si elle s'adressait désormais à un ami cher. Nous avons si peu de temps… Je sais les projets qu'ils nourrissent à mon égard. Entendrez-vous ma confession ? En prendrez-vous bien note, telle que je vous la conterai ?

– Oui, répondit-il avec bonté.

Il émanait d'elle une sainteté, une sérénité et une compassion extraordinaires qui pénétraient chaque fibre de son être et chaque atome du petit cachot. Comment le père Thomas avait-il pu ne point les ressentir ? Et Charles ? Et Chrétien ?

Michel s'assit avec révérence, prit une plaquette de cire et son style et commença à écrire en remerciant Dieu dans son cœur :

En l'an de grâce 1357, le vingt-troisième jour d'octobre, une mère Marie-Françoise, abbesse d'un couvent de sœurs franciscaines de Carcassonne, a officiellement comparu devant le frère dominicain...

Parvenu là, il laissa un espace blanc suffisant pour inscrire son propre nom ou celui d'un autre, puis il continua :

...inquisiteur de dépravation hérétique, envoyé par le siège apostolique du Royaume de France – après avoir prêté serment sur les Saints Évangiles de Dieu de dire toute la vérité et rien que la vérité sur les crimes d'hérésie et de sorcellerie, en ce qui la concerne comme accusée principale et en ce qui concerne d'autres personnes, elle a dit et confessé...

IV

Je m'appelle Marie-Sybille de Cavasculle et je suis née coiffée[1], dans un petit village des environs de la ville fortifiée de Toulouse. Selon ma grand-mère, qui m'a fait venir au monde de ses mains solides et fermes, comme elle a fait venir au monde des centaines d'autres enfants, c'était le signe que j'avais le don de Vision.

Selon les prêtres et les inquisiteurs, c'était le signe que j'étais complice du diable.

Je ne vénère point leur diable. Pas davantage que je ne vénère leurs autres dieux : Jésus, Jéhovah, le Saint-Esprit, mais je les respecte tous, car ils ne sont qu'Un. Je vénère la Grande Mère, celle que certains appellent Diane, mais dont les inquisiteurs ne connaîtront jamais le nom secret.

Si cela suffit à leurs yeux à faire de moi une sorcière, qu'il en soit ainsi, je suis sorcière, aussi assurément qu'ils sont chrétiens et assassins.

Des choses atroces sont survenues durant ma vie. J'ai connu la famine, la peste et la guerre, mais la pire de ces souffrances était inutile – inutile, car infligée non par le caprice d'un dieu quelconque, mais par l'ignorance des hommes, la peur des hommes. Il est déjà assez ardu d'endosser les oripeaux de la religion et de se prosterner devant des dieux que l'on ne révère point. Mais de nombreux innocents ont été torturés, moult ont péri au milieu des flammes, serviteurs de la Déesse, quel que soit le nom sous lequel vous La connaissez, juifs et même chrétiens pieux qui avaient commis l'erreur de déplaire à ceux qui

---

1. Avec la membrane amniotique sur le visage (NdT).

détiennent le pouvoir. Toutes les femmes qui ont osé faire appel au vieux savoir sur les herbes et les charmes pour guérir les malades ou faire venir un enfant au monde et qui ont eu le courage de l'avouer ont péri par le feu. Tant de connaissances, à jamais perdues…

Nos bourreaux ont écrit beaucoup de mensonges sur les serviteurs de la Déesse, afin de tromper tous ceux qui les écoutent. Il m'est venu à l'esprit que les inquisiteurs eux-mêmes n'ont aucune idée de l'étendue de leurs erreurs. Ceux qui connaissent la vérité n'osent élever la voix, par crainte de l'estrapade et du bûcher. L'Inquisition nous a réduits au silence.

Je vais donc raconter ici mon histoire. J'en ai vécu une partie moi-même ; une autre partie m'a été narrée par des tiers ; la Vision m'a permis d'en connaître une troisième. Je révélerai toute la vérité que je connais, sans crainte de représailles, car j'ai beaucoup vécu et beaucoup souffert, et je sais quelle fin m'attend.

En revanche, j'ai peur pour les serviteurs de la Déesse qui me suivent fidèlement. À présent même, je Vois – par Ses yeux, non par les miens – les flammes jaillir toujours plus haut. Le pire est à venir. Ils ont pris mon Bien-aimé, celui qui était mon destin ; désormais, je suis seule et emplie d'amertume, car je sais que l'exercice de ma magie solitaire ne suffira point à prévenir le Mal qui arrive.

Contrairement aux chrétiens, je ne prie pas pour que mon récit me survive en ces temps dangereux. J'ai déjà pris des dispositions pour m'assurer qu'il passera entre de bonnes mains, et je sais, par le pouvoir de la Mère, que ce sera chose faite.

V

Après les deux premières phrases de la confession de l'abbesse, Michel, suffoquant d'horreur, avait cessé d'écrire. C'était impossible, et cependant elle proclamait, de ses propres lèvres, qu'elle était une sorcière, une femme pratiquant la magie ! Pourtant, il avait perçu en elle la présence de *Dieu...*

Seigneur, aidez-moi ! J'ai fait preuve de sottise et d'orgueil ; le père Charles et l'évêque disaient vrai.

Son désarroi était tel qu'il songea poser son style et sa plaquette de cire, se lever et sortir du cachot pour ne plus jamais y remettre les pieds. Il avait adressé des *prières* à cette femme, à cette sorcière !

L'abbesse gardait le silence. Elle se contenta d'attendre qu'il se fût ressaisi et qu'il eût repris son style pour continuer son récit.

Lorsqu'elle en eut terminé, elle le contempla avec une sympathie inattendue.

– Pauvre frère Michel, dit-elle avec bonté, je vous ai choqué. Or je sais votre désir désespéré de sauver... les déchus. À dire vrai, je connais même votre prochaine question.

– Vraiment ? s'enquit-il avec circonspection, car il ne savait plus quelle attitude adopter.

Devait-il s'en aller et laisser le père Thomas l'interroger pour éviter de succomber davantage à son charme ? Devait-il emplir son devoir envers l'Église et faire confiance au crucifix de l'évêque pour le protéger ?

N'avait-il pas commis la sottise de croire que Dieu avait répondu à sa prière de sauver l'abbesse ? Pourtant, tout s'était arrangé si facilement avec le père Thomas...

65

Elle émit un rire, bref et sinistre.

– Non par quelque ruse magique, mais parce que je sais que vous êtes une âme bonne. Vous voulez me demander si j'ai jamais été chrétienne, afin de vous assurer que je ne suis point *relapse*. Car cela vous permettrait de sauver mon âme.

– *Avez-vous* jamais été chrétienne ?

– Jamais. Cependant, ce que je suis n'est pas aussi épouvantable qu'essaie de vous le faire croire l'Église.

Elle marqua une pause avant de poursuivre :

– À présent, je vais vous conter l'histoire de ma naissance.

– Mère… nous n'avons pas le temps.

Le souffle qu'il inspira lui causa une véritable douleur, mais il lui fallait regarder son devoir en face.

– Seule votre réponse à ma prochaine question déterminera si je continue à entendre votre confession : avez-vous usé de magie noire contre Sa Sainteté ? Avez-vous tenté, de quelque manière que ce soit, de lui causer du mal ?

– J'en suis incapable. J'en étais incapable. Il n'est point dans ma nature de commettre un acte pareil. Autant demander à un poisson de voler. Vous étiez présent à Avignon. Vous avez vu exactement ce que j'ai fait. À présent, entendrez-vous mon histoire ?

– Oui, répondit-il, soulagé. Mais nul n'est besoin de commencer par votre naissance.

Elle posa sur lui un regard de totale incrédulité, dans lequel flottait une ombre de sourire.

– Si vous ne connaissez point toute mon histoire, comment pourrai-je vous prouver que je ne suis pas *relapse*, frère ?

Michel voulut exprimer son désaccord mais fut contraint de refermer la bouche, faute d'argument convaincant. Il lui vint même à l'esprit que Dieu avait peut-être *effectivement* répondu à sa prière en faveur de l'abbesse. Lorsqu'il aurait entendu sa confession, il pourrait tenter de l'amener au Christ, car même à présent il sentait qu'un grand bien émanait d'elle. Il s'installa donc plus à l'aise sur son tabouret, déterminé à rester.

Subitement, l'attitude de l'abbesse s'assombrit. La lueur des chandelles et les ombres qui jouaient sur ses blessures opéraient un effet macabre et sa voix basse n'était plus qu'un murmure.

– Nous savons tous deux, mon ami, que les pouvoirs qui vous dirigent sont décidés à me voir brûler, et vite. Me ferez-vous la faveur

66

d'une petite bonté ? Noterez-vous mon histoire avant ma mort, afin que quelque chose de moi puisse subsister à la fin de mon récit ? Mais si vous voulez me connaître, il vous faudra aussi entendre celle de mon Bien-aimé, un chevalier qui a été détruit par les forces maléfiques qui m'ont conduite dans ce cachot. Sans lui, tout espoir est perdu... pour moi, pour ma Race. Je vais vous raconter notre histoire en sa mémoire.

— Mère Marie, je ne puis...

— Nous ne formions qu'une seule âme, lui objecta-t-elle sur-le-champ. Je ne puis parler de moi sans parler de lui.

— Je risque d'avoir tout juste le temps de noter *votre* confession, répondit Michel en toute honnêteté. Surtout, ma mère, s'il nous faut remonter à votre naissance. Vous savez peut-être le temps que nous ont imparti les autorités : trois jours, pas un de plus. Je dois aussi vous dire qu'au-delà vos sortilèges et vos arguments ne m'ébranleront point et que je cesserai de demander dans mes prières que votre cœur soit amené au Christ, afin d'obtenir votre salut.

L'abbesse prit le temps de le dévisager longuement ; puis elle acquiesça enfin.

Une fois de plus, il leva son style et commença à écrire.

DEUXIÈME PARTIE

SYBILLE

Toulouse

Août 1335

VI

Je suis née dans le feu.

Voici le récit de ma naissance telle qu'elle m'a été rapportée.

En cette fin d'été, l'orage menaçant alourdissait l'air vibrant d'éclairs. Dehors, les vilains, de retour des champs, cheminaient le long de charrettes tirées par des chevaux, dont les roues craquaient sous le poids de la lourde moisson de blé de cette année-là. Ma grand-mère, en nage, jeta un regard par la fenêtre aux volets ouverts, dans l'espoir d'apercevoir son fils. Mais le crépuscule et les nuages orageux se liguaient pour l'empêcher de mettre un nom sur les silhouettes d'hommes porteurs de faux. Malgré cela, la Vision lui souffla que mon père allait bientôt apparaître sur le seuil de la porte ouverte. C'était un paysan, peinant dans les champs du *seigneur** qui s'étendaient à l'extérieur de l'enceinte de la ville de Toulouse. Né à Florence, il s'appelait de son vrai nom Pietro de Cavascullo. Afin d'échapper aux préjugés et aux soupçons infâmes qui sévissaient dans ma région natale du Languedoc, il l'avait changé en Pierre de Cavasculle. Noni, pour sa part, refusait obstinément de se faire appeler *grand-mère**, tout comme elle refusait d'appeler mon père autrement que Pietro.

Nous étions moins miséreux que certains, quoique plus pauvres que beaucoup ; n'ayant point encore été à l'époque corrompue par le luxe du couvent et ignorante de la splendeur d'Avignon, je nous croyais riches. Nous disposions d'un lit, avec un matelas de paille, et non de plumes, et mon père possédait une charrue, mais point de cheval. Notre masure au toit de chaume, comme presque toutes celles des gens de

---

* En français dans le texte.

notre village, était composée d'une seule pièce au sol de terre battue jonché de paille, occupée par l'âtre, le lit familial et une table pour les repas. Pour toute aération, elle était percée d'une fenêtre, si bien que nous étions constamment couverts de suie noire. J'ai ignoré l'existence des cheminées jusqu'à mon entrée au couvent. Tout comme j'ignorais que j'étais sale.

Ma mère, une matrone de vingt ans, était donc en gésine près de l'âtre de notre humble demeure lorsque ses cris d'angoisse rappelèrent Anna-Magdalena à son devoir. Ma mère s'appelait Catherine de Narbonne. Elle venait de basculer du fauteuil d'accouchement. À quatre pattes sur le sol, elle gémissait de souffrance comme un animal. *Pauvre enfant*, songea ma grand-mère ; les crampes de l'enfantement avaient commencé la veille avant le crépuscule et Catherine était désormais trop épuisée, trop folle de douleur pour faire autre chose que pousser des cris stridents de bête sauvage et maudire le monde entier, Dieu et l'enfant qu'elle portait dans son ventre compris. Quant à son mari et à sa belle-mère, elle les maudissait depuis le début, songea Anna-Magdalena, l'œil éclairé d'une étincelle d'amusement.

Elle s'agenouilla près de la femme qui enfantait dans la souffrance. Catherine s'était inclinée en avant pour appuyer ses avant-bras sur la terre battue et, par-dessus, son front pâle et mouillé de sueur ; d'un poing fragile, elle martelait le sol. Anna-Magdalena se pencha et, d'un geste doux, souleva ses cheveux – un magnifique voile ondulant d'or cuivré que l'humidité n'empêchait pas de luire – pour les répandre sur le dos. Selon la tradition, nouer les cheveux d'une femme en couches était signe de malchance. Si Anna-Magdalena, la plus habile des sages-femmes de la région de Toulouse, ne croyait pas une seconde à cette superstition, sa belle-fille n'était pas du même avis qu'elle. Or une femme devait par-dessus tout avoir confiance au moment où elle donnait la vie.

Surtout pour la première fois, comme cela était le cas. Catherine paraissait peut-être encore jeune, mais, en termes d'enfantement, elle était âgée. Depuis presque six ans épouse de Pietro, elle avait déjà attendu par six fois un enfant. Et à six reprises, Pietro avait dû réconforter sa femme éplorée, tandis qu'Anna-Magdalena emportait le minuscule bébé mort-né pour l'enterrer auprès du bosquet d'oliviers.

À six reprises, Anna-Magdalena avait nourri l'espoir de voir se réaliser la vision que lui avait inspirée *la bona Dea*, la bonne déesse : une petite fille destinée à devenir une grande prêtresse comme on n'en avait pas vue depuis des siècles. Une fois femme, elle sauverait son peuple, sa Race, grâce aux dons qu'elle recevrait en présent. Une femme qui posséderait la Vision au degré suprême…

La fille d'un père, avait dit la Déesse, *et le fils d'une mère… Ensemble, ils sauveront leur peuple du danger à venir. Il te reviendra d'initier la fille.*

Le danger ? avait demandé humblement Anna-Magdalena, subitement apeurée. Mais elle n'avait obtenu aucune réponse. Il ne lui était point donné de savoir. Elle n'avait donc pas davantage insisté qu'elle ne s'autorisait à s'inquiéter. Elle se contentait de se réjouir à l'idée qu'elle serait autorisée à connaître cette enfant, son propre petit-enfant, la fille de son fils bien-aimé.

– Catherine, dit-elle avec le visage grave, en prenant un chiffon qui trempait dans l'eau.

Lorsque la contraction de sa bru s'estompa et que la souffrance lui laissa enfin le loisir de lever les yeux, Anna-Magdalena lui essuya le visage et le front avec des gestes fermes et rapides. En dépit de la chaleur, Catherine frissonnait ; la peau de ses bras nus se hérissait.

– Mère, aidez-moi ! supplia-t-elle d'une voix si pitoyable qu'Anna-Magdalena, pourtant immunisée depuis longtemps contre l'angoisse des femmes en couches, en fut émue. J'ignore si je brûle ou si je gèle !

La vieille femme réinstalla Catherine dans le fauteuil d'accouchement et gagna en hâte la table de la chaumière sur laquelle était posé un pichet de tisane depuis longtemps refroidie. Elle revint vers sa belle-fille et approcha le pichet de ses lèvres.

– Bois, mon enfant !

Prise de soupçons, Catherine détourna la tête.

– Comment puis-je savoir que vous n'allez point m'ensorceler ?

Anna-Magdalena laissa échapper un soupir d'exaspération. Quoique accoutumée aux émotions fluctuantes et inexplicables des femmes en couches, elle ne parvenait pas à s'habituer à la méfiance que Catherine lui avait manifestée durant toute sa grossesse.

– Mère de Dieu, Catherine ! Tu as déjà bu deux pichets de cette tisane ! C'est juste de l'écorce de saule avec une herbe apaisante. Elle calmera ta fièvre et ta douleur. Maintenant, *bois !*

Elle prononça ce dernier mot avec une telle vigueur que la fille, subitement docile, se soumit et avala même une si grosse gorgée qu'Anna-Magdalena fut contrainte de la prévenir :

– Par petites rasades, par petites rasades, sinon…

Elle n'eut pas le temps de dire « Tu vas vomir ». Catherine eut un haut-le-cœur et rendit un peu de bile jaune. D'un geste instinctif que lui avait enseigné l'expérience, Anna-Magdalena parvint à écarter le pichet juste à temps. Le vomi éclaboussa le devant de la chemise tissée à la main de Catherine, maculant l'étoffe terne d'une traînée jaune verdâtre de la poitrine au ventre. Cela ne servirait à rien de la nettoyer tout de suite, songea Anna-Magdalena ; la chemise était en effet déjà tachée des eaux que Catherine avait perdues, de sang et de zébrures de terre battue.

Elle essuya de nouveau consciencieusement le visage de la femme gémissante avec le chiffon, avant de lui dire :

– Ne bouge pas, ma gentille, je vais vérifier où en est le bébé.

Elle s'accroupit sur la paille d'où montait l'odeur du sang. Le fauteuil d'accouchement avait été installé de manière à ce que Catherine puisse s'asseoir dessus les jambes à califourchon et le dos, la tête et les bras fermement maintenus. Il était fabriqué dans une meule de foin : une botte soutenait les reins de la parturiente ; deux autres, placées en longueur et séparées par un espace de la taille d'un nouveau-né, soutenaient les os de son bassin. Anna-Magdalena passa une main habile sous la chemise mouillée et chiffonnée de Catherine et palpa son pubis gonflé.

Les contractions étaient à présent continues ; l'enfant sortirait bientôt, et dans le cas inverse, la sage-femme pratiquerait au besoin une incision pour l'extraire du ventre de sa mère. Elle était suffisamment adroite pour le faire sans perdre ni la mère ni l'enfant ; il n'y avait plus guère de sages-femmes possédant assez de connaissances pour accomplir cette opération, depuis que les barbiers et les médecins de la ville se plaignaient et prétendaient qu'elle relevait de *leurs* compétences, et non de celles de paysannes ignorantes.

Anna-Magdalena n'était peut-être pas érudite, mais son savoir-faire de sage-femme était immense. De ses doigts longs, étroits et expérimentés, elle constata donc que le bébé était bien descendu. On ne parvenait pas encore à voir le sommet de son crâne, mais il n'allait point tarder à apparaître ; elle le sentait déjà, dur sous le sexe gonflé de la fille. Elle sourit en caressant d'un doigt sa tendre fontanelle.

Elle retira gaiement ses mains et les essuya sur le chiffon humide qu'elle jeta de côté. À genoux sur la paille, elle annonça, folle de joie :

– Le bébé est *là*, Catherine, ma gentille ! Là ! J'ai senti sa petite tête... Ça ne va plus durer longtemps...

Elle avait failli dire « La petite fille est là », ce qui aurait constitué une grave erreur. Catherine avait déjà du mal à la comprendre et nourrissait même des soupçons à son égard ; cette fille savait, d'une manière instinctive qui ne pouvait être que le don de Vision réprimé, qu'Anna-Magdalena avait appris la sagesse de la Race et qu'elle pratiquait en secret l'ancienne religion. Les chrétiens rejetaient les vieilles coutumes et la Vision ; ils prétendaient qu'elles venaient toutes deux du diable.

Telle était Catherine. Des années auparavant, lorsque son fils s'était épris de cette beauté rousse, Anna-Magdalena avait tout de suite su que cette jeunesse possédait le don de Vision, au même degré qu'elle ou presque. Mais la tragédie voulait que Catherine eût reçu une stricte éducation chrétienne ; non contente de rejeter son don, elle en était même venue à le craindre.

Anna-Magdalena avait cependant accordé aux deux jeunes gens l'autorisation de se marier. Elle s'était dit : *Je serai pour elle une mère, elle sera la fille que je n'ai jamais eue, et je lui enseignerai les manières des Sages.* Et elle avait eu l'impression que la Déesse elle-même bénissait cette union.

Mais au fil des années, la crainte que Catherine nourrissait à l'égard de l'ancienne Sagesse et de son propre don ne s'était pas atténuée. Anna-Magdalena s'était aperçue qu'il lui était non seulement impossible d'aborder ce sujet avec sa bru, mais qu'elle ne pouvait se référer à l'ancienne Sagesse sous son propre toit qu'en son absence. Cela ne l'empêchait point de l'aimer et Catherine avait semblé lui rendre la pareille. Elle avait fait confiance à sa belle-mère pendant six ans, jusqu'à cette dernière grossesse. À partir de là, sa méfiance n'avait cessé de grandir, jusqu'à ériger une barrière infranchissable qui empêchait Anna-Magdalena de lui témoigner son affection.

Si la vieille femme avait admis qu'elle savait, depuis sa conception, que l'enfant serait une fille, cela aurait suffi pour que Catherine se précipite chez le prêtre du village dans le but de se répandre en cancans sur sa belle-mère, la sorcière.

Qu'elle y aille, songea-t-elle. *Elle sera bien obligée de reconnaître que lorsqu'elle a été grosse pour la septième fois, elle est venue me demander des charmes.* Anna-Magdalena avait donc placé un charme d'herbes sous le fauteuil d'accouchement et prononcé un charme en paroles au-dessus d'une tisane ; et elle avait jeté une protection magique sur toute la maison, d'un ordre trop sacré pour être représentée par des herbes ou des psalmodies.

Le tonnerre gronda au loin ; une brise fraîche mais humide fit légèrement claquer les volets de bois ouverts contre les murs en torchis. Très vite, tous les bruits furent étouffés par les cris de la femme en travail.

En dépit de la tâche importante qui l'attendait, la sage-femme jeta un coup d'œil vers la porte ouverte, devinant sans le voir, sans l'entendre, que son fils se tenait sur le seuil, dans sa tunique mouillée de transpiration et couverte de brins de paille et de grains.

Pietro était bien là, sa faux dans une main, une expression de lassitude infinie dans ses grands yeux. Anna-Magdalena se souvint avec mélancolie des yeux de son père, dont il portait le nom. Ils avaient contenu la même expression. Le fardeau d'un paysan consistait à trimer sans répit dans le champ qu'il louait au *grand seigneur* ainsi que dans ceux du *seigneur* en personne. Ce genre d'existence minait tellement l'énergie d'un homme qu'il ne lui en restait que fort peu pour sa propre famille.

Pietro possédait les yeux de son père et le don de Vision de sa mère. Mais en grandissant et en accompagnant son père aux champs, il avait perdu son intérêt pour la vieille Sagesse. Anna-Magdalena n'avait pas insisté ; il n'était point dans le destin de son garçon d'utiliser son talent mais de le léguer à son unique enfant.

Anna-Magdalena accueillit son fils d'un sourire affectueux. Il entra, posa sa faux et ôta ses sabots de bois souillés.

– Catherine va bien ; elle va bientôt donner naissance à ton enfant.

À l'annonce de cette nouvelle, un sourire si lumineux tordit le visage de Pietro qu'Anna-Magdalena en eut le souffle coupé. Son fils s'était toujours comporté de la sorte. Il gardait en permanence un visage si solennel qu'elle ne savait jamais ce qu'il pensait. Et lorsqu'il déployait son sourire, tel le soleil matinal glissant au-dessus de la cime d'une montagne, elle en restait éblouie. Il s'approcha de sa femme et lui tendit les bras.

– Catherine, c'est vrai ? Nous allons enfin avoir un fils ?

– Je ne sais pas, gémit-elle. C'est affreux, affreux… je suis si fatiguée que je pourrais en mourir.

Sous l'effort qu'elle faisait pour retenir un hurlement, son visage se contorsionna en un rictus qui dénudait ses dents.

Il s'agenouilla près d'elle.

– Tu peux crier, Catherine. Cela me peine beaucoup plus de te voir si courageuse…

Pour lui faire plaisir, elle laissa échapper le hurlement qu'elle retenait, avec une telle férocité qu'il se recroquevilla, abasourdi.

Anna-Magdalena s'approcha de l'âtre, afin d'y prendre une écuelle de pot-au-feu chaud, composé d'une épaisse bouillie de poireaux et de choux agrémentée, pour célébrer l'événement, d'un beau poulet entier qu'elle destinait à son fils : il méritait de se remplir l'estomac d'un peu de viande, tout comme Catherine, une fois qu'elle aurait enfanté. Pietro s'assit à table et laissa sa mère lui servir son repas accompagné d'un quignon de pain bis. L'âtre éteint dégageait encore de la chaleur, mais une brise rafraîchissante filtrait par les ouvertures du logis et dispersait la fumée du foyer. L'obscurité tomba avec la brise, tandis qu'un claquement de tonnerre surprenait Catherine qui secoua la tête comme une biche apeurée.

Anna-Magdalena alluma la lampe à huile et l'apporta près du fauteuil d'accouchement. Elle la plaça par terre, à un endroit qui lui permettrait de voir le bébé quand il sortirait, sans que Catherine ne risque de la renverser pendant son travail. De la gorge de la jeune femme sortit une espèce de mélopée, comme si le moment l'exigeait. Pietro, l'air bouleversé et légèrement blafard, se leva et prit son écuelle.

– Je vais manger dehors, annonça-t-il.

Il alla s'asseoir au frais dans l'obscurité.

Anna-Magdalena s'agenouilla pour palper une fois de plus de ses doigts précautionneux et savants. L'enfant était placé dans la bonne position ; le cordon ombilical ne risquait point de l'étrangler.

– Ma fille, je vois la tête du bébé. Tout va bien. Maintenant, tu vas faire appel à toute la force qui te reste pour le pousser en ce monde.

Pendant qu'elle parlait, une brusque rafale de vent balaya la chaumière, entrechoquant les volets ouverts. Anna-Magdalena frissonna jusqu'aux os, non à cause de cette bise froide, mais du mal qu'elle apportait.

Diana, la bona Dea*, protégez cette enfant*, pria-t-elle sur-le-champ. Mentalement, elle renforça les barrières invisibles qui protégeaient le modeste logis, mais il était trop tard. Quelque chose – une volonté, un esprit, une force maléfique – venait d'y pénétrer et de s'y installer. La vieille femme sentait cette présence proche, aussi sûrement qu'elle venait de sentir le vent évaporer la sueur qui trempait son front et ses bras. Mais où était-elle exactement ? Et qu'était-elle exactement ?

Avant qu'Anna-Magdalena n'ait eu le temps de formuler cette question mentalement, Catherine leva la tête. La lueur de la lampe à huile se réfléchit dans ses yeux, de telle sorte qu'ils luisirent d'un jaune verdâtre maléfique, comme ceux d'un loup s'approchant d'un feu brûlant dans la nuit.

Anna-Magdalena inspira. Il ne s'agissait là que des yeux de sa bru, plissés par la souffrance. Pourtant, ils abritaient une autre forme d'intelligence, mortelle et narquoise.

Cette intelligence ne pouvait pas s'être immiscée dans toutes ses précautions, tous ses charmes et ses prières, ni à l'intérieur du cercle protecteur qu'elle avait érigé autour de la chaumière. Pourtant, elle était bien là, elle la narguait, elle la provoquait.

– *Arrière !* s'emporta Anna-Magdalena d'un ton chargé d'une fureur si vertueuse et d'une telle véhémence que sa voix se cassa.

La lueur sinistre qui venait de s'allumer dans les yeux de Catherine se transforma sur-le-champ en stupéfaction innocente et en détresse.

– Quoi ? gémit-elle.

– Rien, mon enfant. Pousse ! se contenta de répondre avec bonté Anna-Magdalena, prenant les mains menues et pâles de Catherine entre les siennes, solides et halées.

La jeune paysanne s'exécuta, émettant des grognements sourds et gutturaux et broyant dans un étau les os des mains de la vieille femme. La partie visible du crâne du bébé s'élargit bientôt. Mais Catherine cessa subitement de pousser.

– Je n'y arrive point ! Je n'y arrive point…, gémit-elle. Mère de Dieu, aidez-moi.

– Elle t'entend et elle va t'aider, répondit en hâte Anna-Magdalena, dont toutes les pensées étaient tournées vers le premier souffle qu'allait exhaler l'enfant. Tu n'as plus qu'à pousser une fois, ma fille.

Elle reprit ses mains entre les siennes.

– Je ne suis point votre fille ! hurla sauvagement Catherine d'une voix perçante.

Son visage contorsionné, percés d'yeux qui s'étaient rétrécis, ressemblait à celui d'une bête féroce montrant les crocs.

– C'est de *votre* faute, vieille sorcière ! Vous saviez que j'étais trop faible, que j'allais en mourir, mais ça ne vous a pas empêchée de me donner des philtres et des charmes pour que je ne perde point cet enfant ! Vous le voulez pour vous, pour vous en servir à vos fins maléfiques !

Elle repoussa les mains d'Anna-Magdalena d'une claque si violente que la vieille femme, encore agenouillée, perdit l'équilibre et tomba lourdement sur le flanc.

La lampe, songea Anna-Magdalena terrorisée. Dans l'intervalle d'un centième de seconde précédant le moment où l'objet toucha le sol, elle tenta de décaler sa chute, de l'éviter, mais il était trop tard...

Elle heurta la lampe de l'épaule et la renversa. L'huile odorante qu'elle contenait se déversa sur le sol comme un ruisseau de feu. Le liquide qui ne se consuma pas immédiatement trempa la jupe noire d'Anna-Magdalena. L'espace d'un, puis de deux battements de cœur, la vieille femme vit les flammes en dévorer l'ourlet et bondir sur le sol en direction du fauteuil d'accouchement de foin et du doux berceau de paille qui avait été préparé à l'attention du nouveau-né.

Sans cesser de pousser des hurlements, Catherine trépignait et frappait les flammes qui gagnaient du terrain. Anna-Magdalena ne savait pas s'il s'agissait de cris de peur, de rage ou de douleur, car elle aussi se roulait sur le sol pour essayer d'étouffer les flammes qui avaient déjà brûlé la moitié de sa jupe de veuve et menaçaient à présent d'attaquer sa chemise.

– Pietro ! Mon fils, au secours ! hurla-t-elle, tandis que Catherine, qui avait miraculeusement réussi à se libérer du fauteuil d'accouchement en feu, hurlait, allongée sur le dos :

– Dieu, Dieu, *Dieu !*

Pietro émergea au beau milieu de la fumée noire et des flammes. Son regard épouvanté n'avait cependant point perdu le calme hors du commun qui le caractérisait depuis l'enfance. Anna-Magdalena donnait des tapes à sa jupe trempée d'huile, qui faisaient voleter dans l'air des morceaux de tissu transformés en braises incandescentes. La chaleur qui brûlait les poils de ses bras et de ses jambes la fit hurler. Le bord de sa guimpe noire commença à fumer ; elle l'arracha de sa tête et la lança sur le côté.

Pietro était à présent près d'elle, il l'enveloppait étroitement dans l'unique couverture que possédait la famille. Dès que les flammes furent étouffées, il déroula la couverture et se précipita au secours de sa femme qui se contorsionnait sur le sol.

Sans prêter attention aux brûlures qui lui piquaient les tibias, Anna-Magdalena se releva tant bien que mal et courut vers l'âtre auprès duquel était placé leur baquet d'eau quotidien. Elle s'en saisit et en jeta le contenu sur la gerbe de feu qui avait été le fauteuil d'accouchement. Avec un sifflement aigu, les flammes diminuèrent et un panache de fumée noire s'éleva en leur centre. Pietro éteignit les dernières flammèches avec la couverture, puis il cria :

– Occupe-toi d'elle, mère ! Le bébé est né, mais il n'émet aucun son !

Grâce à Dieu, Catherine s'était enfin tue. On n'entendait plus que sa respiration haletante, provoquée par son épuisement. Entre ses jambes pendait un long cordon sanguinolent, au bout duquel le bébé avait glissé sur le sol : une petite fille aux cheveux bruns parfaitement formée, ses petits poings rouges étroitement serrés, le visage recouvert de la membrane ensanglantée à l'intérieur de laquelle elle venait de passer neuf mois. *Elle est coiffée*, se dit Anna-Magdalena avec un tel frisson d'émerveillement que la peau de ses bras se hérissa malgré la chaleur ; il s'agissait d'un présage tout à fait unique, indiquant que la Déesse avait marqué l'enfant du don de double Vision et d'un double destin.

– Elle n'est point bleue ! s'écria-t-elle. Regarde, elle n'est point encore bleue !

Elle abandonna le baquet pour se précipiter sur l'enfant.

D'un seul geste, elle saisit la dague coincée dans sa ceinture, s'en servit pour couper le cordon, la remit en place, souleva le bébé dans ses bras et le libéra de la membrane. À l'aide de lambeaux de sa jupe brûlée, elle essuya ensuite la pellicule de sang rouge noirâtre et ivoire qui recouvrait le doux petit visage, puis elle retourna l'enfant et lui donna des petites claques saccadées entre les omoplates.

Le résultat fut miraculeux : le bébé toussa, puis il inspira pour la première fois et se mit à brailler pour de bon.

Catherine remua.

– C'est un garçon ? Un fils ?

– Une fille en bonne santé, annonça Anna-Magdalena avant de fondre en larmes de bonheur pendant que Catherine sanglotait – de honte à cause du sexe de l'enfant ou parce qu'elle regrettait, plus sinistrement, qu'elle eût survécu ?

Pietro sourit à sa fille, sans parvenir à dissimuler la déception qui tempérait sa joie.

– Suis-je la seule à me réjouir de la venue de cette enfant ? lança Anna-Magdalena d'un ton sec. Que Dieu soit loué (mentalement, elle ajouta : *et la bonne Déesse*) de nous avoir donné cette petite fille en parfaite santé !

Comme cela était son droit dans la maison où elle avait été élevée, elle annonça ensuite :

– Elle s'appellera Sibilla.

Voilà, elle l'avait dit : Sibilla, un beau nom païen, qui lui avait été inspiré dans ses rêves. Sibilla : la femme sage, prêtresse et prophétesse, le propre nom de la Grande Mère.

Catherine s'efforça de s'asseoir, tendit les bras vers l'enfant et répliqua d'un ton de défi absolu :

— Marie. Elle s'appelle Marie, d'après la Vierge, je n'accepterai aucun autre nom. Nous ne vivons point dans un pays aux vieilles coutumes étranges comme l'Italie, ni dans une maison païenne.

Anna-Magdalena haussa froidement un épais sourcil noir.

— Appelle-la comme tu voudras, ma bru, mais elle s'appellera toujours Sibilla devant Dieu et sa Mère.

— Pierre !

Ses yeux verts suppliants, Catherine tourna la tête. Sa chevelure flamboyante se déploya sur une de ses épaules. Même trempée de sang et de sueur, les jambes maculées de sang coagulé, elle restait belle et son mari ne lui refuserait rien.

— Pierre, vas-tu permettre que notre unique enfant porte un nom païen ? Un nom qui n'est même pas vraiment français ?

Anna-Magdalena se redressa de toute sa stature et fixa son fils d'un regard brûlant. Elle était en train d'œuvrer pour la Mère et, en de telles circonstances, elle sentait le pouvoir inquiétant de la Déesse descendre sur elle. Elle savait que Pietro pouvait lire tout cela dans ses yeux ; elle savait aussi qu'elle n'avait besoin de rien dire ni de rien faire pour défendre sa position. De toute façon, son fils ne pratiquait le christianisme que pour apaiser les craintes de sa femme. S'il chérissait une déité au plus profond de son cœur, cette déité était la Déesse… Le regard de Celle qui était la Mère de tous allait donc lui rappeler son devoir.

Il lut le message dans ses yeux et comprit, mais Anna-Magdalena savait également qu'il ne pouvait pas complètement ignorer la requête de sa charmante femme.

Comme à son habitude, il poussa donc un soupir de lassitude, puis il déclara sans se départir de son calme :

— Je refuse de vous entendre vous quereller. Incendie ou pas, c'est un jour de bonheur : une bonne récolte rentrée juste avant la pluie, notre part de froment déjà à l'abri dans la grange de Vieux Jacques et la naissance de mon premier enfant. Elle s'appelle Marie-Sybille, et je ne veux plus en entendre parler.

Et il aida sa femme à s'aliter.

Anna-Magdalena poursuivit son labeur comme si le Mal n'avait pas fait irruption dans la chaumière, comme s'il n'était pas venu chercher Catherine pour en faire son alliée. Elle aida sa belle-fille à nettoyer les eaux, puis à ôter sa chemise maculée de sang et elle l'essuya de son mieux avec le chiffon humide, car il était trop tard pour retourner puiser de l'eau. La nuit étant tombée, Catherine ne se rhabilla pas et, quand elle commença à frissonner en dépit de la chaleur, Anna-Magdalena drapa les lambeaux de la couverture brûlée autour de ses épaules recroquevillées.

Elle enroula ensuite un linge autour de la taille épaissie et tendre de Catherine, le noua à un autre linge destiné à éponger le sang susceptible de couler encore après la naissance et donna à sa bru un fort breuvage d'écorce de saule broyée, afin de l'aider à s'endormir. Pour finir, elle nettoya le bébé, l'emmaillota et le présenta à sa mère. Malgré sa déception initiale, Catherine roucoula de ravissement devant sa fille et suivit avec soin les instructions de la sage-femme qui lui indiquait comment lui donner le sein. Pendant ce temps-là, Anna-Magdalena la coiffait et nattait sa longue chevelure rousse. Lorsque l'enfant eut tété à satiété, la sage-femme apporta à Catherine un bol du pot-au-feu au poulet froid, que l'accouchée avala voracement.

Pietro eut vite fait de suspendre ses vêtements au poteau horizontal placé au pied du lit, et père, mère et fille s'endormirent tous trois. Sans faire de bruit, Anna-Magdalena balaya les restes carbonisés du fauteuil d'accouchement et la paille brûlée et les jeta dehors. L'orage avait éclaté – de grosses gouttes de pluie espacées pour commencer, puis tellement longues, cinglantes et perçantes qu'en regardant vers le Sud par la fenêtre, elle fut incapable de distinguer le bosquet d'oliviers.

Elle ramassa les chiffons sales et la chemise tachée de Catherine et alla les suspendre sur les branches d'un petit olivier pour que la pluie puisse les lessiver.

La pluie avait également balayé le danger venu menacer l'enfant. Le Mal s'en était allé, il avait fui vers une destination lointaine (sinon, la vieille femme n'aurait même pas laissé Catherine prendre le bébé dans ses bras), mais Anna-Magdalena savait qu'il n'avait pas encore été détruit et qu'il reviendrait bientôt.

Elle avait accompli son devoir envers son fils et sa belle-fille. À présent, elle pouvait enfin se pencher sur les brûlures qui lui lançaient les tibias. Grâce à la *bona Dea*, elles étaient moins graves qu'elles n'auraient pu l'être. Anna-Magdalena souleva sa chemise brûlée et constata qu'elle n'avait même pas d'ampoules, rien que de larges taches de chair rouge lisse et brillante, à l'endroit desquelles tous les poils noirs avaient été brûlés. Sa peau n'étant pas craquelée, elle ne craignait pas d'avoir une infection, et comme il était trop tard pour aller cueillir de la lavande qui lui servirait à fabriquer une compresse apaisante, elle disposait du meilleur de tous les remèdes, fourni par la bonne Dame elle-même, pour supprimer la sensation de brûlure et la douleur.

Elle alla chercher les restes du pot-au-feu, avec des os de poulet auxquels pendaient encore quelques lambeaux de chair. Puis elle retroussa sa jupe jusqu'à la taille et s'assit sur le pas de la porte, jambes étendues devant elle sous la pluie rafraîchissante. Elle savoura là son dîner sans bouger, jusqu'à ce que ses jambes se couvrent de chair de poule et que ses dents se mettent à claquer ; après cette journée torride, la fraîcheur nocturne était un délice.

Assise là, elle pria et envisagea ce qui lui restait à faire. Catherine s'était en quelque sorte ouverte au diable, qui voulait faire du mal au bébé. Qu'est-ce qui pourrait l'empêcher de s'ouvrir de nouveau à Lui ?

À présent que Pietro était endormi, Anna-Magdalena pouvait fuir avec l'enfant et se glisser subrepticement dans un autre village, une autre bourgade, un autre cité, où elle l'élèverait seule. C'était à ses yeux le moyen le plus sûr ; pourtant, la confusion régnait dans son cœur. En partant, n'obéirait-elle point inconsciemment aussi au diable ?

Quelques heures plus tard, l'orage s'était calmé. À l'extérieur, le silence n'était rompu que par le chant régulier et strident des grillons et les ululements sinistres et étouffés d'une chouette. Allongée sur le dos, Catherine ronflait doucement aux côtés de son époux ; le bébé était niché entre le mari et sa femme, dans le creux du coude de sa mère.

Comme à l'ordinaire, Pietro, étendu sur le flanc avec une joue pressée contre le matelas, était aussi silencieux dans son sommeil que s'il était trépassé. Anna-Magdalena aurait-elle hurlé dans son oreille qu'il ne se serait point réveillé, en tout cas pas avant le lever du soleil, alors que Catherine avait le sommeil léger et agité. Elle avait bien évidemment pris le narcotique et elle était épuisée par ses longues couches, mais il fallait se méfier de la force du lien qui unissait la mère à l'enfant.

Malgré tout, songea Anna-Magdalena, *je ne peux que suivre les ordres de la Déesse.* Elle se leva du lit avec moult précautions et se tourna face à Catherine et au bébé.

Éclairé par un croissant de lune, le nourrisson emmailloté dormait comme un ange. En fait, la petite fille n'avait pas pleuré depuis sa naissance. *Comme son père*, songea tendrement Anna-Magdalena. Pietro avait été un enfant si calme, si facile, qu'au début Anna-Magdalena en arrivait à oublier parfois l'arrivée de ce nouveau bébé. Le visage menu de Sibilla, rouge à la naissance, irradiait à présent une lueur rose. À côté d'elle, Catherine avait l'air pâle dans la pénombre ; c'était véritablement pur miracle qu'une femme aussi frêle ait pu donner la vie à une enfant si robuste.

La sage-femme s'inclina en avant, étendit les mains et les glissa sous sa petite-fille en veillant à ne point effleurer le bras de sa mère endormie. L'enfant remua dans son nid sans ouvrir les yeux, mais elle n'émit aucun son ; le visage souriant, Anna-Magdalena s'y prit avec prudence et lenteur pour la soulever.

Catherine s'agita subitement et gémit de douleur dans son sommeil. La vieille femme se figea sur place, encore penchée sur sa bru, le bébé en suspension à moins de trente centimètres de la paillasse.

Au bout de quelques secondes angoissantes, Catherine se calma et ses ronflements reprirent. Anna-Magdalena poussa un soupir inaudible, prit l'enfant dans ses bras et se sauva nu-pieds dans la nuit.

Diana, protégez-nous ce soir, pria-t-elle, sentant l'herbe fraîche et humide sous la plante calleuse de ses pieds. Elle cheminait sur un sentier baigné de lumière, si bien qu'elle distinguait chaque fleur sauvage, chaque brin d'herbe, chaque plante et même le lièvre qui, debout sur ses pattes de derrière, reniflait l'air. Elle leva les yeux vers la lune déclinante émergeant des nuages qui filaient dans le ciel, auréolée d'une fine brume nacrée de rose et d'azur. Un amour et une conscience du destin si forts l'envahirent que ce moment prit un caractère intemporel : elle était née pour cela, elle n'avait rien accompli auparavant dans sa vie et n'accomplirait plus rien après, hormis fouler les fleurs sauvages et l'herbe avec cette petite fille dans ses bras.

Elle souleva l'enfant endormie jusqu'à ses lèvres et baisa son front d'une douceur indicible. Le bébé fronça ses sourcils duveteux dans son sommeil comme un petit singe moqueur. Une fossette se creusa entre eux, puis ses traits redevinrent lisses. Anna-Magdalena se mit à rire doucement...

Rire vite interrompu par des hurlements de loups dans les parages – quelque part dans les profondeurs du bosquet d'oliviers vers lequel la Déesse dirigeait ses pas. L'espace d'un instant, pas davantage, elle s'arrêta et aperçut dans les ténèbres la lueur verte d'yeux sauvages, les yeux que Catherine avait possédés un instant, les yeux de l'Ennemi.

La peur s'insinua en elle, mais elle eut vite fait de la rejeter.

– Que vous soyez ou non de ce monde, déclara-t-elle aux créatures, il vous faut maintenant partir et vous tenir à distance respectueuse.

Elle se remit en route d'un pas décidé et véloce et les yeux et les hurlements disparurent sur-le-champ.

La femme et l'enfant ne rencontrèrent pas âme qui vive avant de parvenir à l'orée du bosquet sacré planté par les envahisseurs romains, dont les vieux arbres, atteignant pour certains la hauteur de six hommes debout sur les épaules les uns des autres, déployaient leurs branches argentées qui se détachaient contre le ciel. Anna-Magdalena entra sous le couvert de la première branche ; immédiatement, les ramures épaisses et feuillues atténuèrent le clair de lune. À travers les fentes filtraient ici un rayon minuscule, là un croissant de lune ; ils illuminaient de minuscules taches d'herbe clairsemées et de terre humide d'où montaient de riches senteurs. Cette pénombre ne gênait en rien la sage-femme. Au fil de sa vie, elle était souvent venue ici la nuit, d'abord attirée en ce lieu par les marées de la lune, puis par la camaraderie, si bien qu'elle connaissait le chemin par cœur.

Les fruits des arbres qui se dressaient en lisière du bosquet venaient tout juste d'être cueillis. Mais plus elle approchait de son cœur, plus les arbres ployaient sous les olives, qui n'avaient pas été récoltées en l'honneur de la Reine du Ciel. Anna-Magdalena sentait des olives mûres et gonflées sous ses pieds ; elle respirait l'arôme tenace qui en émanait quand elle les écrasait. Demain, elle en garderait des taches accusatrices violet foncé, qu'elle ferait bien de cacher à Catherine.

Elle atteignit enfin la petite clairière au milieu de laquelle était érigée la statue grandeur nature de la Mère sous les traits de Marie. Cette statue, sculptée dans le bois, était fort ancienne ; son nez, en partie pourri, refusait de garder la peinture dont on le recouvrait avec amour tous les ans lors des fêtes du mois de mai. Quant aux pieds de la Déesse, ils portaient des marques et des égratignures, comme si une bête sauvage les avait rongés. Une couronne de romarin fraîchement cueilli, ornée de gouttes de pluie scintillantes, avait été posée sur le sommet de son voile bleu ciel, mais la pluie avait abîmé la guirlande de fleurs sauvages plus délicates placée autour de son cou. Anna-Magdalena avança respectueusement d'un pas et balaya de sa main libre les feuilles d'olivier trempées qui restaient accrochées aux épaules de la Déesse. Puis elle s'efforça de réparer la guirlande.

La chose faite, elle s'agenouilla sur le sol mouillé en veillant à ne point perdre l'équilibre avec le doux paquet qu'elle tenait dans ses bras, et elle chuchota :

– *La bona Dea*, elle est à Vous et je jure sur mon âme qu'elle le restera à jamais. Guidez-moi, afin que je puisse l'instruire, et protégez-nous des forces qui pourraient vous l'enlever.

Elle déposa alors le tendre nouveau-né sur le lit de feuilles d'olivier et de fleurs humides aux pieds de la statue. Prenant la dague attachée à sa taille, elle traça, d'une main légère comme une plume, le symbole de Diane sur le front de la petite fille. Puis elle inclina la tête pour formuler mentalement sa demande suivante.

– Dois-je emmener cette enfant loin de ses parents ou devons-nous rester tous unis ?

Aucune réponse. Anna-Magdalena réitéra sa question. En vain. Cela signifiait qu'il n'y avait *point* de réponse définie, que le chemin choisi n'importait pas, que l'issue serait la même. Elle réfléchit donc un certain temps, les yeux clos, jusqu'à ce qu'une requête plus éloquente lui vienne à l'esprit.

– Montrez-moi la plus efficace des magies, qui me permettra de la protéger.

Avant même que ses lèvres ne forment la question, la Déesse lui répondit : *Je vais te montrer ton choix.*

La Vision, rapide et puissante, descendit alors sur Anna-Magdalena, avec une intensité qu'elle n'avait encore jamais connue, même lorsqu'elle l'invoquait avec force incantations et charmes.

Subitement, elle se retrouva non plus dans le bosquet, mais assise à l'intérieur d'une belle chaumière. Cette habitation possédait une cheminée, deux pièces et des tabourets pour s'asseoir, ainsi qu'un âtre, avec une réserve de bûches, dans lequel crépitait un feu magnifique. À ses côtés était assise une jolie jeune femme. Elle comprit qu'il s'agissait de Sibilla, et Sibilla donnait le sein à un enfant. Aux pieds d'Anna-Magdalena, un petit garçon jouait avec une poupée de bois. Le cœur de la vieille femme débordait de bonheur : c'était ses petits-enfants…

Une explosion retentit soudain, aiguë et cristalline, pareille à un bruyant bris de verre. Anna-Magdalena n'avait entendu ce bruit qu'une seule fois dans sa vie, le jour de ses noces, alors qu'elle se trouvait devant l'autel. Quelqu'un avait jeté une grosse pierre contre un vitrail de la cathédrale, qui avait projeté dans les airs des éclats multicolores que le soleil faisait miroiter. Un mauvais présage, avait-elle alors estimé en grinçant des dents aux côtés de son fiancé et du prêtre. On l'appelait déjà ouvertement à l'époque la *striga* du village, et elle s'était rendue en ville afin d'y trouver un ecclésiastique qui ne la connaissait pas pour la marier. Peu de temps après, son mari et elle avaient déménagé dans un autre village.

L'emprise de ce mauvais présage était telle qu'elle ne l'avait jamais oublié. Elle rouvrit les yeux et se retrouva dans le bois, cernée par les grands oliviers en feu.

Les flammes qui en jaillissaient flamboyaient de teintes automnales cramoisi et ocre surnaturelles ; vivantes et serpentines, elles ondulaient entre les branches, dans sa direction... et dans celle de la précieuse enfant. Anna-Magdalena rampa sur les genoux vers Sibilla, mais l'incendie déferlait, descendant le long des troncs et progressant sur les feuilles et les fleurs humides, il se précipitait sur elles à la même rapidité que le vent balaie le grain, si bien qu'un mur de flammes se dressa entre elle et le bébé.

Sans réfléchir, Anna-Magdalena tendit le bras à travers ces flammes qui ne pouvaient être que magiques, puisqu'elles ne consumaient ni le bois ni les feuilles malgré leur éclat. Elle retira sa main avec un cri de douleur aigu et contempla sans y croire sa paume rouge et couverte d'ampoules.

– Sibilla, hurla-t-elle, se moquant désormais de réveiller quiconque alentour.

Elle se releva d'une poussée. Les flammes grandirent subitement, devinrent opaques, lui cachant totalement l'enfant qui n'émettait aucun son. Anna-Magdalena ne voyait rien que les grands arbres, embrasés mais intacts, comme le buisson de Moïse.

Terrorisée, elle se crut alors perdue, et l'enfant avec elle. La chaleur devint si intense qu'elle sentit la peau nue de son visage, de ses bras et de ses jambes commencer à se boursoufler. Ravagée de peur et de douleur, elle aperçut quand même, au-delà des flammes qui la cernaient, les yeux verts luisants qui la contemplaient dans les ténèbres.

Des yeux de loup, mais chargés d'une intelligence bien plus grande qu'animale et enchâssés dans une silhouette sombre. Une silhouette humaine, gigantesque et jubilante de malveillance. En même temps, elle entendit dans sa tête le fracas du verre brisé.

Le Mal avait été présent depuis le jour de sa naissance ; elle avait grandi sans jamais perdre conscience de Sa présence, elle avait toujours su que sa vie était un combat contre Lui.

– Déesse, aidez-moi ! implora-t-elle.

Les flammes s'amenuisèrent tout de suite assez pour lui laisser entrevoir les traits sereins de la statue de bois. Anna-Magdalena en fut soulagée. Elle se remémora qu'il ne s'agissait point d'une attaque du Mal, mais d'une Vision qu'elle avait demandée à la Déesse afin d'apprendre la plus efficace des magies.

Elle s'obligea donc à se calmer. Une grande rafale de vent fit descendre l'incendie du tronc des arbres toujours entiers et verts, les flammes ondulantes se glissèrent entre les feuilles crépitantes et la terre, et vinrent se condenser en un anneau autour des pieds et des jambes d'Anna-Magdalena.

La vieille femme éprouvait encore une vive douleur et, un instant, elle frémit de peur, tel un oiseau captif qui cherche à s'échapper. Puis elle se calma, car entre elle et l'Ennemi se tenait une femme vivante, à la place de la statue de bois.

Une femme à la chevelure noire luisante, aux yeux sombres comme l'eau d'un puits ; jeune et solide, avec le nez de sa mère, les lèvres de son père et un teint olivâtre…

– *Sibilla*, chuchota Anna-Magdalena d'une voix frémissante de joie.

Malgré la douleur implacable des flammes, elle n'éprouvait qu'amour et bonheur au spectacle de sa petite-fille devenue grande et belle. Lorsque le visage de la femme, irradiant de l'intérieur, devint translucide et prit une apparence de béatitude, elle en resta abasourdie et murmura :

– *La Déesse vit.*

Car aucun visage humain, ni aucune statue de bois, ne pouvait exprimer une paix si infinie, une joie si infinie, une compassion si infinie.

Anna-Magdalena savait que sa petite-fille avait été choisie pour une grande destinée, mais elle ignorait que Sibilla avait été élue pour devenir un Vaisseau vivant.

Son cœur s'ouvrit alors complètement à une compassion absolue qui englobait tout : les flammes, la douleur, le destin, quel qu'il soit, que la Déesse avait choisi pour elle. Une compassion embrassant même l'Ennemi aux aguets, qui devait avant tout être pris en pitié.

Cette compassion se dirigea vers les yeux qui luisaient à distance. Elle les vit se rétrécir, se rapetisser, de même que la silhouette obscure, jusqu'à ce que la créature perde sa taille humaine et se transforme en petit loup, puis en chien. Les pupilles jaune verdâtre vacillèrent, s'estompèrent et s'éteignirent.

La peur, comprit Anna-Magdalena. La peur représentait pour la créature ce que la viande était au loup : elle la nourrissait, elle renforçait son pouvoir. Elle comprit la signification du mur érigé autour du cœur de sa belle-fille, et de quelle substance il était composé. En dépit de toute la magie pratiquée par Anna-Magdalena, de toutes ses prières, la peur de Catherine avait exposé l'enfant au danger.

Subitement, Anna-Magdalena revint à elle et se retrouva agenouillée, seule, au milieu du bosquet d'oliviers où régnait un silence seulement rompu par les ébrouements de petits animaux. À ses pieds, sa petite-fille dormait paisiblement. Elle posa un regard sombre sur la statue de bois familière, aux lèvres légèrement incurvées en un sourire de bonté.

– Vous aviez Vos raisons pour me montrer ces choses, *bona Dea* ; à présent, montrez-moi comment être Sage.

L'ululement d'une chouette parut répondre à sa prière.

Deux chemins s'ouvrent à toi, répondit la Déesse, d'une voix intérieure silencieuse sur laquelle le cœur d'Anna-Magdalena ne pouvait se méprendre. *L'un sûr ; l'autre parsemé d'embûches. Il te revient de décider. Seul le comble de la magie pourra transformer l'enfant en ce qu'elle doit devenir. Seule la magie la plus puissante, qu'elle est incapable d'accomplir seule. C'est pourquoi j'ai choisi, parmi toutes les personnes au monde, de la remettre entre tes mains. Là est ton destin ; la raison de ta naissance. Prendras-tu la décision pour elle ? Pour moi ?*

– Je le ferai, chuchota Anna-Magdalena, les yeux embués de larmes de bonheur et de chagrin. Je le ferai, et que nous cheminions toutes les deux à l'abri dans Vos bras protecteurs…

Elle demeura un certain temps à genoux, la tête inclinée, écrasée, le cœur ouvert à la Déesse ; puis elle se releva et prit le bébé dans ses bras.

Elle et Sibilla continueraient à vivre auprès des parents de la petite fille. Pour quelle raison les aurait-elle plongés dans le chagrin, alors que l'Ennemi suivrait l'enfant partout où elle irait ? De plus, la vieille femme ignorait d'où l'Ennemi tenterait d'attaquer.

Et je dois prendre grand soin de ne point ouvrir mon cœur à la peur ; Déesse, aidez-moi à la tenir à distance.

Anna-Magdalena se prosterna enfin devant la Déesse et elle repartit à pas lents à travers le bosquet.

Catherine s'agitait dans son sommeil, envoûtée par un rêve étrange : son bébé pleurait, petit ululement triste de chouette. Elle sentit ses seins gonflés frémir, se mouiller subitement. Elle avait une montée de lait et il était temps de donner la tétée au bébé, au bébé... Où était le bébé ?

Bizarrement, elle ne se trouvait plus allongée sur le lit, mais au milieu d'un paysage sombre baigné de brume. Malgré tous ses efforts pour y discerner quelque chose, elle ne parvenait point à trouver son bébé. Pourtant, elle l'avait posé juste à côté d'elle.

Elle essaya de crier : Marie, ma douce... Où t'ont-ils emmenée, ma toute petite ? Mais sa voix s'étouffa dans sa gorge. Elle ne pouvait pas émettre le moindre son, juste s'agiter en tous sens, aveugle, impuissante, le cœur dévoré d'amour et de peur pour sa fille nouveau-née.

Devant elle, dans les torsades de brume, une forme se matérialisa. Catherine cligna des yeux jusqu'au moment où elle reconnut sa belle-mère, vêtue de ses jupes noires, avec ses longs cheveux de jais qui se déployaient jusqu'à sa taille.

Anna-Magdalena portait l'enfant dans ses bras.

Catherine tendit les siens avec gratitude vers sa fille. Mais la vieille femme l'empêcha de la saisir dans un éclat de rire. Plus Catherine se débattait pour l'atteindre, plus Anna-Magdalena l'éloignait.

– Cette enfant est à moi, Catherine, la raillait-elle. Elle a été conçue grâce à moi ; je l'ai protégée dans ton ventre. C'est moi qui l'ai fait venir au monde.

– Non, non ! hurla Catherine. Mon bébé ! Donnez-moi Marie !

Un rire sardonique.

– Elle s'appelle Sibilla.

Catherine s'éveilla en sursaut, une main voletant vers ses seins d'où suintait effectivement du lait. Depuis qu'elle avait conçu cette enfant, les mêmes cauchemars et les mêmes images atroces, dans lesquels sa belle-mère essayait de tuer le bébé, la hantaient. Six années durant, elle avait vécu en paix avec Anna-Magdalena ; elle avait même appris à l'aimer. À présent, le simple fait de penser à elle la terrifiait au point qu'elle avait envie de se sauver, d'abandonner son mari bien-aimé et de s'enfuir avec le bébé ; elle l'aurait d'ailleurs sûrement déjà fait si ses couches ne l'avaient pas laissée dans un tel état d'épuisement.

Des mois auparavant, elle avait décidé de se rendre à Avignon, tout en ignorant les raisons de son choix. Elle ne connaissait personne dans cette cité où elle n'avait d'ailleurs jamais mis les pieds ; mais il s'agissait d'une ville sainte, et cette idée la réconfortait.

Elle tourna le visage vers son mari dans l'obscurité. Pierre dormait à ses côtés ; sa respiration était lente et profonde.

Mais le bébé, qu'elle avait posé entre eux, avait disparu.

Elle ressentit une secousse primitive, purement charnelle, et s'assit brutalement. Son cœur cognait dans sa poitrine. Elle pensa d'abord qu'elle ou Pierre était couché sur l'enfant, qu'ils l'écrasaient ou l'étouffaient. Mais non, il n'en était rien. La petite fille avait tout simplement disparu. Elle tourna la tête du côté où dormait sa belle-mère. Anna-Magdalena non plus n'était plus là.

Son rêve lui revenant à la mémoire, l'affolement s'empara d'elle et elle fut prise de tremblements frénétiques. Ainsi donc, toutes ses craintes les plus folles s'étaient réalisées : Anna-Magdalena avait volé l'enfant.

Elle poussa un cri sourd et s'obligea à descendre du lit. Le coup de poignard qui lui traversa le ventre lorsqu'elle posa les pieds par terre lui arracha une grimace. Elle avança, une main pressée contre le chiffon noué entre ses jambes. Cet endroit était très endolori et Anna-Magdalena l'avait prévenue que si elle bougeait trop le lendemain de l'accouchement, les saignements pouvaient recommencer.

Une main sur le ventre – Catherine eut la surprise de le sentir encore large, mais mou et vide – et l'autre entre les cuisses, elle se dandina, courbée en deux, jusqu'à sa chemise qu'elle enfila. Puis elle gagna la porte entrouverte sur ses jambes vacillantes.

Elle s'arrêta sur le seuil et scruta la campagne, à la recherche d'une silhouette de femme portant un enfant dans les bras.

– Anna ! Anna-Magdalena !

Sa voix n'était qu'un murmure éraillé.

Aucune réponse. La lune brillait de tous ses feux. Elle distinguait les toits de chaume des habitations des autres vilains, leurs murs dont la chaux était devenue grisâtre et, au loin, le vague contour du bosquet d'oliviers. Dans la direction opposée, à une si grande distance qu'elle ne paraissait pas plus grande que l'ongle de son pouce, se dressait la grande cité fortifiée de Toulouse.

Toujours pliée en deux, elle avança d'une démarche chancelante dans la nuit. À chaque pas, son angoisse grandissait. Le feu... il s'agissait d'un mauvais présage. Elle serait morte brûlée, et la petite Marie avec elle, si Pierre ne s'était pas porté à leur secours. Depuis le premier jour de son mariage, Catherine s'était efforcée de faire confiance à Anna-Magdalena, de l'aimer même, comme elle aurait aimé la mère qu'elle n'avait jamais eue, puisque la sienne était morte en lui donnant la vie. Extérieurement, la vieille femme semblait l'aimer aussi, mais, par moments, Catherine ne pouvait s'empêcher de la craindre. Anna-

Magdalena connaissait trop les vieilles coutumes païennes, et en dépit de sa dévotion apparente à la Vierge Marie, elle ne s'adressait jamais à elle par son nom. Pour désigner la sainte bien-aimée, elle employait le terme italien, *la bona Dea, la bona Dea,* mais qui signifiait littéralement *la bonne Déesse.* Or le prêtre du village avait appris à Catherine, bien longtemps auparavant, que la Vierge Marie n'était pas une déité à proprement parler, mais une sainte. L'appeler Déesse était donc un sacrilège. Elle en avait fait part à Pierre, mais il s'était contenté de lui rétorquer qu'en Italie on dénommait ainsi Marie, que sa mère était une femme d'une grande bonté et qu'il ne voulait plus en entendre parler, quoique puisse dire le prêtre.

Mais les soupçons de Catherine ne s'arrêtaient pas là : Anna-Magdalena savait des choses avant qu'il fût possible de les savoir. La vieille femme essayait bien de lui dissimuler ce talent caché, mais Catherine se souvenait du sourire neutre qui avait éclairé son visage lorsqu'elle lui avait confié, au début de sa grossesse, son espoir de donner naissance à un fils. Elle avait vu une lueur étrange s'allumer dans les yeux de la sage-femme et elle avait presque entendu sa pensée : *Tu peux émettre tous les souhaits du monde, ce sera une fille.*

Et cela avait été une fille... qu'Anna-Magdalena avait appelée Sibilla. *Me prend-elle pour une demeurée ?* songea subitement Catherine courroucée. *Pense-t-elle que j'ignore ce que signifie voyante, sorcière ? Et Pierre...*

Pierre, que sa mère continuait à vouloir appeler Pietro, après toutes ces années en France. Croyait-elle vivre encore en Italie ? Catherine n'était jamais allée dans ce pays, mais elle l'imaginait comme une contrée sans foi ni loi où régnait le diable et où toutes les femmes pratiquaient la sorcellerie. *Dieu merci, nous avons désormais notre propre papauté à Avignon, et le Saint-Père est français...*

Pierre, comme à son habitude, s'était montré trop indulgent à l'égard de sa mère, et il avait baptisé l'enfant Marie-Sybille.

Catherine s'arrêta de marcher. Elle avait atteint la lisière de la prairie, face aux champs de blé qui venaient d'être moissonnés, sans réfléchir à sa destination. Une fois de plus, elle appela sa belle-mère par son prénom ; une fois de plus, elle n'obtint pour toute réponse que le silence.

Comme si une force invisible les guidait, ses pieds se tournèrent d'eux-mêmes vers le bosquet d'oliviers. Elle se remit en route d'une démarche heurtée.

Ce faisant, une pensée atroce la saisit : Dieu la punissait en lui prenant son enfant. Car elle avait péché. Elle avait autorisé la sage-femme à avoir recours à ses charmes, à accomplir les gestes de sorcellerie nécessaires pour lui permettre à elle, Catherine, de porter un enfant en bonne santé. Elle fondit en sanglots au souvenir de la manière dont, deux jours seulement auparavant, elle avait observé Anna-Magdalena placer un petit sachet de toile empli d'herbes au pied du fauteuil d'accouchement.

Dieu lui avait envoyé un incendie saint pour le brûler, un incendie qui avait consumé la jupe de la sorcière et menacé sa vie et celle de son bébé. Il s'agissait d'un avertissement. *Mon Dieu !* implora-t-elle, *rendez-moi juste mon enfant saine et sauve, et je la ferai baptiser dès demain ! Et je ne laisserai plus jamais cette femme diabolique la toucher. Je l'élèverai en pieuse chrétienne...*

Toutes les histoires abominables qu'elle avait entendu raconter à propos des sorcières envahirent son imagination et ses sanglots redoublèrent : les vieilles biques maléfiques qui volaient les bébés, qui les écartelaient lors de messes noires en sacrifice sanglant sur l'autel du diable, qui faisaient ensuite bouillir leurs petits corps pour confectionner avec de la viande et du savon. Les sorcières qui volaient les bébés dans leurs berceaux et qui suçaient leur sang, laissant leurs corps minuscules aussi blancs qu'un fantôme. Les enfants ensorcelés et rendus ensuite à leurs familles, si bien que lorsque ces innocents devenaient assez grands, ils se levaient de leurs lits pour massacrer leurs parents endormis au nom du diable.

Catherine se souvint des quelques occasions où, s'étant réveillée au milieu de la nuit, elle avait constaté qu'Anna-Magdalena s'était éclipsée. Une fois, elle avait interrogé sa belle-mère sur ses absences. Anna-Magdalena s'était contentée de lui adresser un sourire chagrin et de lui dire : « À présent que j'ai vieilli, je dors moins bien, et parfois, je vais marcher pour me fatiguer. »

Et si toutes ces histoires disaient vrai ?

Pantelante, courbée en deux, elle cheminait lentement vers le lointain bosquet. Durant la journée, ce site était considéré comme sacré, béni par la Vierge. Mais la nuit, rares étaient ceux qui osaient s'y aventurer, car on racontait qu'il était enchanté. Certains disaient que des diablotins y pratiquaient la magie, désacralisant l'autel voué à Marie, s'y livrant à toutes sortes d'actes malveillants, et que si une personne tombait sur eux, elle serait ensorcelée, condamnée à errer à jamais en ce lieu.

La douleur au ventre de Catherine se mit vite à palpiter et elle sentit quelque chose d'humide et de poisseux sourdre entre ses jambes. Prise de vertige, elle s'affaissa sur les genoux ; l'herbe tournoyait lentement devant elle. Elle ferma les yeux.

Lorsqu'elle les rouvrit, elle aperçut une silhouette, mi-sombre, mi-lumineuse, qui courait dans sa direction au clair de lune.

Anna-Magdalena, le bébé miaulant dans les bras.

– Catherine ! appela-t-elle.

À la vue de sa petite fille saine et sauve, la matrone exhala un soupir de soulagement absolu.

– Mon bébé…

Elle commit l'erreur de tendre les bras vers l'enfant, car son vertige la fit basculer. Si elle n'avait pas projeté ses mains en avant, elle serait tombée sur le visage.

– Catherine !

Anna-Magdalena s'agenouilla près d'elle avec son précieux fardeau.

– Oh, Catherine, mon enfant, regarde-toi ! Oh, ma douce, tu trembles et tu frissonnes… Pourquoi n'es-tu point restée alitée ?

Elle posa une main fraîche sur le front de sa bru. Sa voix, comme son geste, étaient emprunts d'une tendresse et d'une inquiétude si sincères que Catherine éprouva de la honte d'avoir douté d'elle. Et pourtant…

Elle regarda les pieds de sa belle-mère, maculés de taches violettes. Sa décision la libéra de son vertige ; elle se remit en position accroupie et arracha sa fille aux griffes de la vieille femme.

Ni la signification de son regard, ni celle de son geste, n'échappèrent à Anna-Magdalena. Immédiatement, elle tenta de s'expliquer :

– Je ne parvenais point à dormir, ma gentille, et le bébé s'agitait. J'ai eu peur qu'elle vous réveille, toi et son père, alors je l'ai emmenée dehors pour la calmer…

Catherine fit descendre sa chemise et, après plusieurs tentatives, parvint à convaincre l'enfant de téter. La vieille femme se taisait ; Catherine ne lui prêtait aucune attention. Dans son ventre, la douleur se métamorphosa soudain en une agréable contraction. Cela ne s'arrêta pas là : un instinct étrange lui dictait sa conduite. Elle finit par lever les yeux vers Anna-Magdalena et lui déclara avec une détermination glaciale :

– Elle sera baptisée demain.

– C'est impossible, rétorqua sur-le-champ Anna-Magdalena. Tes relevailles doivent attendre, même si tes saignements n'ont pas repris.

Même si tu ne t'es pas gravement blessée, tu devras rester alitée au moins une semaine.

– Elle sera baptisée demain, répéta sereinement Catherine.

Elle plongea le regard dans celui d'Anna-Magdalena et sut que la vieille femme en comprenait la signification cachée, même si elle lui échappait en partie.

Tu ne l'auras pas, vieille sorcière. Elle est à moi, et je ferai en sorte qu'elle le demeure, même s'il me faut pour cela l'envoyer loin de nous deux.

Cependant, une détermination aussi violente et étincelante que celle de Catherine brillait dans les yeux de sa belle-mère. Elle réclamait l'enfant, au nom d'un pouvoir beaucoup plus ancien et sauvage.

La confrontation muette des deux femmes se prolongea un moment. Puis Anna-Magdalena se remit lentement debout, et elle aida Catherine à faire de même.

– Viens, mon enfant. Pose ton bras sur mes épaules, comme ça… Lentement, lentement. Je vais vous ramener, le bébé et toi, à la maison.

Catherine fut transpercée d'un éclair, non pas de douleur physique, mais de regret. Elle avait voulu aimer cette femme, lui faire confiance, avoir enfin une mère ; mais pour le bien de sa fille, elle n'osait pas le faire. Car si Anna-Magdalena lui avait parlé avec bonté, si ses dernières paroles étaient pleines de sollicitude, elles dissimulaient aussi quelque chose de dur, d'inflexible.

Elle s'appelle Sibilla…

VII

Voilà donc le récit de ma naissance, déclara Sybille, tel que la Déesse me l'a révélé. Durant les quelques années suivantes, mon enfance s'est déroulée normalement. Mais, en 1340, l'inquisiteur Pierre Gui, frère du célèbre Bernard Gui, est arrivé en notre bonne cité, et avec lui a surgi une apparition, et ma première expérience de la Vision.

Je la raconte telle qu'elle me fut transmise, car je ne me souviens que de l'un de ses aspects, dont je parlerai plus tard…

Toulouse

Juin 1340

VIII

À l'intérieur de la cité fortifiée de Toulouse, le parvis de la cathédrale inachevée débordait d'une foule d'humeur festive : plus de monde, songea Anna-Magdalena, qu'elle n'en avait jamais vu rassemblé en un seul lieu. De l'endroit où elle était assise, elle voyait une centaine de chariots arrivés d'autres villages des alentours de la cité, tous emplis de vilains accompagnés de leur progéniture ; devant ces chariots disposés en rangs, des centaines de spectateurs se tenaient debout, face à une berme sur laquelle avaient été érigés les bûchers. Des dizaines de gendarmes encerclaient la berme et l'estrade dressée juste derrière.

Et cette foule-là n'était composée que de paysans ; les nobles, pour leur part, étaient installés à l'ombre dans des loges de joutes, situées autour de la cathédrale et du parvis. Au grand divertissement des vilains, Toulouse, après deux semaines d'une chaleur torride en ce mois de juin, s'était réveillée avec une température inférieure de dix degrés à celle des journées précédentes. Ils observaient donc avec jubilation ces membres de la noblesse qui frissonnaient à chaque souffle de brise fraîche, tandis que les paysans profitaient de la chaleur agréable que leur procurait le soleil. Quelques-uns chuchotaient que ces étranges variations climatiques résultaient de faits de sorcellerie ; mais la plupart se contentaient de désigner les nobles et de se gausser d'eux.

Une partie des réjouissances leur était fournie par les personnages de haute naissance revêtus de leurs plus beaux atours : hommes en tuniques, chausses et chapeaux à plumes dans des camaïeux jaune vif, jaune safran et rouge ; femmes parées de toilettes de soie couleur rubis, émeraude et saphir, accompagnées de bandeaux et de couronnes dorés qui retenaient des voiles transparents que la brise faisait voleter.

101

Enthousiasmée, Catherine se pencha en avant sur le banc aux côtés d'Anna-Magdalena et pressa la vieille femme du coude pour attirer son attention sur une dame ou sur une autre, lui faire remarquer une nouvelle couleur de teinture, un corselet d'un style légèrement inédit ou une coiffure savante.

À l'arrière du grand chariot au plancher recouvert de paille, deux familles – celle de Pietro et celle de son voisin George et de sa femme, Thérèse, parents de quatre fils âgés de trois mois à cinq ans – partageaient un repas animé. L'occasion était prétexte à réjouissances, tous les vilains ayant reçu l'autorisation de ne pas travailler aux champs. À bord du chariot de Georges, tous se divertissaient de bon cœur, à une exception près. Anna-Magdalena s'obligeait à sourire et à hocher la tête, à boire au pichet de cervoise commun et à faire semblant de se délecter du pain, du fromage et de la moutarde fraîche ; mais elle avait le cœur lourd.

Un seul spectacle adoucissait sa peine : celui de sa petite-fille, Sybille, l'image même de la santé, qui courait pour le moment comme une folle autour du chariot en compagnie des fils de Thérèse sur ses petites jambes vigoureuses, les joues rouges, sa natte noire volant dans le dos.

– Sybille, appela doucement Catherine, il est temps de te restaurer un peu.

Elle n'eut pas à le dire deux fois ; la petite fille interrompit sur-le-champ ses ébats et vint se placer de manière obéissante sur le côté du chariot.

À l'âge de quatre, bientôt cinq ans, Sybille faisait déjà preuve d'une belle assurance. C'était une véritable adulte dans un corps d'enfant. Elle possédait le caractère calme et posé de son père et n'avait aucunement hérité de l'angoisse frémissante ni du tempérament bouillant de sa mère. Depuis une année déjà, elle s'exprimait sans aucun des défauts d'élocution des enfants, comme si elle était beaucoup plus vieille que Marc, le fils de Thérèse, de six mois son aîné. Mais sa voix restait haut perchée et flûtée.

Lorsque le bébé avait eu six mois, Pietro s'était décidé à taper du pied : elle ne s'appelle ni Marie, ni Sibilla, avait-il déclaré aux deux femmes. « Elle s'appelle Sybille, Catherine. C'est un prénom bel et bien français, le prénom de ma grand-mère. Et pour toi aussi, Mama, son prénom, c'est Sybille, parce qu'elle n'est pas italienne, mais française. Et si je vous surprends de nouveau à vous quereller, je vous jetterai toutes les deux dans la Garonne et je l'élèverai tout seul. »

Les deux femmes s'étaient honnêtement efforcées d'utiliser ce prénom. En tous cas, il était resté à l'enfant, même si Catherine laissait par moments entendre, en l'appelant Marie, quel était son prénom *véritable*, et si Anna-Magdalena, de son côté, appelait tendrement la petite fille *Sibilla*, lorsqu'elles se retrouvaient en tête-à-tête.

Depuis la nuit de la naissance de l'enfant, Anna-Magdalena s'évertuait à accomplir les instructions qu'elle avait reçues de la Déesse dans le bosquet d'oliviers : écarter toute peur de son cœur et de celui de Catherine aussi (par la magie), pour protéger l'enfant. Trois années durant, toutes trois avaient vécu dans une telle harmonie qu'Anna-Magdalena en avait presque oublié le Mal qui avait menacé sa petite-fille et qui avait fait nourrir de tels soupçons à sa bru.

Pietro hissa sa fille à bord du chariot. Sybille se jeta tout de suite dans les bras de sa grand-mère, au grand ravissement d'Anna-Magdalena. On avait l'impression que c'était elle qu'elle avait toujours préférée et la vieille femme en éprouvait un plaisir coupable. En retour, elle lui portait un amour farouche, elle l'aimait même davantage que ses propres fils, pour lesquels elle aurait volontiers donné sa vie. Catherine les observait avec un vague sourire, sans manifester ouvertement la moindre jalousie.

Sybille s'assit avec précaution sur les genoux de sa grand-mère, au lieu de se laisser brutalement choir comme le font d'ordinaire les enfants. Elle enlaça le cou d'Anna-Magdalena et lui chuchota à l'oreille :

– Pourquoi tu es triste, Noni ?

Sa question décontenança Anna-Magdalena. Elle eut un mouvement de recul, mais n'eut pas le temps de lui répondre. Un silence venait de tomber sur la foule. Le cœur de la vieille femme lui martela les côtes. Elle leva les yeux et vit un groupe de soldats sur la berme. Huit grands poteaux étaient fermement fichés dans le sol.

La bona Dea, *aidez-moi à supporter cela...*

Elle pressa les lèvres dans les cheveux de Sybille qui exhalaient l'odeur douce et acide, bien franche, d'une enfant en sueur.

Des chuchotements traversèrent la foule comme la brise. Au loin, une procession sortait de la cathédrale : un groupe de condamnés, escortés par un contingent beaucoup trop fourni de gendarmes.

Six femmes et deux hommes qui avaient tous la tête rasée, revêtus de la chemise en toile de jute du pénitent et entravés par les fers, si bien qu'ils ne pouvaient avancer qu'à pas menus, quand bien même n'auraient-ils pas par ailleurs subi de graves sévices.

Six femmes et deux hommes, des visages sans nom destinés au bûcher mais que la clarté de la Vision permettait à Anna-Magdalena de voir distinctement et séparément :

Une jouvencelle de quinze ans provocante, aux yeux cerclés de rouge, mais au maintien digne. Une vieille bique, tellement courbée et affaiblie par l'âge qu'elle parvenait à peine à mettre un pas devant l'autre du fait de ces lourdes chaînes. Deux femmes, belles et robustes, amies manifestement loyales qui s'encourageaient par des sourires. Une femme d'âge mûr grisonnante, le visage et les yeux sombres, tournés vers l'intérieur. Et une jeunesse qui venait d'accoucher moins de deux jours auparavant, le ventre tendre, les seins gonflés de lait. Et puis il y avait les hommes, l'un vieux et en larmes, la tête baissée ; l'autre, âgé d'à peine vingt ans, qui marmonnait avec des yeux de dément. Un pauvre fou qui avait bafouillé quelque insanité à propos de Dieu et du diable et qui allait le payer à présent de sa vie.

Tous avaient le visage tuméfié, les mâchoires, les lèvres ou les joues boursouflées. Les bras des jeunes amies et du fou pendaient inutilement d'épaules grotesquement disloquées. La vieille femme, dont les rares cheveux blancs se hérissaient sur le crâne, avait un avant-bras démesurément enflé, probablement cassé. L'instinct de guérisseuse d'Anna-Magdalena la tarauda sur-le-champ : elle aurait volontiers tout donné pour pouvoir emmener cette vieillarde chez elle. Elle lui remettrait le bras en place d'un geste vif et fort douloureux. Après, elle la soignerait à l'aide de cataplasmes et d'un puissant breuvage qui apaiserait ses souffrances.

Mais elle ne put que rester assise, muette, impuissante, à regarder la malheureuse trébucher sur la place et s'effondrer sur ses chaînes. Un garde se précipita à ses côtés et tenta de la remettre debout, mais ce fut peine perdue. Il la souleva dans ses bras, pendant que les autres avançaient à pas traînants dans leurs fers jusqu'au pied du bûcher.

Tandis que les prisonniers et les gardes s'immobilisaient, un autre groupe sortit en procession de sous l'estrade : *deux corbeaux et deux paons*, songea Anna-Magdalena avec dégoût. En fait, elle savait parfaitement qu'il s'agissait de deux inquisiteurs dépêchés de Paris et de deux vicaires de l'archevêque local.

L'inquisiteur en chef, un individu aux traits accusés, aux épais sourcils noirs et aux cheveux coupés ras à la mode romaine, monta le premier sur la tribune et attendit pour s'adresser à la foule que les autres se fussent placés les uns après les autres devant leurs sièges recouverts de coussins. Comme son secrétaire, c'était un homme de grande taille, efflanqué et vêtu de façon austère d'une simple soutane noire d'ecclésiastique. Ils offraient un violent contraste avec les deux vicaires bien nourris, engoncés comme des saucisses dans leurs robes de soie pourpre vif.

Après une brève fanfare de trompettes vint l'ascension du *grand seigneur* de Toulouse et de sa suite, qui comprenait son unique enfant, un garçon aux boucles carotte, vêtu d'une tunique bleu ciel et de chausses blanches. Il agrippait la main de son père et fixait la foule.

Sybille se dégagea impulsivement des bras de sa grand-mère et s'assit bien droite, les yeux plissés pour dévisager le petit garçon. Anna-Magdalena la surveillait ; il y avait là davantage que la simple attirance d'un enfant vers un autre. Sybille avait-elle connu ce garçonnet à une autre époque et le reconnaissait-elle ?

La petite fille et Anna-Magdalena regardèrent le *seigneur* et son entourage prendre leurs sièges ; les corbeaux et les paons firent de même, exception faite du grand inquisiteur. Il resta debout, dans l'expectative, pareil à une vipère lovée sur elle-même.

Son secrétaire s'avança d'un pas et, d'une voix pleine d'assurance, il entreprit de lire la liste de noms, accompagnés des faits qui leur avaient valu d'être condamnés.

« Anne-Marie de Georgel, accusée de *maleficium* contre ses voisins, d'avoir assisté à des messes noires, vénéré le diable et d'avoir eu commerce sexuel avec lui. Catherine Delort, accusée de *maleficium* contre ses voisins, d'avoir assisté à des messes noires, vénéré le diable et d'avoir eu commerce sexuel avec lui. Jehan de Grienne, accusé de *maleficium* contre ses voisins... »

Six fois encore, les mêmes accusations ; y compris contre la pauvre vieillarde, qui était allongée sur le flanc, prostrée sur ses fers. En entendant son nom lu à haute voix, l'homme aux cheveux gris en pleurs tomba à genoux et hurla :

– Je me confesse ! Je reconnais toutes les accusations et j'implore le pardon du tribunal et de Dieu. Mais épargnez-moi !

L'inquisiteur leva une main pour obtenir le silence.

– Le tribunal est peiné, claironna-t-il d'une voix égale, d'avoir failli à sa mission première qui consiste à ramener tous les hérétiques à Dieu. Cependant, le mot *hérétique* lui-même signifie « choix » ; or ces malheureux ont choisi de nier Dieu. C'est la raison pour laquelle nous les avons remis à vos autorités locales, qui les ont condamnés à mort en raison de leurs viles actions. Ces bons gendarmes vont s'occuper de leur exécution en présence du *grand seigneur* qui sera le témoin du gouvernement.

« Je vous exhorte, bon peuple de Toulouse, à vous retenir de manifester toute forme d'hostilité envers les condamnés. Ne les maudissez point. Ayez au contraire pitié d'eux, et priez pour que leur hérésie vous incite à la fidélité. Car les agonies qu'ils affrontent à présent sont ombres bien pâles au regard du tourment éternel qui sera leur d'ici une heure. »

Sur ces dernières paroles, le corbeau s'assit enfin.

Anna-Magdalena eut immédiatement l'impression de ne plus être assise dans un chariot au plancher parsemé de foin près de sa petite-fille de quatre ans, mais de se tenir là-bas sur l'estrade, si près du *seigneur* qu'elle pouvait le toucher – non, si près qu'ils étaient face à face, nez contre nez, et qu'elle sentait la chaleur de son haleine sur ses joues. Elle distinguait chaque ride, sur son front et entre ses sourcils noirs ; elle voyait sa pomme d'Adam tressauter lorsqu'il avalait sa salive et les petits muscles de ses joues frémir lorsqu'il serrait sa mâchoire bien rasée.

Si près qu'elle sentait l'angoisse dont son cœur était empli et qu'elle la savait égale à la sienne. Qu'elle savait, comme lui, que ces êtres étaient tous innocents, que leurs confessions n'étaient que des mensonges issus des rêves secrets des inquisiteurs. Qu'elle savait que certains d'entre eux, la fille de quinze ans par exemple, la matrone Delort et l'homme aux cheveux gris, étaient touchés par la Vision et qu'ils l'avaient simplement utilisée mal à propos ou qu'ils avaient commis l'imprudence de ne pas cacher leurs talents aux autres.

Anna-Magdalena scruta le beau visage solide du *seigneur,* puis elle le regarda dans les yeux avant de revenir à sa petite-fille clouée sur place, et elle se dit : *Il n'est point étonnant qu'elle le regarde ainsi, car ce seigneur est l'un des nôtres.*

Son attention fut alors détournée par le spectacle plus proche des gendarmes, dont trois traînaient à présent le jeune homme vers le premier bûcher. Il se débattait comme un lion, en dépit des chaînes qui ligotaient ses chevilles et de ses bras désormais inutiles. Doué de la force mystérieuse des déments, il parvint à donner un coup de tête à l'un d'eux, puis à un autre. Mais cette débauche d'énergie ne suffit pas : le troisième gendarme se mit de la partie et lui assena un terrible coup de poing à la mâchoire. Les genoux du jeune homme cédèrent sur-le-champ ; sous les ovations de la populace, les deux autres gendarmes le saisirent par les épaules et continuèrent à le traîner vers le bûcher. Là, ils le contraignirent à s'agenouiller et le ligotèrent dans cette position.

Une fois de plus pourtant, tandis qu'ils entassaient du petit bois autour de lui, il parvint à rassembler assez de force pour cracher aux visages de ses bourreaux.

Entre-temps, deux autres gendarmes avaient traîné la vieille femme jusqu'au second bûcher et l'avaient placée de leur mieux en position agenouillée et ligotée ; sa tête ployée en avant dissimulait son visage, si bien qu'on n'apercevait que le fin halo blanc formé par ses cheveux tondus au-dessus de son crâne rosâtre.

Deux par deux, les autres femmes furent attachées aux poteaux. Lorsque le labeur des gendarmes fut achevé, les cloches de midi commencèrent à sonner le glas. Tous les condamnés étant placés en position correcte, l'un des gendarmes racla deux morceaux de silex l'un contre l'autre ; un de ses compagnons porta l'étincelle à un chiffon huilé attaché à un tisonnier. Le chiffon s'enflamma tout de suite et les gendarmes commencèrent par l'approcher de la pile de fagots et de bûches qui entourait le jeune dément jusqu'à hauteur des hanches.

Anna-Magdalena détourna les yeux et se couvrit le visage des mains. Mais si elle pouvait ne pas regarder, il lui était impossible de faire taire la voix du jeune fou qui vociférait sa haine :

– Allez tous en enfer ! Allez tous en enfer !

La brise commençant à leur apporter l'odeur de la fumée et de la chair qui rôtissait, Anna-Magdalena sentit se briser la résolution qu'elle portait dans son cœur avant toute chose depuis cinq ans ; elle fut prise de tremblements, au souvenir de la douleur qu'elle avait éprouvée dans le bosquet d'oliviers, la nuit de la naissance de l'enfant. Quoique les flammes eussent été une vision, elles lui avaient infligé une véritable torture physique. Mais plus grande encore avait été l'angoisse dont son âme s'était emplie. Depuis son enfance en Toscane, Anna-Magdalena craignait avant tout, dans le secret de son cœur, que l'Église ne découvrît un jour les dons qui lui venaient de la Déesse, car cela signifierait sa fin sur le bûcher.

Tandis que sa Vision lui revenait en mémoire, elle fut une fois de plus terrassée par cette frayeur. Ses doigts s'écartèrent lentement. Son regard était inexorablement attiré vers la tribune et vers l'un des hommes qui y était assis : il ne s'agissait ni du *seigneur* ni de son fils, pas davantage des paons, ni même du grand inquisiteur, mais… de l'individu de grande taille, aux larges épaules, qui était le secrétaire du magistrat. Il se détachait de ce groupe avec une clarté extraordinaire. Tremblante, elle le vit tourner lentement la tête pour lui faire face. Il croisa son regard, tout en retroussant légèrement les lèvres en une expression de triomphe subtile.

La lumière du soleil – jaune verdâtre et prédatrice – se refléta alors dans ses yeux ; malgré ses efforts pour respirer, Anna-Magdalena suffoquait.

C'était le Mal qu'elle affrontait. Mais, au même instant, elle eut une révélation : l'individu qui L'incarnait était né le même jour qu'elle. Au départ, son Destin avait été d'être son âme sœur. Ils auraient été le Seigneur et sa Dame. Il aurait dû être le chef de la Race. Mais le dégoût qu'il se portait avait fait basculer le destin que la Déesse avait prévu pour lui et il était devenu le contraire. Il abusait à présent de ses facultés magiques innées pour traquer son propre peuple, pour s'en nourrir. Cela lui permettait d'augmenter chaque jour son pouvoir, de telle sorte que le danger qui les menaçait ne cessait de grandir…

– *Domenico…*, chuchota-t-elle, ayant reconnu le jeune homme qui avait jeté la pierre contre le vitrail de la cathédrale pour protester contre son mariage.

Elle l'avait repoussé, car il avait choisi de rejeter la Déesse et son destin.

Et il l'avait suivie jusqu'en France, dans le but de détruire sa petite-fille.

Elle cligna des yeux. À la place du jeune dément, c'était Sybille, la jeune déesse qui était autrefois apparue dans toute sa beauté à Anna-Magdalena, qui se contorsionnait à présent de douleur dans le brasier. Sous ses cheveux noirs consumés par les flammes ne restait plus qu'un crâne chauve carbonisé et suintant ; ses lèvres en bouton de rose s'étaient étirées et figées en un hurlement perpétuel.

– *Sybille !* hurla Anna-Magdalena en silence, tandis que dans sa tête l'Ennemi lui chuchotait :

Veux-tu savoir la raison pour laquelle le feu te terrifie tellement ? C'est parce que tu sais depuis toujours que tu y es destinée ; parce que tu as toujours su qu'elle l'était aussi. Tu ne pourras pas toujours m'échapper…

Un vacarme infernal envahit les oreilles d'Anna-Magdalena, comme si une bourrasque gigantesque la soulevait de terre, et elle se sentit happée hors du chariot. Lorsqu'elle rouvrit les yeux, elle se trouvait au cœur d'une immense conflagration, en compagnie de Sybille, désormais femme, et de tous les malheureux ligotés aux poteaux qui hurlaient leurs souffrances, cernés d'une solide muraille de flammes. Leurs cris perçants laissaient échapper de la vapeur de leurs bouches, pareille à de la fumée qui s'enroulait en un long tourbillon en direction de la tribune...

La tribune sur laquelle l'Ennemi, bien à l'abri et à l'écart, souriait. Il aspirait les vapeurs rejetées par les suppliciés comme on aspire la fumée d'une pipe ; et il s'en délectait, en poussant des soupirs.

Dans ce cas, je ne hurlerai point, songea Anna-Magdalena. *Je ne le nourrirai point...* Et, au prix d'un effort de volonté déchirant, la vieille femme parvint à garder bouche et yeux fermés.

Anna-Magdalena revint subitement à la réalité, pour constater que sa petite-fille n'était plus assise en sûreté sur ses genoux. L'enfant s'était levée afin de s'avancer – fascinée, en transe – jusqu'au rebord bas du chariot.

– Sybille, ma douce, se hâta de dire Anna-Magdalena en s'efforçant de ne pas succomber à la terreur, reviens t'asseoir près de moi, sinon tu vas tomber.

Bizarrement, l'enfant n'obéit pas à l'ordre de sa grand-mère. Elle ne bougea pas mais resta clouée sur place, dos tourné aux autres, comme si le spectacle des êtres qui brûlaient la fascinait.

– Marie-Sybille ! l'apostropha Catherine d'un ton où se mêlaient la surprise et l'indignation.

Au cours de sa brève existence, la petite fille n'avait encore jamais désobéi aux adultes, ni même obéi à retardement.

– Tu n'entends point ta grand-mère ? Viens !

L'enfant ne bougeait toujours pas. Elle restait debout, immobile, étrangement roide et droite dans sa robe filée à la maison, avec sa tresse de cheveux noir corbeau qui traçait une ligne parfaite au milieu de son dos.

– Les flammes, dit-elle d'une voix de femme affligée, comme si elle s'adressait à quelqu'un d'invisible, au loin. Les flammes. Mère de Dieu, les flammes...

Catherine se leva immédiatement et la rejoignit d'un pas légèrement chancelant sur le plancher jonché de paille du chariot. Alors que sa bru passait à côté d'elle, Anna-Magdalena entrevit l'étrange lueur verdâtre qui luisait dans ses yeux – la présence de l'Ennemi.

L'aïeule se pencha brusquement en avant et saisit Catherine par le coude ; cette dernière se tourna et poussa un rugissement de fureur, mais il était trop tard. À l'aide de son autre bras, elle heurta sa fille à toute volée. Son geste pouvait être interprété comme une tentative de la rattraper, ou de la pousser...

Sybille perdit l'équilibre sur la paille qui ne lui offrait pas de prise ; elle poussa un hurlement en dégringolant par-dessus le rebord du chariot. D'autres cris se joignirent au sien : ceux de Catherine et de Pierre, accompagnés de celui d'Anna-Magdalena et du braiment de la mule étonnée.

Voilà donc les souvenirs de ma grand-mère, tels qu'ils m'ont été transmis par elle et par la Déesse. Celui que je garde de cette journée est fort différent : j'étais en train de contempler les flammes, lorsque tout le ciel s'est mis à miroiter de ce tremblement trouble, si particulier, visible lorsque l'air chaud vibre au-dessus d'un feu. Puis il a peu à peu fondu, il s'est dissous pour laisser la place à une scène, à une réalité d'un ordre très différent. J'étais tellement captivée par cette modification que mon existence et la Vision ne faisaient plus qu'une. J'étais absorbée par ce tout.

La Toulouse que je connaissais avait cédé la place à une cité bien plus vaste, dotée d'un parvis d'une magnificence sans pareille. Cette esplanade était bordée d'une admirable cathédrale et d'un palais de marbre blanc assez spacieux pour un roi, ainsi que d'autres bâtiments fastueux traduisant une grande opulence, qui rappelaient Rome dans toute sa gloire. L'espace d'un instant, cette grandeur m'a émerveillée ; mais ces bâtiments d'une beauté éclatante ont été obscurcis par un mur de flammes, et je me suis sur-le-champ retrouvée en enfer.

Au milieu de ces flammes se tordaient d'obscures silhouettes, des corps captifs qui me suppliaient à grands cris : « Sœur, viens à notre secours ! Toi seule peut nous aider... »

Ils m'imploraient, leurs bras noirs tendus vers moi. J'ai voulu les libérer et j'ai tendu les mains vers eux, mais j'ai crié de douleur lorsqu'elles sont entrées en contact avec les flammes : je n'étais point immunisée contre elles. Je me suis reculée, à ma grande honte. J'aspirais de tout mon être à calmer leurs souffrances, mais en même temps je voulais me protéger. Je me suis alors aperçue que j'étais prise au piège, car j'étais à présent encerclée par les flammes et par ces victimes hurlantes.

Au-delà du brasier, j'ai alors aperçu deux silhouettes, debout : l'une noire et l'autre blanche. L'envie désespérée d'atteindre la blanche m'a submergée : j'ai avancé d'un pas vers les flammes, mais la souffrance, atroce, m'a aussitôt arraché un autre cri d'horreur, et fait reculer encore.

Tremblante de peur, j'ai vu la silhouette noire se rapprocher de plus en plus de la blanche. Et j'ai compris, sans l'ombre d'un doute, que si les ténèbres absorbaient la lumière, le Mal triompherait. Une fois de plus, j'ai tendu les bras vers le feu et poussé un nouvel hurlement. De douleur et de frustration, puisque ma propre crainte m'empêchait de m'avancer davantage.

Je savais néanmoins que si je ne m'exposais pas aux flammes, que si je ne les traversais pas, tout était perdu. Pendant ce temps, la silhouette noire s'est enroulée en serpentant autour de la silhouette lumineuse et a commencé à la dévorer.

Avant de s'éteindre, la lumière s'en est prise directement à Dieu – ou plutôt à une Autorité beaucoup plus ancienne, plus sage et plus puissante que Dieu lui-même, et elle a été entendue.

J'ai plongé dans les flammes et j'ai, moi aussi, imploré cette Autorité.

J'ai été emportée sur-le-champ dans une extase intemporelle d'une douceur indescriptible. J'ai communié avec cette Autorité d'une envergure si inouïe, de si loin supérieure à l'échelle humaine et à ma misérable capacité mentale à concevoir sa Toute-Puissance que sa Présence ne m'a inspiré qu'une profonde humilité.

Cette Autorité n'avait pourtant rien de comparable avec le Dieu austère qu'évoquait le prêtre du village, ce Dieu le Père des feux de l'enfer, de la damnation, des commandements et du purgatoire. Elle n'avait que faire des conventions, des règles édictées par les prélats ou de leur politique mesquine, que faire des formes sous lesquelles on La vénérait, ou même d'être ou non l'objet d'un culte. Elle existait, tout simplement. Elle était la vie même : joyeuse, chaotique et dévorante. L'extase, pure et simple.

Lorsque je suis enfin sortie de ce vide intemporel et que j'ai retrouvé mes esprits, je me suis vue agenouillée dans le bosquet d'oliviers, au pied de la statue de la Sainte Vierge. Mais Elle était animée. C'était une femme vivante, l'incarnation de la joie indicible que je venais d'éprouver. Au début, Son Visage souriant a pris la forme de celui de ma grand-mère ; puis celle du mien, adulte. Je tendais joyeusement les

111

bras à cette enfant à genoux qui n'était autre que moi. Et Elle serait ma fille quand je serais partie, et la fille de ma fille. À travers chaque génération, Elle s'épanouirait de nouveau.

Je me suis de nouveau évanouie. Mais cette fois, lorsque je suis revenue à moi, je n'ai vu que le toit de chaume de notre petit logis, et sa fenêtre ouverte… Dehors, le soleil, en ce milieu de matinée, brillait dans un ciel d'une pureté absolue. La lumière me blessait les yeux ; j'ai levé une main pour les protéger.

– Tu es réveillée, *Sibilla mia ?* Assieds-toi, mon enfant, a dit Noni, ma grand-mère.

Elle se tenait à mon chevet, un bol à la main. À l'époque, ses cheveux lisses étaient encore de la couleur d'un corbeau bien gras. Comme moi, elle était menue, mais noueuse et solide. Comme à l'accoutumée, elle portait sa guimpe noire et sa robe de veuve. Je ne connaissais nulle femme plus avisée au monde, car elle savait réparer les os brisés et percer les furoncles, dire si une femme était enceinte après avoir analysé son urine d'une semaine, fabriquer des baumes contre les meurtrissures et des tisanes contre la fièvre et contre la toux. Il lui arrivait parfois de préparer des charmes pour la famille, mais elle m'avait donné l'ordre de ne jamais parler de ces choses, car il suffisait de les mentionner pour en amoindrir le pouvoir.

J'ai passé une main sur mon visage et l'odeur de la fumée m'est montée aux narines. J'ai fondu en larmes.

– Les gens. Ils sont morts. On les a brûlés.

Noni a enlevé un brin de paille accroché à mes cheveux.

– Chut, ma douce. Leurs souffrances sont terminées. Assieds-toi, Sibilla.

J'ai alors compris que je me trouvais dans notre chaumière, que mon père s'en était déjà allé travailler aux champs et que ma mère était partie puiser de l'eau et faire la lessive à la rivière. Je me suis aussi souvenue des événements qui s'étaient déroulés la veille sur le parvis de la cathédrale, et j'en ai déduit que ma grand-mère pensait que je parlais de ces pauvres suppliciés.

Sans me laisser le temps de protester, Noni a porté le bol à mes lèvres. Il contenait l'une de ses tisanes amères, mais j'ai ouvert la bouche sans rechigner – j'avais par trop souvent perdu cette bataille-là – et je l'ai avalée. Le goût astringent de l'écorce de saule, un ingrédient que ma grand-mère utilisait pour traiter tous les maux, m'a fait grimacer. J'ai quand même avalé ce breuvage amer jusqu'à la lie. Noni est allée ranger le bol dans le coffre, puis elle est revenue s'asseoir sur la paillasse et a posé une main sur mon front. J'ai fermé les yeux à son contact divin.

Les mains de ma grand-mère font partie de mes plus inoubliables souvenirs d'enfance. Elles n'étaient point douces, comme celles de ma mère, mais abîmées par l'âge, osseuses et calleuses. Cela ne les empêchait pas d'être toujours chaudes. Lorsque je restais tranquille et que je me concentrais, j'étais capable de ressentir le bien-être unique que procurait la chaleur des mains de Noni. En plus d'une occasion, surtout la nuit, j'avais fixé ses mains, alors qu'elle les posait sur ma mère, malade de la *grippe**, ou sur moi lorsque j'étais victime d'une fièvre, et j'avais vu une lumière dorée en irradier de l'intérieur et diffuser autour d'elles un éclat subtil, scintillant, comme si une lumineuse poussière dorée tremblait dans l'air.

Ce phénomène ne me surprenait pas. Je pensais que tout le monde voyait des choses comme celle-là, que les mains de toutes les grands-mères étaient dorées et capables de vous guérir.

Ce matin-là pourtant, lorsque Noni a retiré sa main, je l'ai entendue soupirer. J'ai ouvert les yeux. Elle restait assise, le visage très grave.

– Tu t'es évanouie hier pendant les exécutions sur la place, m'a-t-elle dit. Tu es tombée du chariot. Tu t'es blessée à la tête. Pendant ton sommeil, tu n'as cessé de délirer. Tu te souviens de tes rêves ?

– Ce n'étaient pas des rêves, Noni. J'ai vu des choses vraies.

Elle a hoché la tête, jeté un regard alentour pour s'assurer que nous étions seules, avant de me répondre à voix basse :

– Il s'agit d'une manière de voir particulière. Certains l'appellent la Vision. C'est un don, envoyé par la *bona Dea*. Rares sont les êtres qui le possèdent. Ma mère l'avait, et sa mère avant elle. Toi aussi, tu l'as. As-tu vu d'autres choses de cette manière ?

– Oui, ai-je murmuré.

La mention de la Sainte Mère m'a rappelé le Pouvoir joyeux, rieur, qui habitait la statue de la Madone dans ma vision.

– Parfois, je Vois une lumière dorée quand tu poses les mains sur un malade.

– Mon don à moi, c'est le Toucher, a souri Noni.

– La nuit dernière, j'ai Vu des gens brûler. Pas sur la place mais… dans mon rêve.

---

* En français dans le texte.

113

Le sourire de ma grand-mère s'est effacé.

– Pour quelle raison ont-ils été brûlés, mon enfant ?

– Je ne sais pas. Des personnes méchantes les ont tués.

Sans comprendre pourquoi, j'ai subitement ajouté :

– Ils sont très malfaisants, Noni. Ils vont préparer d'autres bûchers ; jusqu'à ce qu'on ne puisse plus se réfugier nulle part.

Un silence est tombé entre nous ; elle a détourné le regard et exhalé un soupir d'une infinie tristesse. Puis elle m'a dit :

– Sibilla, les gens craignent ce qu'ils ne comprennent point. Rares sont ceux ayant la bénédiction de posséder la Vision ou le Toucher. Alors les autres ont peur de nous, parce nous sommes différents.

– Comme les Juifs, ai-je commenté tout haut.

J'avais déjà vu des Juifs, marchands ou usuriers que l'on reconnaissait à leurs drôles de chapeaux à cornes et à la rouelle, cet insigne de feutre jaune épinglé à leur poitrine. Des enfants m'avaient raconté qu'ils volaient les bébés des chrétiens et buvaient leur sang ; qu'à moins de boire du sang de chrétiens, ils reprendraient leur apparence première : celle de diables affublés de sabots et de cornes. Mais je ne comprenais rien à leurs histoires. Les Juifs avaient des bébés, exactement comme nous. Ils avaient l'air de les aimer autant, et je n'en avais jamais rencontré un seul avec des cornes ou des sabots. En outre, le jour où j'avais raconté cette histoire à maman, elle m'avait intimé de me taire ; et son côté ridicule avait fait éclater Noni de rire.

– Oui, a répondu Noni. Comme les Juifs. Ou les lépreux. Tu es trop jeune pour t'en souvenir, mais lorsque la maladie s'est abattue sur le Languedoc, il y a bien des années, ils ont accusé les lépreux d'avoir empoisonné les puits. Ils en ont donc brûlé un grand nombre, mais cela ne leur a point suffi. Après, ils ont dit que les lépreux avaient conspiré avec les Juifs. Beaucoup de Juifs ont alors été poursuivis et tués.

Je me suis assise et j'ai enveloppé mes genoux de mes bras.

– Peut-être que les gens que j'ai vus étaient des Juifs. Ou alors, ils avaient la Vision.

– C'est possible, a tristement acquiescé Noni. Je ne veux pas t'effrayer, mon enfant, mais il est dangereux de parler des dons de la *bona Dea* à ceux qui ne les comprennent point. Ta mère, par exemple, la pauvre âme. Alors, elle a peur. Si jamais tu lui confies ce genre de choses – et encore plus si tu en parles à quiconque, surtout à un prêtre –, nous courrons toutes les deux un grave danger.

Des sanglots me sont montés dans la gorge.

– Alors, je ne veux point de la Vision, Noni. Je ne veux pas te mettre en danger.

Je me suis accrochée à elle et j'ai enfoui la tête contre son épaule.

Elle m'a serrée dans ses bras et m'a caressé les cheveux.

– Ah, *Sibilla mia*, je suis désolée de t'apprendre des choses si dures. Mais tu n'as pas le choix : *la bona Dea* t'a élue, elle t'a fait la grâce d'un don unique qui peut venir en aide à beaucoup de gens. Tu dois t'en servir. Si tu accordes ta confiance à la Déesse, aucun mal ne pourra t'être fait ; mais si tu nies ce don, tu ne connaîtras jamais le bonheur.

Je lui ai alors raconté – de mon mieux, avec mes mots d'enfant – ma Vision de la Déesse. Elle m'a écoutée, le visage empreint d'une fierté grandissante. Je ne lui ai pas parlé du danger que je courais, tout comme elle, à l'époque, s'abstenait de me faire part de ce que la Déesse lui avait montré.

Puis elle s'est penchée vers moi et m'a chuchoté :

– Je vais te raconter un secret : avant ta naissance, *la bona Dea* m'est apparue en rêve et Elle m'a dit qu'elle t'avait choisie pour une mission très spéciale en ce monde.

« Nous appartenons à une race, toi et moi, la Race des serviteurs de *la bona Dea*. Certains possèdent des dons particuliers ; d'autres sont là pour les protéger. C'est leur façon de La servir. Toi, tu as reçu l'un des dons les plus rares et le plus unique des destins. Tu ne dois parler à personne de ta Vision, a-t-elle ajouté avec le plus grand sérieux. Sinon, ils te traiteront de folle ou, pire, d'hérétique, et ils t'exécuteront comme ces pauvres gens ont été exécutés hier.

» Mais souviens-t'en : la Déesse avait ses raisons de te montrer ces choses. Tu ne dois jamais les oublier, mais les garder dans ton cœur, et attendre qu'Elle te guide… »

Été 1348

IX

Et c'est ainsi que, pendant toute mon enfance, je me suis souvenue et que j'ai attendu. Mais de nombreuses années durant, la Vision n'est pas descendue sur moi. En réalité, jusqu'à l'année la plus atroce que l'humanité ait connue depuis sa création.

De la Mort noire, ils disaient qu'elle était la fin du monde ; j'avais davantage de bon sens. Le monde peut supporter la maladie du corps, mais nous ignorons encore s'il sera capable de survivre à la maladie qui ronge les âmes de nos bourreaux.

Lorsque la peste a frappé, elle n'avait pas de nom. En vérité, quelle appellation aurait pu traduire toute son abomination ? Nous la dénommions simplement pestilence. Du Sud et de l'Est, des nouvelles nous parvenaient d'elle. De Marseille pour commencer, où elle était arrivée sur des navires ayant effectué la traversée de la Méditerranée. Elle avait suivi la côte jusqu'au golfe du Lion, où elle avait débarqué dans le port de Narbonne en février. En mars, lorsque nous avons appris qu'elle s'éloignait de nous en direction de Montpellier, toute la population de Toulouse a poussé un soupir de soulagement, se croyant épargnée.

Ce même mois, la Mort a remonté le fil du Rhône jusqu'à Avignon, siège de la papauté. On chuchotait que Dieu avait enfin jugé bon de punir le pape Clément pour ses débordements décadents.

En avril, notre voisine, Carcassonne, a été frappée à son tour.

Je ne pense pas que nous accordions véritablement foi aux histoires terrifiantes qui nous étaient contées : une maladie noircissant les langues des hommes et faisant apparaître des boules grosses comme une pomme sous la peau ; des bateaux abordant aux rivages dans un profond silence, peuplés de marins trépassés, avirons à la main ; des couvents de Marseille et de Carcassonne dont pas une âme n'avait réchappé, des villages entiers décimés, sans le moindre survivant. Nous nous plaisions à reprendre ces récits d'épouvante, sans jamais les prendre au sérieux : ils ne constituaient qu'un divertissement sinistre, comme les histoires de fantômes. De pareils désastres pouvaient s'abattre sur des étrangers ; jamais sur nous. Jamais sur nous.

Nous targuant avec arrogance de notre bonne santé, nous n'avons pris aucune mesure pour nous protéger et nous n'avons pas essayé de fuir le fléau qui s'approchait. Dieu nous avait souri : les champs étaient ensemencés et nous avions tous dansé autour du poteau de Mai. La nature poursuivait son éclosion, riche de la promesse luxuriante de l'été. Nous nous sentions à l'abri, sachant que nous aurions de quoi assurer notre subsistance, pendant que les habitants de Carcassonne et de Narbonne mourraient de faim, puisqu'ils n'avaient plus assez d'âmes survivantes pour procéder aux semailles.

En ce treizième été de mon existence, j'étais alors presque une femme. Depuis quelques années, Noni m'enseignait les coutumes magiques et les charmes. Elle me donnait ses leçons dans le plus grand secret, lorsque nous étions seules toutes les deux. Moments rares, car ma mère semblait nourrir des soupçons sur ce qui se passait entre nous et m'emmenait donc souvent avec elle à l'église du village. Cet été-là, j'étais déjà fiancée à Germain, un fermier et chrétien pratiquant de trente et un ans. Germain était veuf. Sa femme ne lui avait laissé que des filles, dont l'une plus âgée que moi. Ces fiançailles arrangées ne me plaisaient guère ; non à cause de Germain qui se montrait plutôt prévenant avec moi, mais parce que je ne voulais point quitter Noni et mon apprentissage de la magie. Et puis je n'avais nulle envie d'abandonner ma vie facile pour m'occuper de six filles. Mais comme j'étais déjà moi-même une sage-femme respectée, capable de gagner sa vie et de faire du troc, je représentais une prise intéressante pour un mari.

Cet été-là, j'étais dont plutôt hantée par le spectre de ce futur mariage que par celui de la peste. Jusqu'au jour en tout cas où Noni a été contrainte de s'aliter, victime d'une forte fièvre. Nous en avons tous été terrifiés : la pestilence avait-elle fini par atteindre les portes de Toulouse ?

Deux jours durant, nous l'avons soignée, ma mère et moi, à l'aide de tisanes d'écorce de saule et de compresses fraîches. J'étais folle de chagrin, persuadée qu'elle allait mourir. Le lendemain du jour où Noni est tombée malade, je suis tombée sur un présage de mauvais augure : un des chats du village, mort et roide près de notre âtre, le dernier rat qu'il avait tué encore prisonnier de ses griffes.

Notre angoisse s'est pourtant apaisée lorsque Noni a fini par sortir de son délire. Le troisième jour, elle a été capable de s'asseoir et de grignoter. Elle m'a même serré la main et m'a dit pour me réconforter :

– *La bona Dea* me l'a montré : mon heure n'a point sonné.

Nous en avons éprouvé un immense soulagement. Il ne s'agissait donc pas du fléau de Marseille ou de Narbonne ; ou alors, les histoires qu'on nous avait contées n'étaient que grossières exagérations.

Noni était malade depuis quatre jours, elle avait juste repris assez de forces pour se lever, lorsque quelqu'un a frappé à notre porte : une fille de cuisine rondelette au teint clair, à peine plus âgée que moi, qui portait un tablier souillé au-dessus de sa jupe noire. De la farine saupoudrait ses manches. Soit elle travaillait au château du *seigneur,* soit elle avait parcouru tout le chemin à pied, depuis l'intérieur de la cité fortifiée. À l'entendre et à la voir, elle semblait avoir couru à perdre haleine ; plusieurs mèches de cheveux châtain clair s'étaient échappées du turban blanc qu'elle portait autour de la tête.

– La sage-femme ! a-t-elle demandé d'une voix pantelante.

Elle s'adressait à ma mère qui s'était empressée d'aller répondre au coup frappé à la porte, dont le volet du haut était ouvert pour laisser pénétrer l'air frais du matin.

– C'est vous la sage-femme ? Faut que vous veniez tout de suite ! Ma maîtresse y arrive point et j'ai pas réussi à trouver le médecin.

Ma mère a jeté un coup d'œil en arrière vers Noni, assise dans le lit, et vers moi, qui lui tenais compagnie sur le tabouret placé à son chevet. La fille a tendu le cou et nous a dévisagées d'un air incrédule. J'ai vu un éclair de terreur passer dans ses yeux.

– Une simple fièvre, a déclaré ma mère sans sourciller. Et elle va beaucoup mieux. C'est elle que vous cherchez. Mais c'est ma fille qui va vous accompagner. Elle est aussi sage-femme.

La fille de cuisine m'a dévisagée d'un œil critique. S'apercevant de ses réserves, Noni lui a précisé d'une voix faible :

– Ma petite-fille est aussi aguerrie que moi. Ça fait cinq ans que je lui transmets mon savoir.

– Et je vais l'accompagner, si jamais elle a besoin d'aide, a ajouté ma mère.

Cela lui arrivait à l'occasion avec Noni ou moi, et elle voulait apaiser les craintes de la fille. Pendant qu'elle s'adressait à elle, Noni s'est penchée vers moi et m'a murmuré à l'oreille :

– Prends garde de ne rien dire et de ne rien faire qui puisse éveiller les soupçons de ta mère.

Elle savait que j'avais souvent recours à la Vision pour m'assister lors des accouchements.

J'ai acquiescé de la tête, tandis que ma mère nous adressait un regard perçant, comme si elle savait parfaitement quel conseil Noni m'avait donné.

– Alors, allons-y ! a lancé la fille de cuisine en tordant ses petites mains potelées.

J'ai pris le baluchon d'herbes et les instruments de Noni et je me suis hâtée de franchir la porte avec ma mère.

À l'extérieur nous attendait un chariot robuste, auquel était attelé un cheval bien soigné à la robe luisante ; dedans étaient pelotonnés cinq enfants en pleurs. Nous n'avons point demandé à la fille de cuisine qui étaient leurs parents, même si l'on devinait sans mal que ces enfants n'étaient pas les siens. Les filles portaient des robes de brocart bordées de liserés de fourrure ; les garçons des tuniques de soie brodée.

– Pourquoi pleurez-vous donc, mes enfants ? me suis-je enquise d'une voix douce, pendant que ma mère et moi leur tendions les bras pour les réconforter. C'est à cause de votre maman ? Ne vous inquiétez pas. Nous allons bien nous occuper d'elle, et vous aurez bientôt un petit frère ou une petite sœur.

Mais ils nous ont esquivées, se blottissant plus étroitement les uns contre les autres, et ils ont refusé de nous répondre. Sans plus prononcer une parole, nous avons donc traversé la place du village, puis nous avons longé les champs, le château et ses hautes murailles, afin de gagner l'intérieur de la ville. Plusieurs fois l'an, en ces rares occasions où nous nous rendions à pied au marché de Toulouse, aller et revenir de la cité nous demandait une journée de marche. Dès que nous en avions franchi la porte, le monde s'animait, s'emplissait d'une population d'allure et de comportement infiniment variés. À la campagne, nous ne rencontrions que des vilains comme nous, mais ici, nous croisions aussi bien de pauvres hères en haillons que des nobles à cheval, vêtus de soies brillantes et coiffés de couvre-chefs emplumés ou encore des marchands plus ou moins fortunés. Nous nous sommes dirigées vers le centre de la ville en passant devant les boutiques des métiers : la forge, le moulin, la boulangerie, la cordonnerie, la taverne et l'hostellerie. Pour finir, nous avons tourné dans la rue de l'Orfèvrerie. S'y dressait une série de bâtiments tous identiques : de très anciennes maisons de quatre étages à colombages, qui ressemblaient beaucoup à celles des autres rues. Elles s'inclinaient les unes contre les autres ; certaines étaient peintes en bleu, d'autres en rouge, d'autres badigeonnées à la chaux blanche.

Leur rez-de-chaussée abritait toujours une échoppe, dont l'étal débordait sur la chaussée animée. Leurs propriétaires gardaient l'œil aux aguets sur d'éventuels chapardeurs. En hauteur étaient suspendues des enseignes aux couleurs criardes : un bougeoir indiquant l'argentier, trois pilules dorées l'apothicaire, un bras blanc avec des raies rouges le barbier, une licorne cabrée l'orfèvre.

Nous nous sommes arrêtées devant la boutique de l'orfèvre. La fille de cuisine est descendue du chariot, a attaché la longe du cheval à un poteau, puis elle nous a aidées à mettre pied à terre à notre tour et à pénétrer dans la maison, laissant les enfants qui continuaient à renifler à bord de l'attelage. L'échoppe elle-même était fermée, ses volets hermétiquement clos. J'ai trouvé cela étrange, sans pourtant m'inquiéter, car je pensais à la tâche urgente qui m'attendait.

La fille nous a fait emprunter un escalier étroit qui menait à une salle à manger, dont l'âtre sombre et les fenêtres aux vitres de parchemin jaune huilé créaient une atmosphère lugubre ; j'ai cependant trouvé la pièce propre comme un sou neuf, car l'âtre possédait une cheminée, qui empêchait les murs d'être recouverts de suie. Cela valait d'ailleurs mieux, car ils étaient décorés de belles tapisseries, dont l'une représentait une licorne, emblème de l'orfèvre, avec une crinière blanche dans laquelle brillaient ici et là des fils d'or pur. En apparence, cette demeure n'était point partagée par plusieurs familles. La maison était même plongée dans un tel silence qu'on avait l'impression que personne n'y vivait.

Au bout de la salle à manger, avec sa grande table à tréteaux sur laquelle étaient posés des candélabres d'argent sculptés, un autre escalier menait au deuxième étage. La jeune cuisinière s'est arrêtée en bas et nous l'a désigné de la main.

– La dame est là-haut dans sa chambre.

Je me suis tournée vers elle.

– Nous allons avoir besoin de linges et d'eau. Où pouvons-nous en trouver ?

– Je vais vous les chercher, s'est proposée la fille avec un empressement subit.

Et elle a disparu par la porte qui donnait sur une vaste cuisine.

J'entends encore le claquement du bois de nos sabots de paysannes, à ma mère et moi, contre celui des marches de l'escalier en pente raide. Je me souviens de la question étonnée de ma mère :

– Mais où sont passés les autres serviteurs ?

J'ai éprouvé une sorte de malaise lorsque j'ai réalisé que nous étions au milieu de la matinée, heure à laquelle ils auraient déjà dû en avoir presque terminé avec les préparatifs du dîner, alors que l'âtre n'était même pas allumé, que l'on n'entendait aucun bruit et qu'aucun fumet ne sortait de la cuisine. Si ces cinq enfants en pleurs étaient ceux de l'orfèvre et de sa femme, ils avaient sûrement faim. Pour quelle raison restaient-ils dehors sans se plaindre ?

La conscience que nous devions agir au plus vite m'a fait continuer à avancer avec ma mère, en dépit de mes appréhensions.

En haut de l'escalier, la porte donnant sur la chambre du maître et de la maîtresse de maison était ouverte, mais les volets clos plongeaient la pièce dans l'obscurité. Un certain temps m'a été nécessaire pour y distinguer quelque chose dans la pénombre. Contre le mur du fond étaient placés deux larges armoires et un coffre, au-dessus duquel était accroché un grand miroir ; j'y ai entrevu mon reflet solennel, avec ma peau olivâtre, ainsi que celui de ma mère, dont le beau visage effrayé était aussi pâle que la guimpe blanche et le voile posé sur ses tresses blondes enroulées. Le coffre béait ; manifestement, il avait été pillé. Il était vide, hormis un collier de perles brisé qui pendait par-dessus un côté. Des perles étaient éparpillées sur le plancher alentour. Dans un coin de la pièce, il y avait un fauteuil d'accouchement en bois ; d'ordinaire, j'étais heureuse de le trouver là, mais en ces circonstances le voir vide m'a inquiétée. Un lit à baldaquin sculpté, drapé de tentures de brocart, était disposé tête appuyée contre le mur opposé. Des cris de souffrance en provenaient – non point les cris bien francs et directs d'une femme en gésine, mais les gémissements faibles et à peine audibles d'une mourante.

Nous arrivons trop tard, ai-je pensé. *Elle a accouché et elle est en train de saigner à mort.* Je me suis dirigée vers la femme en travail, mais quelque chose m'a contrainte à m'arrêter. Quelque chose qui flottait dans l'air. Une odeur, faible mais nettement putride, que je n'avais encore jamais respirée avant ce moment atroce ; une odeur que je n'ai jamais respirée depuis.

Cette puanteur mystérieuse, maman l'a sentie aussi. À la seconde où je me suis immobilisée, elle m'a saisi la main pour me retenir. Cet instant est inscrit dans ma mémoire avec une clarté affreuse : un long moment, nous sommes restées sur le seuil de cette pièce esclave de la mort, condamnée, que nous fassions un pas en avant ou un pas en arrière.

Puis, repoussant ma peur, j'ai laissé maman sur le pas de la porte et j'ai traversé la chambre afin d'ouvrir les volets. Un rayon de lumière a pénétré dans la pièce et est venu éclairer la femme étendue sur le lit.

À l'âge de treize ans, j'avais déjà été témoin de toutes les détresses du monde : les hurlements et le spectacle des femmes en couches ne m'affectaient en rien. J'avais entendu des femmes employer des mots qui auraient fait rougir le diable en personne pour maudire leurs maris ; j'avais vu mère et bébé glisser doucement de la vie à la mort. J'étais capable de supporter tout cela vaillamment ; mais le spectacle de la femme allongée sur le lit m'a donné la nausée.

Elle était inerte – trop inerte, sauf lorsque les contractions la secouaient et soulevaient en l'air son gros ventre ballonné. Lorsqu'elles étaient passées, elle retombait sur le dos, aussi molle qu'une poupée de chiffon. Les couvertures qui avaient été repoussées pêle-mêle au bout du lit dévoilaient une large tache d'humidité au centre du matelas. La parturiente avait perdu les eaux dans son lit, incident que la plupart des femmes enceintes évitaient à tout prix. Mais il y avait plus étrange : aucune servante ne s'était donné le mal d'éponger les eaux qui avaient trempé le matelas.

La bizarrerie de ce tableau ne s'achevait cependant point là : cette femme était encore nue, ce qui signifiait que ses servantes ne l'avaient pas vêtue ce matin-là. Ses jambes écartées étaient recouvertes des cuisses aux pieds de meurtrissures noires et marbrées ; les ongles de ses orteils aussi étaient noircis.

Au début, la colère m'a saisie : son mari avait dû la battre, alors qu'elle était sur le point d'enfanter. Puis je me suis approchée du lit et, lorsque j'ai vu son visage, la peur m'a fait tomber à genoux. Ses yeux écarquillés ne voyaient rien, ils étaient recouverts de la pellicule terne qui est l'apanage des mourants. Si elle avait été belle jadis, sa physionomie était à présent hideuse, avilie par les mêmes marbrures d'un violet noirâtre que celles de ses jambes. Sa bouche pendait, béante, ne pouvant plus contenir la langue noire boursouflée qui ressortait entre ses dents maculées de sang.

Ma mère s'est décidée à me rejoindre au chevet du lit. La puanteur l'a incitée à se couvrir le nez et la bouche de la main. J'ai cru un instant qu'elle allait défaillir et j'ai voulu la soutenir, mais elle s'est ressaisie et elle a baissé sa main, le temps d'interpeller la femme d'une voix ferme :

– Madame…

– Maman, l'ai-je gentiment interrompue, maman, elle est trop près de la mort pour t'entendre.

Un nouveau gémissement a accompagné une forte contraction qui a ôté l'air des poumons de la femme en travail et lui a fait cambrer le dos. On distinguait à peine la couronne ensanglantée du crâne du bébé ; plus haut, sur la peau marbrée de mauve noirâtre du ventre de la femme, un pus jaune verdâtre suintait de grosses pustules suppurantes.

J'avais pour habitude de poser une main sur le ventre de la femme en couches et de faire appel à la Vision pour déterminer la place du bébé et son état de santé, mais cette fois, j'étais la proie d'une telle terreur que j'ai été incapable de rien deviner.

Ajoutant à mon désarroi, ma mère a émis une espèce de bêlement de surprise derrière moi. J'ai suivi son regard écarquillé en direction du sol où un corps, celui d'un homme à en juger par sa taille, était étendu, enfermé dans un suaire. L'état de rigidité du cadavre indiquait qu'il ne devait point être là depuis bien longtemps.

– Marie-Sybille, m'a dit ma mère d'une voix autoritaire qu'elle n'avait encore jamais utilisée, la pestilence s'est abattue sur Toulouse. Demande à la fille de cuisine de te ramener tout de suite à la maison et ne parle à personne en chemin.

Du menton, j'ai désigné la mère et l'enfant.

– Je ne puis les quitter.

– C'est moi qui resterai, m'a-t-elle rétorqué sur-le-champ.

Faisant preuve d'un courage qui frisait la provocation, elle s'est approchée davantage du lit.

Lorsque la colère que j'éprouve à son égard est sur le point de m'empoisonner, c'est le moment dont je tente de me souvenir : en dépit de ses frayeurs, ma mère m'aimait tellement qu'elle était prête à mourir à ma place.

– Si tu restes, ai-je répondu, va chercher la fille de cuisine. Nous avons besoin des linges et de l'eau.

En temps normal, ma mère m'aurait grondée de lui donner des ordres au lieu d'obéir aux siens, mais, en la circonstance, j'étais la sage-femme aguerrie, et elle ne l'était point. Elle a pincé les lèvres et elle est tout de suite sortie de la pièce.

126

Je n'ai entendu que le bruit de ses pas, même à l'étage du dessous. J'avais déjà compris que nous ne reverrions jamais la fille de cuisine, les enfants ou le chariot.

Lorsque maman est revenue munie des linges et de la cuvette d'eau, la femme se contorsionnait comme une démente. Au début, j'ai éprouvé un soulagement, croyant que le bébé allait venir. Mais, au bout d'un moment, ses mouvements sont devenus totalement anormaux et inquiétants. Elle s'est raidie, puis elle a sursauté si violemment qu'on aurait dit qu'elle voulait se jeter hors du lit, comme un poisson prisonnier d'un hameçon gigote au bout d'une ligne pour essayer de se rejeter à l'eau. Maman lui a tenu les bras pour l'empêcher de tomber ou de se blesser ; dans le même temps, la femme a poussé un grognement et elle a mordu si violemment sa langue noire boursouflée que j'ai craint qu'elle ne l'eût coupée en deux. Un filet de liquide noir s'en est échappé et a coulé sur son menton.

Ses tressautements ont cessé subitement et elle est retombée mollement sur le matelas ; ses yeux, ternes et voilés, fixaient un spectacle atroce au-delà du plafond.

Dans l'intervalle, j'étais allée chercher un petit couteau au manche blanc dans mon baluchon. En temps normal, je m'en servais pour couper le cordon ombilical, mais cette fois je savais qu'il ne servirait à rien d'essayer de tirer le bébé hors du ventre de sa mère. Aucun effort n'y suffirait, car la partie la plus large de sa tête n'était pas encore sortie. Le visage de maman est devenu tout gris, des gouttes de sueur ont perlé à ses lèvres, mais elle ne s'est point effondrée, tandis que je commençais à couper.

Le sang a jailli de l'incision que je venais de pratiquer sur le ventre gonflé de la femme. J'étais accoutumée à l'odeur du sang et à celle propre à la naissance. Celle, putride et fécale, des entrailles d'une personne m'était également familière. Mais je n'ai jamais rien senti de plus ignoble que lorsque j'ai ouvert le ventre de l'épouse morte de l'orfèvre.

J'ai coupé lentement, avec soin, me servant des doigts d'une main pour écarter la peau noircie par la peste doublée de sa couche de graisse jaune sanguinolente de l'enfant qu'elle recouvrait. Nous avons d'abord aperçu ses petites fesses, que la membrane de sang noir et jaune pâle faisait luire, puis son dos minuscule. J'ai grimacé au contact, mou et glissant, du sang et de l'intérieur du ventre, alors que je m'appliquais à placer les mains sous son petit abdomen, aidée de ma mère qui maintenait les pans de peau écartés. Pour libérer la tête du bébé, j'ai dû le tirer du canal de naissance au prix d'un effort inhabituel ; puis je l'en ai extirpé à la verticale. L'enfant s'est dégagé avec un gros bruit de succion et il a failli me glisser des mains. Malgré ce cadre sinistre, j'ai souri de bonheur (l'arrivée d'un enfant peut chasser le plus sombre des chagrins) et j'ai tendu le garçon à maman, qui l'a placé dans l'un des linges et a commencé à l'essuyer avec.

Notre joie est vite retombée, car l'enfant n'a pas davantage remué qu'il n'a tenté de respirer une seule fois, en dépit des petites tapes que nous ne cessions de lui donner. Entre mes mains, son corps était aussi flasque que celui d'un chaton étouffé.

Ma mère a enveloppé cette pauvre chose dans le linge de cuisine et l'a placée entre les seins de sa mère décédée ; puis j'ai recouvert le cadavre ensanglanté de la malheureuse avec les couvertures et j'ai repris mon baluchon. Ensemble, nous sommes redescendues.

Il n'y avait plus âme qui vive dans la demeure. La fille de cuisine s'était bien enfuie à bord du chariot ; je l'ai profondément blâmée d'avoir abandonné sa maîtresse et l'enfant nouveau-né, et de nous avoir conduites dans une maison frappée par la pestilence. En même temps, j'ai compris qu'elle était sans doute un être bon de nature, incité par la peur à se mal conduire. Elle avait au moins pris en charge les enfants de ses maîtres, et elle avait fait le nécessaire pour qu'une sage-femme puisse s'occuper du nouveau-né. Peut-être même avait-elle nourri l'espoir que les herbes de cette sage-femme sauveraient sa maîtresse de la mort.

Maman et moi avons gagné la boutique de l'apothicaire voisin, où nous avons appris à son épouse, sur le seuil de sa porte, que la pestilence s'était abattue chez l'orfèvre. Nous lui avons demandé de faire quérir un prêtre (car, à notre connaissance, la femme et son nourrisson étaient morts sans avoir reçu les derniers sacrements qui leur auraient ouvert les portes du paradis). Pour notre peine, elle nous a claqué sa porte au nez.

Sans l'intervention de la Déesse, nous aurions marché tout le long du retour. Mais ma mère a rencontré l'un des serviteurs du château du *seigneur* qui a reconnu en nous la femme et la fille de Pierre de Cavasculle et nous a fait monter à l'arrière de son chariot, à côté des provisions qu'il était allé se procurer en ville. Nous avons parcouru à pied les derniers kilomètres séparant le château de notre village. Lorsque nous sommes arrivées chez nous, le soleil venait de se coucher et papa terminait le dîner frugal que lui avait préparé Noni, qui semblait presque entièrement guérie.

Maman leur a raconté l'histoire abominable de la pestilence : la peau noircie, les bubons suintants. Mon père l'écoutait d'un air sombre. Il nous a raconté que, selon l'un des vilains travaillant sur les terres du *seigneur*, ce dernier, qui venait de recevoir des prélats en visite d'Avignon, était lui-même tombé malade. Tout le monde craignait que la pestilence ne se fût abattue sur le château, car cela signifiait que le village serait bientôt touché.

Noni n'a pas prononcé une parole. Mais lorsque nous avons fini notre souper et que nous nous sommes couchés, elle a allumé la lampe à huile et a veillé, le temps de coudre quatre petits sachets en tissu qu'elle a remplis d'un mélange d'herbes, puis refermés à l'aide de longues cordelettes nouées de façon que nous puissions les porter autour du cou. Allongée à côté de maman, j'ai simulé le sommeil, épiant sous mes paupières à moitié closes comment Noni s'y prenait pour fabriquer ces charmes.

Après s'être assurée que mes parents dormaient, en écoutant la respiration légèrement sifflante et régulière de ma mère et les ronflements sonores de mon père, elle est allée jusqu'à la fenêtre ouverte et elle a tendu les sachets d'herbes dans ses mains déployées, comme si elle les offrait à la lune. Elle est restée un certain temps muette et, pendant qu'elle continuait à tendre les charmes, j'ai vu la même lumière dorée apaisante irradier de ses mains, devenir de plus en plus lumineuse à chaque seconde qui s'écoulait.

Puis elle a murmuré une bénédiction dans sa langue natale. À l'époque, je ne connaissais que quelques mots d'italien, si bien que je ne puis répéter exactement ce qu'elle disait, mais je connaissais par cœur l'une de ses expressions : *la bona Dea, Diana, la bona Dea…*

Elle prononçait ces mots comme une amante prodigue une caresse et, sur ses lèvres, jamais je n'en avais entendu d'autres sonner plus mélodieusement. Pendant qu'elle formulait sa prière, les nuages nocturnes ont glissé et ont laissé filtrer le clair de lune par la fenêtre, sur les petits sachets. Tandis que Noni psalmodiait lentement *Diana… Diana,* la lueur dorée irradiant de ses mains s'est communiquée aux sachets et s'est fondue au rayon de lune argenté, jusqu'à ce que de chaque charme émane un halo blanc doré. La pure beauté de ce spectacle m'a coupé le souffle. Noni m'a sans doute entendue haleter, car elle a adressé un sourire de connivence à la lune. Puis elle nous a réveillés, mon père, ma mère et moi, le temps de nous passer les charmes autour du cou. *Des remèdes*, leur a-t-elle dit, *pour éloigner la pestilence,* mais je savais qu'il s'agissait de bien davantage. Maman elle-même s'est empressée d'accepter le collier. Apparemment, le spectacle atroce auquel nous avions assisté ce jour-là avait suffi à étouffer ses soupçons.

Dans l'obscurité, je voyais une lueur dorée irradier du charme, entre mes seins d'adolescente. Cette nuit-là, je me suis endormie avec le sentiment d'être protégée, baignée à l'abri du rayonnement chaleureux de l'amour de Noni et de Diane.

Quelques jours plus tard, mon père a été convoqué au château afin de travailler sur les terres appartenant au *seigneur*. Les paysans qui vaquaient dans ses champs étaient tombés malades. Papa n'en a point été content, car il lui fallait veiller à sa propre récolte, mais comme il devait plusieurs jours de labeur au *seigneur*, il lui était absolument impossible de refuser. Il a donc abandonné son propre champ pour se rendre au château en compagnie de l'intendant qui était venu le quérir.

Le même jour, un visiteur s'est présenté à notre porte. Maman était allée puiser de l'eau et j'étais occupée à balayer l'âtre. Noni, quant à elle, mettait à sécher des herbes qu'elle venait de cueillir, en prévision de l'arrivée de la pestilence. J'ai tout de suite posé mon balai afin de gagner la porte dont le volet supérieur était ouvert.

J'y ai trouvé un homme d'âge mûr corpulent, vêtu d'une chemise de soie courte brodée aux longues manches en forme de cloche, de chausses jaunes, de souliers de velours rouge et d'un couvre-chef orné d'une plume jaune. Ses traits n'étaient pourtant nullement assortis à l'élégance de son costume : son visage large se distinguait par un nez et des lèvres vulgaires et épaisses et des yeux minuscules, enfoncés dans leurs orbites. Derrière lui, attaché au bosquet de lilas en fleur, un magnifique cheval noir reprenait souffle.

Des rides d'inquiétude plissaient le front de cet homme. L'état d'agitation dans lequel il se trouvait le faisait constamment se balancer de l'un de ses pieds chaussés de rouge à l'autre.

– La sage-femme ! a-t-il lancé à tue-tête, presque hurlé, non par arrogance, mais en raison du véritable désespoir qui l'habitait. Suis-je bien chez la sage-femme ?

– Oui, messire, ai-je répondu.

Je me suis assez ressaisie pour lui faire une petite révérence et j'ai fait glisser le verrou, dans l'intention d'ouvrir la porte pour le prier d'entrer.

Une main implacable m'a alors agrippé l'épaule. C'était Noni, qui m'avait rejointe.

– Non, a-t-elle murmuré à ma seule intention. Je vais lui parler dehors. Reste ici.

J'ai obéi. Noni est sortie en prenant soin de refermer la porte derrière elle.

– C'est moi que vous cherchez, a-t-elle dit d'un ton à la fois aimable et soupçonneux. Comment puis-je vous aider, messire ?

Le visage de l'homme s'est tordu. Il a levé ses grandes mains pâles à ses yeux et il a fondu en larmes. Un frisson m'a subitement parcourue. Je venais de comprendre la raison pour laquelle il était venu, qui expliquait pourquoi Noni refusait de le faire entrer chez nous. Je les ai observés et, malgré la lumière du jour, j'ai cru voir une douce lueur dorée irradier du cœur de Noni, à l'endroit où elle avait suspendu le charme sous ses vêtements.

L'homme paraissait incapable de s'exprimer. Noni a fini par prendre doucement la parole :

– C'est la pestilence de Marseille ? Ils ont la peau noire et des bubons ?

Après avoir acquiescé de la tête, il est parvenu à prononcer quelques mots, entrecoupés de sanglots et de gémissements. Cet homme était un avocat prospère dont la femme et les trois enfants étaient tous souffrants et dont les serviteurs avaient eux aussi attrapé la maladie ou s'étaient enfuis.

– Pourquoi n'avez-vous pas appelé un médecin ? a demandé Noni.

Toulouse comptait six médecins. L'un deux était uniquement attaché à veiller à la santé du *grand seigneur* et de sa famille ; seuls les riches pouvaient s'offrir les services des cinq autres. Que cet avocat en fût venu à s'adresser à une sage-femme de village témoignait de la gravité de son désespoir.

– Ceux qui ne se sont pas enfuis ou qui ne sont pas atteints par l'épidémie sont déjà par trop occupés. Je vous en supplie ! Je suis riche, je vous donnerai n'importe quoi. *N'importe quoi...*

Ma grand-mère a pris le temps de réfléchir, sans pourtant revenir le moins du monde sur la décision qu'elle avait déjà prise.

– Je vais vous donner des remèdes à emporter. Mais je ne vous accompagnerai point en ville.

– Oui, oui ! a répondu l'homme. Mais faites vite, je vous en supplie. Je crains de les trouver tous morts à mon retour.

Attendez-moi ici, lui a ordonné Noni.

Elle est entrée dans la maison pour préparer des herbes à son intention. De ma position près de la porte, je l'ai regardée s'activer, muette et l'air maussade. Elle a jeté son dévolu sur sa tisane contre la fièvre et sur une poudre jaune sentant le souffre qui servait à fabriquer des cataplasmes. Elle les a placées dans des petits sachets de toile, est retournée auprès de l'homme et lui a expliqué comment les utiliser. Il l'a écoutée avec un empressement inquiet, puis il a demandé :

– Mais, *madame,* n'avez-vous point également des charmes, point de magie que je puisse utiliser pour sauver ma famille ?

Noni s'est reculée d'un air outré et elle a posé une main sur son cœur, là où était caché le charme.

– Messire, je suis une bonne chrétienne. Je ne connais qu'une seule magie : celle des herbes médicinales, que Dieu a eu la bonté de nous révéler dans Sa Miséricorde.

L'homme s'est remis à pleurer.

– Et je suis un bon chrétien. Mais Dieu, dans Sa Miséricorde, a jugé bon de frapper ma famille de la pestilence. Je vous en supplie, madame, ma femme et mes enfants sont mourants ! Ayez pitié de nous !

Il s'est de nouveau pris le visage entre ses larges mains.

Noni a poussé un soupir. S'entendre ainsi appeler *madame* par un homme aussi fortuné l'avait un peu désorientée. Tournant le dos à l'avocat, elle a fabriqué un petit sachet d'herbes, l'a noué avec une cordelette, a posé les mains dessus et a marmonné quelque prière. Une vague lueur émanait du sachet, mais elle était bien faible comparée au doux rayonnement des charmes qu'elle avait fabriqués à notre usage. Elle l'a remis à l'homme.

– Portez cela tout le temps sur votre personne, lui a-t-elle ordonné. Touchez-le le plus souvent possible et, en même temps, imaginez que votre femme et vos enfants sont en bonne santé.

– Que Dieu et la Sainte Vierge vous protègent ! a répondu l'inconnu.

En remerciement, il lui a tendu une pièce d'or. Noni et moi l'avons regardée fixement, clouées sur place. Nous n'avions encore jamais été payées en or.

Noni lui a rendu la pièce.

– Je ne puis l'accepter. Vous ne me devez rien pour le charme, juste quelque chose pour les herbes. Cette pièce représente trois fois le salaire d'un médecin…

Mais l'homme a enfourché sa splendide monture et il s'est éloigné au galop.

Au même instant, ma mère est apparue sur le seuil de la porte, le baquet d'eau en équilibre sur une épaule. Elle a plissé ses yeux interrogateurs en direction du cavalier qui disparaissait au loin, puis de Noni, toujours fascinée par la pièce qu'elle tenait entre le pouce et l'index.

– La pestilence s'étend en ville ; à présent, les médecins meurent aussi, a-t-elle expliqué à ma mère qui entrait dans la maison.

Noni l'y a suivie. Je me suis penchée vers elle pour examiner la pièce de près. Par la suite, nous avons appris que ce bel objet rutilant était une véritable livre d'or. Noni l'a mise dans sa bouche et a mordu dedans de toutes ses forces. En y voyant ensuite la vague empreinte qu'y avaient laissé ses dents, elle a éclaté de rire. Nous étions riches.

Mais notre joie, achetée au prix du chagrin d'un autre, a été de bien courte durée. Derrière nous, il y a eu un bruit de chute, faible et sourd, le claquement du bois, le clapotement de l'eau qui se répandait brutalement. Nous nous sommes retournées. Maman était assise, les jambes écartées, sur le sol de terre battue parsemé de paille. Son seau d'eau s'était renversé entre ses genoux et sa robe était trempée. Elle a levé une main à son visage en posant sur nous un regard hébété et elle nous a dit :

– J'ai renversé l'eau.

– Es-tu blessée, Catherine ? a demandé Noni, tandis que nous la prenions chacune par un bras pour l'aider à se relever.

Sous la manche de sa robe, la peau de maman diffusait une chaleur tout à fait inhabituelle.

– J'ai renversé l'eau, a-t-elle répété.

Son regard, vaguement désespéré, passait de Noni à moi, comme si elle voulait nous dire quelque chose d'important, sans parvenir à trouver les mots adéquats.

– Ne t'inquiète pas, ai-je répondu, pendant que nous l'aidions à s'allonger. Je vais retourner en puiser.

D'un seul coup, ma mère a violemment tressailli.

– Est-ce qu'il fait froid aujourd'hui ? a-t-elle demandé.

Nous l'avons dépouillée de son vêtement mouillé. Entre ses seins, le charme a brièvement émis une lueur vacillante comme celle d'une flamme, puis il s'est éteint.

Maman est restée alitée le reste de la journée, en proie aux frissons et à une forte fièvre.

– Suis-je mourante ? demandait-elle d'une voix faible, au cours des brefs instants où elle revenait à elle. Est-ce la pestilence ?

Non, l'avons-nous rassurée. Sa peau n'avait pas noirci, et son corps ne présentait aucun signe de pustules à l'odeur infâme. Il s'agissait simplement de la fièvre dont Noni avait déjà été frappée, et elle en guérirait vite.

Nous avons affirmé la même chose à mon père lorsqu'il est rentré après le coucher du soleil, las et découragé. Cela ne l'a point empêché de se faire grand souci pour maman. Il a essayé de l'obliger à avaler sa soupe, mais la fièvre lui avait retourné l'estomac et elle n'a rien pu ingurgiter.

Lorsque nous lui avons montré la magnifique pièce d'or, papa ne s'est que brièvement réjoui. Après le souper, il nous a raconté d'un ton morne les ennuis qui se répandaient sur le château.

— La pestilence s'est à présent abattue parmi nous, les vilains, nous a-t-il appris avec tristesse.

Ses yeux gris restaient baissés sur le ragoût à l'avoine que Noni avait préparé.

— Le sénéchal, à ce qu'ils racontent, est à deux doigts de la mort. C'est à l'intendant de reprendre ses responsabilités, mais cet homme n'est qu'un imbécile, un incompétent qui n'entend rien à l'administration des champs et des vilains. Et j'ai vu, de mes propres yeux, un laboureur, loué dans un autre village, s'évanouir dans les champs ; il avait une grosse boule rouge sur le cou.

Les yeux de Noni se sont rétrécis. Elle se tenait debout près de lui. Elle ne mangeait jamais avant que son fils n'ait eu son content ; elle se tenait prête, louche à la main, à remplir son écuelle. Quant à moi, assise face à papa, je l'écoutais, en proie à une frayeur grandissante. Je voulais lui dire de ne pas retourner au château, de ne plus travailler sur le *domaine* du *seigneur,* et je savais, à l'épouvante que je lisais dans ses yeux, que Noni aurait voulu faire de même. Mais lorsqu'un vilain recevait l'ordre de travailler sur les terres du *seigneur* et qu'il refusait, il commettait un crime puni de pendaison. Nous avons donc toutes deux gardé langue liée. Noni a cependant trouvé le courage de lui dire :

— Pietro, il y a de la paille fraîche et tendre à côté du foyer. Dors là cette nuit.

Papa a levé la tête vers elle. L'affolement se lisait dans ses yeux. Noni a ajouté, avec la dose exacte d'agacement nécessaire pour le convaincre :

— Non, ce n'est point parce que je crois que Catherine a attrapé la pestilence de Marseille. C'est parce que si tu dors près d'elle et qu'elle te communique sa fièvre, tu auras moins de forces et tu seras plus en danger d'attraper la maladie au château.

134

Papa a refusé, sous prétexte qu'il ne voulait pas laisser Catherine dormir seule et que la chaleur de son corps lui apporterait peut-être un apaisement. C'est donc moi qui ai dormi près de l'âtre sur la paille à côté de Noni, qui se levait de temps à autre pour s'occuper de maman. Elle restait assise à son chevet pendant une heure, puis elle revenait sommeiller et je prenais sa place. Un peu avant l'aurore, des cris, faibles mais aigus, m'ont tirée du sommeil. Je me suis redressée et j'ai vu ma mère qui agitait les membres et frappait involontairement papa au visage, tandis qu'il tentait de l'empêcher de tomber sur le sol. Debout près du lit, Noni essayait de lui porter secours.

Sous mes yeux horrifiés, ma mère, dans son délire, a tiré sur le charme qui pendait autour de son cou avec une telle violence que la cordelette s'est cassée. Et elle a jeté le petit sachet par terre. Noni l'a ramassé, non sans lancer un regard dur à sa belle-fille, comme si le geste de ma mère la courrouçait au plus haut point. Je me suis dit que je m'égarais sans doute. Mon père, le visage creusé par le souci, a enlevé son propre charme pour le faire glisser autour de la tête de ma mère qui continuait à se débattre. Puis il est venu s'asseoir lourdement sur la paille à côté de moi et j'ai enfoui la tête dans son épaisse barbe noire. Il pleurait à chaudes larmes.

Ma mère était malade depuis deux jours lorsque l'épouse du forgeron est venue de la ville. Noni est sortie pour lui donner des herbes et elle l'a renvoyée, exactement comme elle l'avait fait avec l'avocat. Puis les gens de notre village se sont succédé à notre porte, un à un. Noni leur a donné des herbes à tous, au point qu'il n'en restait presque plus pour nous. Pour finir, elle a fermé notre porte, ne laissant le haut que vaguement entrebâillé afin de permettre à la fumée du foyer de s'échapper. Aux personnes désespérées qui s'y présentaient, elle indiquait où aller cueillir leurs propres herbes et leur apprenait comment en faire usage.

Entre deux visites, Noni sommeillait près de l'âtre et j'humectais la peau de maman afin de faire tomber sa fièvre. Son cou était légèrement enflé, mais cela ne m'inquiétait point outre mesure, car c'était souvent le cas avec ce genre de fièvre. Mais lorsque j'ai dénoué les cordelettes de sa chemise et que j'ai passé le linge sous son bras, j'ai constaté que son aisselle était enflée : une grosse boule y avait fait son apparition, rouge et dure, de la taille d'un œuf. Autour, la peau était tavelée de taches mauve sombre, couleur du sang tourné.

J'ai réveillé Noni pour lui annoncer que maman était atteinte de la pestilence. Nous avons fabriqué un cataplasme que nous avons placé sur le bubon de son aisselle. Nous avons alors découvert deux autres pustules sur son aine, autour desquelles la peau s'était également noircie par-dessous. L'image de la pauvre femme morte en couches me hantait.

En fin d'après-midi, mon père est rentré du château. J'ai été frappée de le voir, pour deux raisons : d'une part, il ne revenait jamais avant la vesprée de son propre champ et, d'autre part, il avait couvert tout le chemin à pied, alors que d'ordinaire l'intendant proposait aux vilains employés au château de les ramener à bord d'un chariot.

De ma place au chevet de ma mère, j'ai levé la tête au bruit sourd de la porte qui s'ouvrait. Sur le seuil se tenait mon père. Il a hésité sur place un instant, son chapeau de paysan élimé entre les mains. Je n'oublierai jamais le spectacle de ce bel homme, large d'épaules et de poitrine, à la barbe bleu noir hirsute, à la peau aussi foncée que celle de ma mère était claire.

Noni, l'ayant entendu arriver, s'est affairée en toute hâte au souper, qu'elle n'avait pas encore mis sur le feu à cause des quémandeurs et de l'heure prématurée.

– Papa ! me suis-je exclamée. Pourquoi reviens-tu si tôt ?

Je me suis levée et j'ai contourné le lit pour aller l'accueillir.

Il ne m'a point répondu. Il continuait à atermoyer sur le pas de la porte, tordant son chapeau dans ses grosses mains aux articulations à vif. J'ai alors compris son désarroi : ses yeux ressemblaient à ceux d'un petit garçon hébété et effrayé. Noni l'a senti aussi, car elle lui a coulé un regard par-dessus son épaule, de l'endroit où elle était agenouillée près de l'âtre.

Malgré sa confusion, papa a d'abord regardé ma mère, puis moi. La souffrance lui a fait brièvement clore les yeux.

– Catherine, a-t-il chuchoté, et j'ai compris qu'il savait que la pestilence était entrée dans notre maison.

Un désir pressant m'a envahie : j'aurais voulu le réconforter, comme s'il était l'enfant et que j'étais la mère.

Il a fini par se débarrasser de ses sabots et par entrer (oubliant, dans sa distraction, de refermer la porte derrière lui). La lumière du foyer a éclairé des taches sombres sur sa blouse en tissu de filasse.

– Papa ! me suis-je alarmée après les avoir examinées.

Ces taches étaient d'un rouge marron foncé, la couleur du sang séché. Il leur a jeté un coup d'œil, comme s'il était surpris de les trouver là, puis il m'a dit d'une voix lourde :

– Personne n'est venu travailler au domaine, en dehors d'un autre vilain, Jacques Lacampagne. Nous étions aux champs quand il a vomi du sang et qu'il s'est effondré, mort, à côté de moi. J'ai voulu quérir de l'aide, mais tout le monde avait disparu, hormis le prêtre qui était venu donner les derniers sacrements à la mère du *seigneur*.

– Elle est morte ? ai-je demandé, horrifiée.

Une expression étrange s'est inscrite sur le visage de mon père, comme s'il s'efforçait de prêter attention à la réponse d'une âme invisible.

– Je suis très las, a-t-il déclaré tout à coup.

Il a gagné le lit, s'est allongé près de son épouse, et ne s'est plus jamais relevé.

Malgré les nombreuses années qui se sont écoulées depuis ces faits et ceux survenus aujourd'hui, le souvenir des souffrances de mes parents ne s'est point atténué avec le temps ; ma douleur est toujours vive.

Mon père a tout de suite sombré dans un profond délire. J'ai eu beau lui donner mon charme luisant, comme il avait donné le sien à maman, il n'a jamais repris ses esprits. Lui aussi souffrait d'une forte fièvre, mais, dans son cas, la maladie a pris une autre forme : les bubons de la peste n'ont fait leur apparition ni sous ses aisselles ni sur son aine ; la maladie s'est attaquée à ses poumons, si bien qu'il rejetait d'immondes crachats sanguinolents quand il toussait. Deux jours plus tard, il était mort.

Ma mère n'était plus alors qu'une pitoyable créature. Sa peau pâle était défigurée par les taches noires et par les pustules douloureuses et funestes d'où suintaient du pus et du sang. Ceux affligés par cette maladie dégageaient de leur vivant une puanteur aussi malodorante que s'ils étaient morts.

À l'heure du trépas de mon père, ma mère a hurlé son nom, puis elle s'est enfoncée dans le mutisme. Noni et moi étions persuadées qu'elle ne tarderait point à suivre son époux dans la tombe.

J'étais éperdue de douleur. Avant que mon père ne décède, je me suis rendue au village afin d'y quérir le prêtre pour qu'il vienne leur administrer les derniers sacrements. C'était la mi-journée, mais le village semblait étrangement désert ; pas un seul vilain ne travaillait aux champs, pas une seule femme ne remontait de l'eau du puits. En revanche, beaucoup d'animaux erraient. Des vaches en liberté piétinaient des rangées de jeunes pousses, broutant à volonté. Un troupeau de chèvres égarées s'est approché de moi. Sans berger, les femelles qui n'avaient pas été traites bêlaient de désespoir pour qu'on s'occupe d'elles.

Je n'ai trouvé le prêtre ni à l'église ni au presbytère. Alors que je traversais le cimetière, je suis tombée sur le fossoyeur qui creusait une tombe fraîche. Je lui ai demandé où était le prêtre.

– Mort ou mourant, m'a-t-il répondu, ou alors occupé à administrer l'extrême-onction quelque part. J'aurai vite fait de l'enterrer, lui aussi.

Toutes ces journées de labeur salissant et de sueur avaient noirci son visage et ses vêtements. Imperturbable devant les larmes qui ruisselaient sur mon visage, il s'adressait à moi d'une voix sans timbre, celle d'un être profondément fatigué et engourdi par le spectacle de trop de morts. Près de lui, j'ai vu une dizaine de nouveaux monticules et trois sépultures fraîchement creusées. Il travaillait à une quatrième. Il m'a montré les trois premières.

– Elles seront occupées d'ici demain matin. Si vous avez des morts, apportez-les vous-même, car il n'y a plus personne pour vous aider. Et mieux vaut faire vite, tant qu'il reste de la place pour les loger.

Il s'est tu, a incliné bizarrement la tête et a ajouté :

– C'est la fin du monde, vous savez. Le prêtre nous l'a lu dans la Bible. Le dernier livre – l'Apocalypse.

Et il a répété le passage de mémoire :

– Lorsqu'il a brisé le quatrième sceau, j'ai entendu la voix d'un quatrième animal crier : « Viens ! » Immédiatement est apparu un quatrième cheval, pâle comme la mort. Son cavalier s'appelait la Peste, et Hadès le suivait sur les talons.

La mort dans l'âme, je suis retournée à la maison au crépuscule. J'ai annoncé à Noni que nous allions devoir transporter seules le corps de papa au cimetière. Et c'est ainsi que lorsque les yeux de papa se sont ouverts à l'instant de sa mort, nous avons été les seules à pouvoir bénir son corps. Nous l'avons lavé et nous l'avons cousu à l'intérieur de son linceul blanc. En larmes, nous avons veillé sur lui toute la nuit. Nous avons prié, sans cesser de nous assurer que maman n'avait pas aussi rendu son dernier souffle.

Au matin, nous avons constaté, à notre grand étonnement, que sa fièvre était tombée. Elle dormait à poings fermés, d'un sommeil paisible. Il nous est donc incombé d'organiser sur-le-champ l'enterrement de papa, car il faisait chaud. Près de chez nous habitaient Georges et Thérèse, nos voisins les plus riches, puisqu'ils possédaient une mule et un chariot. Je me suis rendue chez eux et, ayant trouvé le chariot et l'animal attachés dehors, je les ai appelés. Le haut de leur porte était ouvert, mais un silence sinistre régnait dans la demeure. Je suis retournée chez nous avec la mule et le chariot sans m'attarder, car je me doutais que leurs propriétaires n'auraient plus jamais besoin d'eux.

Dès mon arrivée, Noni et moi avons entrepris la triste tâche de soulever le corps de mon malheureux père. Les morts pèsent beaucoup plus lourd que de leur vivant. J'ai pris papa sous les bras, Noni s'est attelée à ses jambes, et j'ai compris que nous n'aurions point la force de hisser son corps à bord du chariot.

En cet instant lugubre, on a frappé à notre porte ouverte. La tête dodelinante de papa m'empêchait de voir notre visiteur et Noni tournait le dos à la porte.

– Partez ! a lancé ma grand-mère d'une voix irritée à travers ses larmes, interrompant notre lent voyage vers la porte. La peste est entrée dans cette maison. Ne voyez-vous point que mon fils est mort et que je n'ai plus d'herbes à distribuer ?

Une voix, belle et grave, lui a répondu :

– Je ne suis point venu ici pour prendre, mais pour donner.

Une lumière singulière s'est allumée dans les yeux de Noni ; avec une douceur infinie, elle a reposé les jambes de papa, enveloppées dans le linceul, sur le sol, et elle s'est retournée. J'ai moi aussi reposé papa tendrement et j'ai regardé comme elle vers le pas de la porte.

À l'extérieur se tenait un homme de haute taille au visage buriné par le temps. Une fine mèche blanche zébrait sa longue barbe poivre et sel. Ses grands yeux aux paupières lourdes et son nez aquilin auraient permis de reconnaître qu'il était juif, quand bien même n'aurait-il pas porté l'insigne de feutre jaune et le chapeau à cornes. Rares étaient les occasions où un Juif s'aventurait hors de l'enceinte de la cité ; pour leur sécurité, les Juifs demeuraient en général dans le quartier où ils étaient consignés, mettaient eux-mêmes au monde leurs bébés et se soignaient sans aide extérieure.

Les histoires que l'on m'avait racontées à leur propos me sont venues à l'esprit ; mais cet homme n'avait absolument rien de monstrueux dans son apparence. Ses yeux rendus larmoyants par l'âge, avec leur blanc jauni, avaient des iris si sombres qu'on en distinguait à peine les pupilles ; jamais je n'avais vu regard à la fois plus fort et plus doux.

J'ai alors compris qu'il faisait partie de la Race.

Il impressionnait aussi manifestement Noni, car elle lui a répondu d'une voix douce :

– Qu'est-ce qui vous amène ici, monsieur ? Ce lieu n'est point sûr : la pestilence nous a frappés.

– Aucun lieu n'est sûr, a répondu le vieux Juif, et Dieu ne m'a laissé que fort peu de temps.

Sans plus d'explications, il est entré dans notre chaumière et il m'a fait signe de m'écarter. Puis il a soulevé papa par les bras. Comme cela m'apparaît étrange, après toutes ces années ! Mais à l'époque, j'ai trouvé tout à fait normal de me précipiter au côté de Noni pour l'aider à soulever les jambes de papa. Je me suis occupée de la senestre et elle de la dextre et, à nous trois, nous avons facilement hissé le corps de papa à bord du chariot de Georges.

– *Messire*, lui ai-je dit – un titre honorifique rarement accordé aux Juifs –, je vous remercie de nous aider ainsi.

En guise de réponse, il m'a tendu un petit carré de soie noire qu'il venait de sortir de sous son manteau noir. J'ai hésité.

– Nous ne voulons pas d'argent, s'est empressée de dire Noni. Vous nous avez déjà apporté une aide inestimable ; de plus, les souffrances des malades m'ont déjà fait gagner assez d'or aujourd'hui.

Pour se disculper, le vieillard a esquissé un sourire qui a réchauffé son expression.

– Il ne s'agit point d'une pièce.

Il m'a de nouveau tendu le carré de soie. Cette fois, sentant la chaleur qui s'en dégageait, je l'ai pris et j'en ai soulevé les coins avec respect.

C'était pourtant de l'or : un disque du fin métal frappé, de la taille d'une pièce d'une livre, attaché à une épaisse chaîne, d'or elle aussi. Des cercles, des étoiles et des lettres inconnues étaient gravés dessus. Bien que ne sachant pas lire à l'époque, j'ai reconnu là une langue beaucoup plus mystérieuse que mon français natal.

Il irradiait de ce disque une lumière d'une chaleur et d'une blancheur incomparables. Le rayonnement d'une étoile. J'ai compris que ce Juif connaissait la Déesse ; qu'il était détenteur d'une magie d'une envergure et d'une puissance bien supérieures à celle que m'avait enseignée Noni. Une magie qui dépasserait de loin celle des charmes guérisseurs ou des formules magiques protégeant d'un ennemi ou permettant d'obtenir une bonne récolte.

– Ne t'en sépare jamais, m'a-t-il dit. En période de danger – comme par les temps qui courent – porte-le sur toi. Un grand péril nous menace…

J'ai levé les yeux pour réitérer mes remerciements, mais il ne m'a point laissée faire.

– Carcassonne est un havre sûr, a-t-il ajouté.

Noni l'a fixé comme s'il était devenu fou.

– Mais, monsieur, ils sont tous morts ou mourants là-bas !

– Quand bien même ! a-t-il répliqué.

Sans prendre congé, il s'est esquivé, si vite et si discrètement que sa disparition nous a laissées, Noni et moi, abasourdies et bouleversées. Nous avons parcouru des yeux les alentours de notre chaumière. Il s'était volatilisé.

Noni m'a pris le charme des mains, elle l'a fait passer autour de ma tête et l'a glissé sous ma robe, malgré mes protestations. Je voulais que ce fût *elle* qui le portât.

– C'est la Déesse qui nous l'a envoyé, m'a-t-elle dit à propos de cet homme mystérieux. Quant au charme, il est pour toi, et pour toi seule. Pour mon bien, ne t'en sépare jamais.

J'ai cédé, car je savais qu'elle disait vrai. Lorsque le disque d'or s'est glissé contre ma peau, j'ai senti une chaleur intense et des picotements qui m'ont fait tressaillir.

Nous avons fini par monter à bord du chariot pour nous rendre au cimetière. Sur la route menant à la place du village, nous sommes passées à côté d'une femme morte.

– Ne regarde pas ! m'a ordonné sévèrement ma grand-mère.

Mais j'en avais déjà assez vu pour avoir la nausée : deux chiens rongeaient la chair pourrissante du cadavre. L'un d'eux lui avait presque détaché un bras. Il tirait sur le coude qu'il tenait entre ses crocs, étirant le morceau de chair qui reliait encore le bras à l'épaule.

– Sainte Mère, sauvez-nous ! a chuchoté Noni, et j'ai répété sa prière en silence.

Alors que nous approchions de la place située devant le cimetière, j'ai perçu les premiers signes de vie dans le village déserté : avant même de le voir, j'ai senti le panache de fumée noire. J'en ai conclu qu'ils étaient peut-être en train d'incinérer des corps. Puis j'ai entendu des cris, suivis de hurlements de souffrance dont il était impossible de dire s'ils provenaient d'êtres humains ou d'animaux, d'hommes ou de femmes.

Au centre de la place brûlait un petit bûcher, au milieu duquel vacillait la silhouette en flammes d'un seul homme. Comme il ne portait plus son chapeau, que ses cheveux et sa barbe étaient embrasés et son visage noirci de suie, je ne l'ai point reconnu tout de suite. Il essayait d'échapper au brasier. Il a trébuché jusqu'au bord des flammes et il est tombé à genoux, mais un vilain de forte carrure l'a repoussé de la fourche dont il était armé. Trois autres personnes – deux hommes dont l'un brandissait un poignard et une femme – s'étaient jointes au vilain pour railler leur victime transformée en torche vivante.

Noni a crié d'indignation et a tiré sur les rênes de la mule. L'animal, percevant notre réaction d'horreur, a tressailli et poussé un braiment.

La paysanne a jeté un regard dans notre direction. Sa jupe et son tablier étaient souillés de sang noir craché par le mourant ; ses cheveux embroussaillés s'échappaient de son turban. Elle avait des yeux de démente, brûlant de fièvre.

– C'est le diable qui l'a envoyé pour qu'il empoisonne le puits ! nous a-t-elle hurlé.

Par les yeux de la Déesse, j'ai Vu une ombre noire sur sa poitrine et j'ai su que la pestilence en avait déjà fait sa proie.

– Ce Juif est venu de la cité pour apporter la peste dans notre village ! Il a assassiné mon mari et mes enfants ! Tous morts ! Tous morts !

L'homme au poignard a renchéri :

– Le Juif a empoisonné le puits et il est revenu nous exterminer ! Le Juif a apporté la peste de derrière les murs de la cité !

Mon regard a croisé celui de la pauvre âme tourmentée qui agonisait dans les flammes – ces beaux yeux noirs martyrisés – et j'ai reconnu l'homme qui s'était présenté chez nous. Je me suis levée d'un bond dans le chariot et j'ai poussé un cri perçant qui a effrayé notre mule.

La souffrance du Juif en était apparemment à un stade intolérable, car il s'est précipité en avant pour s'empaler sur les piquants de la fourche tendue vers lui. Le vilain, l'air satisfait, a tenu son corps au bout de l'instrument comme il aurait tenu un morceau de viande à rôtir, jusqu'au moment où il s'est affaissé sous son propre poids.

– Par le seul Dieu saint, a lancé Noni, je vous maudirais tous jusqu'à la treizième génération pour votre méchanceté, mais cela ne servirait à rien. Vos familles ont péri et, d'ici demain, vous serez tous morts.

Je me suis à moitié évanouie. Dans cet état de semi-inconscience, je suis passée près du bûcher pour pénétrer dans le cimetière. De ce qui s'est déroulé ensuite, je n'ai que de vagues souvenirs, hormis le spectacle des sépultures que le fossoyeur creusait la veille. Elles étaient à présent pleines de corps en décomposition entassés les uns sur les autres, mais on ne les avait pas refermées. À côté, dans une tombe plus large et moins profonde, le fossoyeur mort était assis près de sa pelle, enfoncée dans le sol, dont le manche ressortait à la verticale. Sur ses genoux était allongé un mort sans linceul qu'on avait jeté à la hâte sur lui ; ce tableau ressemblait à une version horrible de la Pietà.

En toute sincérité, je n'ai aucun souvenir de la manière dont nous nous sommes débarrassées du cadavre de mon père ; la trop grande hideur de cette tâche tragique en a occulté le souvenir. Nous l'avons certainement tiré du chariot et jeté par-dessus les autres corps. Un acte abominable, mais comment aurions-nous pu, nous et les autres villageois, nous y prendre autrement ? Nous étions trop affaiblies pour recouvrir les cadavres de terre, et nous attarder dans les environs de ces fosses puantes aurait équivalu à courtiser la pestilence.

Nous avons dû rentrer chez nous ; mais je ne m'en souviens pas non plus, car autour de moi le monde s'est mis à trembler et s'est estompé. Je me suis retrouvée plongée dans un univers fiévreux, en partie Vision, en partie rêve, en partie délire, un univers où régnaient la peste et le feu. Au milieu des flammes, j'ai vu le visage du vieux Juif, ainsi que ceux de tous les membres de ma famille : mon pauvre papa, maman, et même Noni. Là encore, j'ai vu les ombres des êtres prisonniers des flammes et j'ai entendu leurs cris, là encore je me suis battue jusqu'à l'épuisement pour eux. Et lorsque j'ai été incapable de continuer mon combat, je me suis allongée, m'abandonnant aux flammes, et j'ai crié :

– Quel est donc ce mal ?

– La peur, m'a répondu la Déesse.

J'ai été reprécipitée brutalement en ce monde et lorsque j'ai ouvert les yeux, je me trouvais à l'intérieur de notre humble chaumière, allongée sur le lit de mes parents. L'aurore pointait, une faible lumière filtrait par le volet ouvert. Dans l'âtre, le feu était presque éteint et, à côté, Noni était étendue sur la paille.

Son tablier était taché de sang, elle avait enlevé sa guimpe de veuve et dénoué les macarons noirs qui recouvraient ses oreilles, si bien que ses nattes épaisses pendaient jusqu'à sa taille. Son visage était pincé et grisâtre. Elle était si immobile que l'espace d'un moment affreux j'ai cru qu'elle était morte de la peste pendant que je sommeillais. Je me suis assise en poussant une plainte : je venais également de me rendre compte que j'étais seule sur le lit. Maman aussi avait dû succomber et j'étais la seule survivante de la famille.

Noni s'est tout de suite levée pour gagner en hâte le pied du lit. Sans la moindre honte, j'ai sangloté de soulagement.

– Noni ! J'ai cru que tu étais morte.

Ma grand-mère bien-aimée a éclaté en larmes. Tout comme ma mère qui était assise près du feu, un bol de soupe dans les mains, l'air blême et fragile. Lorsque Noni s'est ressaisie, elle m'a expliqué que trois jours durant, j'avais déliré et que la peste m'avait amenée aux portes de la mort. Il lui était impossible de s'expliquer ouvertement devant ma mère, mais j'ai deviné sa pensée : le don que j'avais fait de mon charme à mon père mourant m'avait rendue vulnérable à la maladie. Et j'ai également compris que c'était le charme du Juif qui m'avait sauvé la vie.

Plus tard ce soir-là, je me suis réveillée et j'ai découvert que le matelas était trempé de sang. L'épouvante m'a saisie, car j'ai cru que la peste était revenue, mais Noni s'est contentée de sourire.

– Tes menstrues sont arrivées, m'a-t-elle chuchoté. Bientôt, tu pourras entrer dans la confrérie de la Déesse.

X

Dans le sillage de la peste, notre vie s'est transformée en un curieux mélange de trop-plein et de misère. Le meunier et sa femme y avaient succombé, si bien qu'il ne restait plus personne pour mouler les céréales emmagasinées dans la grange de Vieux Jacques. Un si grand nombre de vilains, mon pauvre papa compris, avait péri que les survivants rapinaient dans les champs à l'abandon, ainsi que dans les vergers et les vignobles du *seigneur* qui n'étaient plus sous aucune garde.

Ce que nous ne nous appropriions pas pourrissait sur place – comme la plupart des âmes mortes sans qu'il ne reste un membre de leur famille pour les enterrer. Tel a été le destin de nos malheureux voisins, Georges et Thérèse, et de tous leurs fils : en dépit des bouffées de puanteur qui émanaient de leur chaumière, surtout lorsque le temps est devenu plus lourd, nous craignions tellement la peste que nous n'avons pas osé y pénétrer.

Nous avons néanmoins hérité d'une partie de leurs biens : la mule et le chariot, une demi-douzaine de porcelets et quelques poulets, ainsi que tout ce que Thérèse faisait pousser dans son *potager**. Si nous n'avions plus de pain, nous disposions en abondance de légumes, de viande et de lait, car les chèvres, les moutons et le bétail qui erraient à la recherche de leurs propriétaires décédés étaient à la disposition de tous.

J'ai enfin connu le bien-être de passer une nuit entière le ventre plein. Maman elle-même s'est mise à engraisser.

Le chagrin, accompagnant l'odeur de la mort, avait pourtant fait main basse sur notre petit village. Germain, mon promis, avait succombé, non

---

* En français dans le texte.

à la peste, mais à l'une des maladies qui la suivit – dans son cas, il s'agissait d'un mal qui faisait saigner les entrailles. La tristesse m'a envahie (car Germain était un homme de bien), mais également un profond sentiment de culpabilité, car j'étais soulagée. J'ai porté un certain temps la guimpe et la robe noires des veuves, qui me faisaient ressembler de façon si saisissante à ma grand-mère que, de loin, maman elle-même nous confondait.

Je n'étais pas la seule à porter des vêtements de deuil. Tout le monde en était revêtu. Tous les lieux où nous nous rendions, la place du village, les bords de la rivière, les champs, semblaient désertés, hantés par des fantômes. Maman m'emmenait à la messe chaque matin et elle y allumait toujours un cierge pour papa. Elle le faisait non seulement parce qu'il lui manquait, mais parce qu'elle sentait que Noni essayait de m'attirer hors du bon chemin des chrétiens. Et elle ne se trompait pas.

Si j'assistais fidèlement à la messe quotidienne, j'adressais toutes mes prières à la Sainte Mère, la suppliant de bientôt m'apprendre ce qu'il me fallait faire pour accomplir mon destin. Noni avait commencé à m'enseigner pour de bon les coutumes des *pagani*, les gens de la campagne, qu'elle appelait aussi la Race.

Je me suis vite aperçue que j'avais déjà observé une grande partie de ses rites magiques, telle que la manière dont elle emplissait les sachets d'herbes et les chargeait ensuite de magie au moyen d'une simple prière. Dès que j'ai repris suffisamment de forces pour me déplacer, elle m'a emmenée avec elle dans les champs afin d'y piller de la nourriture ; trop faible encore, maman ne nous accompagnait pas, si bien que ma grand-mère pouvait me parler des anciennes coutumes en toute liberté.

Je connaissais déjà la plupart des herbes, car elles avaient des applications médicinales. Mais Noni m'apprenait maintenant leur usage magique. Celui de la lavande, qui guérissait des sorts ; celui du romarin qui protégeait et restaurait la mémoire ; celui de la menthe pouliot qui était censée faciliter la Vision.

Elle m'a cependant montré deux herbes qui n'avaient d'autre usage que magique. Elles étaient dangereuses et par conséquent utilisées avec parcimonie, et uniquement par les personnes aguerries. Le moment venu, elle m'apprendrait à m'en servir. Il s'agissait de la jusquiame, qui permettait de voler, et de…

« Et voici la clé…, m'a-t-elle chuchoté avec grand respect, alors que, penchées près d'un vieux chêne, nous admirions un champignon difforme sans le moindre attrait, la clé du commencement. »

Elle employait toujours ce terme : *commencement*. Plus tard, je l'ai néanmoins entendu parler d'*initiation*.

Un jour que nous étions toutes deux à genoux, occupées à creuser dans le potager près de la maison, et que maman sommeillait à l'intérieur, Noni a levé le visage vers le ciel bleu, qui, en ce milieu de matinée, était d'une pureté absolue. Suivant son regard, je l'ai aperçue, suspendue très bas au-dessus de l'horizon : la lune fantomatique, cercle parfait d'un ivoire translucide.

– Une belle grosse lune, a-t-elle constaté d'un ton admiratif. La rencontre aura lieu ce soir. Prépare-toi.

Sans rien dire de plus, elle s'est remise à creuser.

Cette perspective m'avait coupé la parole, sinon je l'aurais noyée sous un déluge de questions. Au lieu de quoi, j'ai terminé ma tâche sans un mot, en apparence fort calme, alors que mon cœur et mon âme palpitaient et hésitaient entre la joie et la peur.

En fin d'après-midi, Noni a préparé un beau poulet et un ragoût de légumes. Je lui ai apporté l'écuelle de maman à remplir. Stupéfaite, j'ai vu ma grand-mère, le visage froid comme la pierre, verser dedans une grosse portion de ragoût qu'elle a recouverte d'une poudre. Puis elle a remué le tout avec la cuillère de maman à laquelle nous tournions le dos. J'ai questionné Noni d'un regard perçant. Pour toute réponse, elle a haussé les épaules et a ajouté un pilon de poulet dans l'écuelle.

Frémissante de culpabilité, j'ai apporté son repas à maman, me demandant ce qui allait se passer. Elle a mangé avec davantage d'appétit qu'elle n'en montrait d'ordinaire, pendant que Noni et moi nous attaquions à nos portions plus maigres, sans adjonction de poudre.

Une heure plus tard, avant même le crépuscule, maman ronflait déjà sur le lit. Ma grand-mère et moi gardions le silence, assises près du foyer dans lequel rougeoyaient encore quelques braises. Nous sommes restées là une heure de plus, plongée chacune dans notre rêverie et certainement dans des prières se rapportant aux événements à venir. Personnellement, j'ai demandé que le sacrifice du Juif – sa vie en échange de la mienne – n'eût point été vain et j'ai souhaité apprendre ce que je devais exactement faire, en qualité de servante de Diane.

La nuit était à présent vraiment tombée, mais le clair de lune entrait par les volets ouverts en un flot si lumineux que nous nous serions crues en plein jour. Main dans la main, nous nous sommes levées et nous sommes sorties de notre petite chaumière.

Sous la plante de nos pieds nus, l'herbe et les fleurs sauvages formaient un frais et tendre tapis. Nous nous sommes éloignées du village et de Toulouse dont les contours se dessinaient à l'horizon, sombres et hauts, contre le ciel éclairé par la lune. Je n'ai éprouvé nul étonnement lorsque nous avons pris le chemin de l'ancien bosquet d'oliviers. J'avais eu à maintes reprises l'occasion de voir la statue de bois de Marie lors des fêtes du printemps, quand elle était décorée de guirlandes fleuries ; je m'étais tenue moi-même sur la terre bénie devant l'image de la Vierge, à laquelle j'avais offert des bouquets comme les autres enfants. Chaque fois, j'avais eu conscience de me tenir sur un sol consacré à la Grande Mère. Par la suite, Noni m'avait appris que cette statue de bois avait remplacé une statue de pierre : celle de Diane, couronnée d'un croissant de lune.

Nous avons donc cheminé en direction du bosquet, sous les branches noueuses argentées et sous les feuilles poudrées de vert pâle ; très vite, la faible lueur bleue qui émanait de la clairière m'a fascinée.

Nous sommes arrivées à son orée, surmontée du dais céleste lumineux sur lequel scintillaient la lune et les étoiles. J'ai alors vu trois personnes enveloppées à l'intérieur d'un globe transparent d'un bleu vibrant : la statue de la Sainte Mère, avec sa guirlande de romarin, et deux êtres en pleurs, un homme et une femme, assis à l'intérieur d'un cercle qui venait d'être tracé sur le sol. À notre approche, ils ont levé la tête vers nous, ou plutôt vers ma grand-mère, et la joie a illuminé leurs visages baignés de larmes.

– Anna-Magdalena ! s'est exclamée la femme, pendant que le jeune homme s'écriait en même temps :

– Nous pensions que tu étais morte !

– Mes enfants ! s'est écriée à son tour Noni.

Elle m'a fait signe de ne pas bouger, s'est approchée du globe et de l'index, a pratiqué une ouverture dans la lueur bleue ; elle a aussi effacé une partie de la courbe tracée sur le sol. Obéissant à ses gestes, je me suis hâtée de passer par l'ouverture qu'elle venait de pratiquer. Elle l'a ensuite refermée, de manière à ce que le globe bleu nous enveloppe aussi et elle a redessiné la courbe avec son index.

La chose faite, elle a farouchement étreint la femme.

– Ah, Mattheline ! Ma Mattheline ! Sommes-nous les seuls survivants ?

– Les seuls, a répondu Mattheline en sanglots.

C'était une matrone d'une vingtaine d'années, voire vingt-deux ou vingt-trois ans, je ne saurais être précise car elle possédait un visage enfantin qui ne vieillirait jamais. Maigre comme un oiseau famélique, elle avait des cheveux blond vénitien veinés de mèches châtain clair et des yeux de la même couleur.

– Mon Guillaume est parti – et mon petit Marc aussi, mon petit homme !

Ma grand-mère l'a tenue à bout de bras.

– Mais le bébé, ta petite Clotilde ?

– Vivante, a-t-elle répondu, sans que sa voix s'égaie. Mais elle a la colique. Elle ne supporte pas la nourriture et je n'ai plus de lait…

– Ah, mes pauvres enfants !

Avec douceur, Noni a posé une main sur la nuque de Mattheline et lui a baisé tendrement le front.

– Nous voici réunis, en compagnie de la Déesse qui va nous aider…

Mattheline s'est écartée d'elle.

– Où donc était-Elle quand mon fils et mon mari sont morts ? a-t-elle demandé avec amertume.

– Tu parles comme une chrétienne, lui a reproché le jeune homme d'une voix grave et calme malgré les larmes qu'il venait de verser.

Il s'est penché pour étreindre ma grand-mère, d'une manière témoignant qu'il lui vouait la plus grande affection et le plus profond respect. C'est alors que j'ai compris que Noni avait toujours détenu l'autorité dans leur groupe. Les deux jeunes gens se sont écartés.

– Justin, a-t-elle murmuré. Et toi, mon fils, qui as-tu perdu ?

Forgeron de son métier, Justin était un gaillard de haute taille, solidement bâti. De notoriété publique, il était doué d'un caractère débonnaire et serein. Mais les larmes qu'il retenait ont fait frémir son visage tout en longueur.

– Mon père, ma mère, ma sœur, Amélie, mais les autres vont bien. Et ma… – il a inspiré pour essayer de ne point s'effondrer – ma Bernice.

Il a penché sa grande tête et s'est mis à sangloter éperdument, pendant que ma grand-mère, en pleurs elle aussi, lui caressait le bras et lui répondait :

– Mon Pietro est parti aussi. Et où sont Lorette, et Claude, Mathilde, Georges et Marie, Gérard, Pascal, Jehan et Jehanne-Marie ?

– Hélas ! a pleuré Mattheline. Nous étions treize, et nous ne sommes plus que trois.

Subitement, ses yeux se sont fermés comme ceux d'une chouette et elle a déversé un torrent d'accusations, inspirées par la peur, sur ma grand-mère.

– Le prêtre dit que la faute en revient aux *sorcières,* qui vénèrent le diable en secret. Elles lui baisent le cul et elles s'accouplent avec lui. Le père Jean dit qu'elles pratiquent la magie, comme nous. Mais leur magie est toujours maléfique, et ce qui leur plaît plus que tout, c'est de lancer des malédictions sur les gens simples. Elles errent dans la nuit à travers bois. Je suis terrifiée à l'idée d'en rencontrer une. Et puis elles volent les petits enfants et elles font fondre leur graisse pour fabriquer des onguents. J'ai pleuré quand j'ai embrassé ma petite Clotilde ce soir au moment de lui dire bonsoir.

Elle s'est tue, le temps de reprendre souffle, puis elle a continué :

– Le diable a l'air d'être un dieu très puissant. S'il est vrai que sa magie est assez forte pour nous amener la peste et pour détruire quasiment notre petit cercle, il est peut-être même plus puissant que notre Déesse…

– Assez ! a ordonné Anna-Magdalena en même temps que la jeune femme prononçait sa dernière syllabe. Mattheline, voici ce qui arrive quand on écoute le prêtre : la peur et la méfiance. Cela fait trente ans que je viens la nuit dans la forêt et je n'y ai jamais rencontré le moindre scélérat. Et je me refuse à entendre ces fariboles selon lesquelles leur diable, le plus anodin de leurs quatre dieux, serait plus puissant que Celle qui est la Mère de tous les dieux.

« Ces histoires qu'on raconte sur les méchantes sorcières qui auraient amené la peste sont les mêmes que celles qui ont circulé il y a vingt ans, à la suite des mauvaises récoltes et de la disette qui s'était abattue sur tout le Languedoc. Ils recommencent à brûler les Juifs : nombre d'entre eux se sont déjà enfuis vers le sud, afin de chercher refuge en Espagne. »

Ma grand-mère a pris le temps de réfléchir. On aurait dit qu'elle portait un fardeau.

– Il nous faut cependant, en tant que groupe, faire très attention de ne jamais être surpris lorsque nous fabriquons des sorts ou que nous nous rencontrons ici dans la forêt. Sinon, nous serons accusés de sorcellerie et brûlés sur le bûcher. Que les sorcières existent ou non, les prêtres et les villageois feront en sorte d'en trouver.

– Si les sorcières n'existent point, a répondu Mattheline d'un ton témoignant d'une douleur si profonde et si simple que mes larmes retenues m'ont piqué les yeux, et si la Déesse exerce la plus puissante de toutes les magies, pour quelle raison n'a-t-elle pas sauvé ceux que nous aimions de cette mort atroce ?

– La Déesse apporte la vie et la joie ; elle doit donc apporter aussi la mort et la souffrance. Tel est le coût pour pénétrer en ce monde ; comment connaîtrions-nous l'un si nous ne connaissons pas l'autre ? a demandé Anna-Magdalena d'une voix douce.

Elle a pris la main de la jeune paysanne dans la sienne pour l'attirer plus près de nous.

– Regarde donc : *nous* sommes en vie. N'y a-t-il point là matière à nous réjouir ? Et nous ne sommes pas seulement trois, mais quatre. Je vous présente ma petite-fille, Sybille.

Ces présentations ne paraissaient pas nécessaires : je connaissais ces gens depuis toujours. Ma famille n'avait jamais eu à recourir aux services d'un forgeron, mais Justin et son père travaillaient non loin de la place du village, et nous passions souvent devant leur forge. Et puis nous avions eu l'occasion de le voir, l'air énamouré, dévorer des yeux sa fiancée, Bernice. Et j'avais souvent rencontré Mattheline et son mari au marché du village.

Cela ne m'a point empêchée ce soir-là de me trouver aussi gauche qu'une étrangère en leur compagnie, car je les voyais sous un jour totalement différent.

Les yeux rougis, Mattheline s'est ressaisie avec dignité, s'est avancée d'un pas et a déposé un baiser, léger comme une plume, sur mes deux joues.

– Bienvenue dans la fraternité.

Justin a fait de même, mais ses baisers, quoique plus appuyés, étaient beaucoup plus timides. La caresse de sa barbe contre ma joue m'a coupé le souffle. Il a plongé les yeux dans les miens et j'ai constaté deux choses : la couleur verte de ses prunelles et le grand émoi que m'inspirait la subite bouffée de chaleur montée du fond de mon ventre jusqu'à mes joues. Qui n'était passée inaperçue d'aucun d'entre eux, j'en étais convaincue.

Je vais maintenant vous narrer quelque chose qui vous convaincra que je suis folle, car ce que j'ai Vu était tout à fait impossible ; mais je l'ai pourtant Vu. Et je vous le dis, frère : vous Verriez aussi de telles choses si vous n'aviez point oublié comment Regarder.

Alors que je m'écartais de Justin, j'ai aperçu, suspendu servilement au-dessus de Mattheline et la dépassant de deux bonnes têtes, un gigantesque chat noir, plus grand que le plus grand homme de ma connaissance. Assis sur son arrière-train rebondi, il serrait ses griffes comme des mains. Sa tête (une tête effrayante, avec ses crocs épais qui remontaient de ses babines inférieures, en dépit de son expression aimable) était penchée vers sa maîtresse, comme s'il craignait de rater le moindre de ses changements d'expression ou le plus faible de ses chuchotements. De temps en temps, il s'estompait, si bien que je voyais à travers lui. À un moment donné, il a même complètement disparu. À la vérité, j'ai craint avoir sombré dans la folie ou avoir avalé une herbe que Noni aurait glissée à mon insu dans mon dîner, mais, aux alentours, tout le reste me paraissait normal.

Jusqu'au moment où j'ai voulu faire part tacitement à Noni de cette apparition ; là, debout tranquillement à côté de ma grand-mère, se tenait le spectre évanescent d'un beau jeune homme, la tête enveloppée dans le turban blanc des Turcs. Cette créature a joint ses mains fantomatiques et, le visage affable, elle s'est inclinée très bas pour m'accueillir ; je lui ai répondu d'un petit signe de tête que j'espérais invisible des autres.

Quant à Justin, il était accompagné d'un doux esprit féminin qui ressemblait à sa Bernice bien-aimée enfant.

Dans des Visions ressemblant à des rêves, j'avais déjà vu des choses tout à fait indépendantes de la réalité. J'avais vu des bébés à l'intérieur du ventre de leurs mères en couches. Mais je ne m'étais jamais retrouvée sur mes deux pieds, en train de contempler des créatures manifestement venues d'un autre monde, et cela m'a fort décontenancée. J'ai voulu prendre la main de Noni qui a remarqué mon expression déconcertée. Elle m'a fait signe de garder ma langue. J'ai donc obtempéré, faisant comme si de rien n'était pendant toute la suite de cette scène, puisque ni Mattheline ni Justin n'avaient remarqué nos invités de l'autre monde ; à vrai dire, je pense que Noni elle-même ne les voyait pas vraiment.

Noni a fini par lâcher ma main. D'un geste, elle nous a fait comprendre que nous devions nous placer à sa file dans le cercle. Nous l'avons imitée. J'ai observé les autres, de manière à pouvoir effectuer les mêmes mouvements qu'eux.

Anna-Magdalena s'est placée face au nord – là où, derrière la déesse de bois et le rideau vert sombre de feuilles d'oliviers, dormait la ville de Toulouse, plongée dans l'obscurité et impénétrable. D'une voix profonde et gutturale, elle a entonné une psalmodie dans sa langue natale (je l'ai en tout cas pensé, car je n'en comprenais pas un seul mot), lentement pour commencer. Puis elle a accéléré et le ton de sa voix s'est peu à peu élevé…

J'ai levé la tête vers le ciel. La lune et les étoiles projetaient leur lumière vers un point situé tout là-haut au-dessus de notre petit cercle. J'ai vu cette lumière devenir de plus en plus éblouissante, puis se mettre à tourner. *Deosil,* m'avait expliqué Noni ; la direction d'un cadran solaire, la direction de l'invitation, de l'union. Le tourbillon de lumière allait de plus en plus vite, formant un vortex qui ne cessait de descendre, jusqu'au moment où il a pénétré le fin voile bleu qui nous enveloppait et entouré Anna-Magdalena.

Comme ma grand-mère est devenue belle ! Je ne distinguais point son visage, mais je l'ai vue se redresser, gagner en vigueur, grandir, comme si la lumière s'insinuait dans ses os et l'aspirait vers les cieux. Lorsqu'elle a levé les bras pour accueillir cette lumière descendante, ses manches sont retombées, dévoilant sa peau, non plus tannée par le soleil et parcheminée par l'âge, mais incandescente, éclairée d'une lumière aussi forte que celle de la lune. Si rayonnante que j'ai cligné des yeux et que la silhouette arachnéenne de l'esprit turc est devenue invisible.

La tête d'Anna-Magdalena est retombée en arrière et elle a perdu sa guimpe. Sa chevelure bleu nuit dénouée, striée de mèches argentées lumineuses, retombait jusqu'à sa taille. Elle s'est redressée, elle a baissé les bras et, désignant le nord, elle a crié un commandement d'une voix très aiguë.

Incapable de contenir ma joie, j'ai ri aux éclats, car l'air s'était animé. Il vibrait, comme habité par l'énergie d'un millier d'abeilles bourdonnantes ou par le tourbillonnement d'une tornade. Justin et Mattheline m'encadraient. Ils observaient ce spectacle avec enchantement, sans avoir conscience de ma jubilation.

Puis Anna-Magdalena – et quelque chose de bien plus grand qu'Anna-Magdalena – s'est tournée vers l'est, traçant de l'index, en même temps qu'elle pivotait, un épais ruban de lumière dorée au niveau de sa taille. Je me souviens encore du spectacle qu'offrait de profil son beau visage devenu sans âge.

Un troisième tour, suivi d'un autre, et nous nous sommes retrouvés face au nord, complètement cernés par l'anneau d'or miroitant ; autour de nous, ce qui n'était auparavant qu'un fin voile bleu s'était transformé en un globe de saphir solide, moucheté de taches dorées.

Un globe au travers duquel j'étais capable de voir. À ma stupéfaction, j'ai Vu des êtres se dresser juste à l'extérieur du cercle. Dans chacune des directions vers lesquelles Anna-Magdalena s'était placée, des géants atteignaient presque le ciel. De chacun irradiait une couleur différente : les verts et les bruns moussus de la terre ; le jaune chatoyant de la lumière du soleil ; les rouges et oranges fulgurants des flammes ; et le bleu profond de la mer. Des géants, dis-je ici, mais seuls deux d'entre eux, les jaune et vert mousse, avaient une apparence vaguement humaine. Les autres, rouge et bleu, étaient plutôt constitués d'énergie pure, colonnes de lumière vivante prismatique qui faisaient davantage songer au soleil, à une étoile ou à la lune qu'à une personne ou à une créature.

Ces géants sans visages, d'aspect tout aussi froid et ordinaire que la pierre ou la Mort, ne m'ont cependant inspiré aucune crainte, car il était évident qu'ils tenaient un rôle de sentinelle, qu'ils nous gardaient, prêts à nous servir si nous leur en donnions l'ordre.

Derrière eux, hors du réconfort lumineux du cercle, planait une pléthore d'êtres informes, prêts à prendre tous les contours que l'on imprimerait sur eux ; d'autres s'accrochaient avidement comme des sangsues à ceux qui n'avaient pas la volonté de les rejeter.

Mon attention s'en est vite détachée, car Noni s'est tournée dans notre direction, incarnation de la Déesse dont la statue se trouvait derrière nous. Son visage irradiait, ses mains et ses bras étaient légèrement ouverts en ce même geste d'invite qu'avait Marie sur de nombreuses statues. La luminosité qu'elle dégageait – qui *émanait* de son être – m'a blessé les yeux, mais ce spectacle exerçait une séduction bien trop grande pour que j'en détourne le regard.

À mes côtés, Justin et Mattheline eux-mêmes en sont restés abasourdis, alors qu'ils avaient sans doute souvent déjà vu la Déesse incarnée en ma grand-mère. Anna-Magdalena a alors demandé :

– Que souhaitent mes enfants de moi ?

Mattheline s'est inclinée et lui a répondu avec un véritable respect :

– Ma petite fille, ma Clotilde est malade ; je voudrais qu'elle guérisse.

En guise de réponse, ma grand-mère a tendu les mains vers Mattheline sur ma dextre et Justin sur ma senestre. À leur tour, ils ont pris les miennes.

J'ai immédiatement senti une étincelle, comme celles que l'on ressent parfois par un hiver froid et sec. Ils m'ont communiqué un courant d'énergie qui m'a traversée, pareil au picotement de la foudre qui n'a pas encore touché terre. Ces sensations se sont intensifiées lorsque nous avons commencé à marcher lentement de côté, de manière à ce que notre petit cercle, placé à l'intérieur du grand, se déplace *deosil*. C'était Anna-Magdalena qui nous entraînait. Peu à peu, elle a accéléré le rythme, psalmodiant des mots dans cette langue que je ne comprenais toujours pas, hormis une seule expression :

Diana, Diana, la bona Dea...

Les autres se sont joints à elle et je les ai suivis de mon mieux, jusqu'au moment où Mattheline a incliné son visage contre le mien et a répété lentement la psalmodie, en m'expliquant :

— Nous imaginons un grand cône blanc dont la pointe se trouve au centre de notre cercle ; il va forcir et forcir jusqu'au moment où nous l'enverrons à ma Clotilde.

Et c'est bien cela que j'ai Vu au milieu de nous : un vortex de lumière blanche qui, comme nous, tournoyait de plus en plus vite. La nuit était fraîche, mais nous avons vite été trempés de sueur, provoquée non pas notre danse, mais par l'extraordinaire chaleur qui irradiait de ce cône. Nous avons continué à psalmodier sur un ton de plus en plus aigu. J'ai cru que nos voix ne pourraient pas monter plus haut, mais elles ont néanmoins continué à grimper.

La chaleur, le courant d'énergie et la psalmodie qui faisaient vibrer chaque parcelle de mon cœur ont abouti à une extase presque insoutenable ; le cône s'était alors tellement élargi et il avait tellement grandi qu'il perçait le sommet de notre globe bleu et nous engouffrait. Il était si opaque que je ne pouvais plus voir Noni, juste en face de moi.

C'est alors que j'ai entendu ma grand-mère hurler :

— *Maintenant !*

Notre danse s'est subitement achevée par un halètement collectif et nous nous sommes effondrés les uns sur les autres. Noni, Justin et Mattheline ont levé leurs bras tout droit vers le ciel (ce qui m'a bien évidemment incitée à faire comme eux) ; tandis qu'ils effectuaient ce geste, l'énergie est sortie de nous et s'est élevée. Le cône ouvert a fusé dans le ciel nocturne, à la recherche du bébé de Mattheline.

Et il l'a effectivement trouvée. Je l'ai *Vu* tourbillonner au-dessus de notre petit village, pénétrer par la porte légèrement entrouverte d'une chaumière, sur le grand lit de laquelle un nourrisson de quelques mois emmailloté dormait d'un sommeil agité. C'était une petite fille au teint pâle et maladif. Elle avait un crâne chauve comme celui d'un nouveau-né, une peau cireuse, des joues hâves et des cernes sous les yeux, beaucoup trop larges pour un si petit visage. Le cône de lumière l'a engouffrée par son extrémité la plus large, tout à fait comme la baleine avait avalé Jonas.

Lentement, son corps a absorbé la lumière, jusqu'au moment où il a paru irradier de l'intérieur. Le teint jaune de sa peau s'est mué en un rose tendre évoquant le velouté d'une pêche. Je l'ai vue exhaler un suave petit soupir et s'enfoncer dans un autre sommeil, profond et revigorant.

Mes compagnons n'avaient rien Vu, mais leurs yeux brillaient et leurs visages empourprés exprimaient l'exubérance. Cette expérience nous avait tous épuisés et enivrés ; personnellement j'éprouvais une véritable jubilation, car je venais d'avoir la preuve d'un autre aspect du pouvoir de la Déesse.

Ce ne fut pas le seul sortilège que nous avons accompli cette nuit-là. Noni avait emporté des herbes à l'intérieur du cercle de lumière. Nous les avons chargées d'un pouvoir magique, puis nous les avons mangées afin que la Déesse aide notre petit village à survivre à l'automne et à l'hiver.

Nous lui avons également adressé directement nos prières et Noni lui a fait des demandes, par l'intermédiaire de ses psalmodies. Pour finir, Anna-Magdalena est entrée dans chaque quartier du cercle afin de renvoyer, l'un après l'autre, chacun de nos gardiens géants. J'en ai été déçue, car c'était la première fois que j'éprouvais une telle liberté au cours d'une Vision, accompagnée de la présence si constante de la Déesse : j'aurais voulu que ce cercle ne fût jamais rompu.

À l'instant précis où le géant jaune chatoyant se tournait pour s'éloigner, j'ai entrevu un globe de lumière blanche au-delà, fixe comme un phare. Cette vision m'a emplie d'une joie inexplicable, car je savais que c'était *moi* que cette lumière attendait.

Mais lorsque le gardien couleur saphir de l'ouest s'est évanoui, j'ai aperçu une colonne du plus obscur des noirs…

Non, me servir des termes *obscur* ou *noir* pour décrire ce que j'ai Vu, c'est leur faire insulte à tous les deux. Car sans le doux soulagement que nous procurent l'obscurité et le noir parés des bijoux de la nuit, nous en viendrions à haïr l'éclat du jour. Ce vide n'était en effet ni sombre ni lumineux, il était l'absence désolée de tout : toute vie, tout espoir.

Lui aussi m'attendait.

Mes genoux ont commencé à trembler ; j'ai cependant réussi à rester debout pendant que Noni détruisait le cercle. Lorsqu'elle a eu renvoyé chaque sentinelle et effacé du pied le dernier arc dessiné sur le sol (ce qui a provoqué la disparition du globe bleu et de l'anneau d'or en même temps que celle de toutes les créatures surnaturelles), j'ai demandé :

– Le Cercle est toujours aussi court ?

Mattheline s'est hâtée de répondre avant Noni :

– Non. Souvent, il dure presque jusqu'à l'aurore ; mais tu n'as point encore pris le Chemin et tu n'en connais point les secrets. Le moment voulu, dans un an peut-être…

– Sa cérémonie de commencement se tiendra lors de la prochaine lune, est intervenue Noni qui ne s'exprimait plus par la voix de la Déesse, mais par celle, coupante et prête à la contradiction, de ma grand-mère.

Mattheline a haussé ses fins sourcils pâles.

– Un *mois ?* Pour quelle raison la petite-fille de la prêtresse n'attendrait qu'un mois alors que j'ai attendu huit ans et Justin neuf ?

Ce dernier a posé une main sur son épaule.

– Mattheline, lui a-t-il reproché, c'est *elle* la prêtresse, elle a le droit de…

Mattheline s'est calmée et n'a rien ajouté, mais une petite ride de désapprobation continuait à barrer son front.

– Tu as toujours su que ma Sybille possédait le double don de la Vision, a expliqué Noni. Depuis toujours, je l'ai formée à prendre le Chemin : je ne l'ai amenée aujourd'hui que parce qu'elle est prête. À la prochaine lune, elle sera initiée.

Rien d'autre n'a été ajouté cette nuit-là, jusqu'à ce que Noni et moi prenions congé des autres pour regagner notre logis. Alors que nous traversions la prairie, ma grand-mère m'a dit après un long silence :

– Justin est un bon garçon. Il ne possède point la Vision au même degré que sa mère, mais sa famille appartient à la Race.

– Mais pas celle de Mattheline, me suis-je avancée.

Ma grand-mère a inspiré, puis elle a poussé un soupir.

– Si, elle la possédait lors des générations précédentes. Mais de pauvres mariages la leur ont fait perdre. Cela n'empêche pourtant pas Mattheline d'être attirée vers le Chemin.

Il y a eu un autre silence. Je sentais entre nous des paroles non exprimées suspendues dans l'air, mais j'ai attendu que Noni dise :

– C'est ton destin, mon enfant, d'aller au-delà de notre petit cercle. La pestilence perd de son emprise, mais d'autres dangers plus graves nous menacent. Ta Vision est plus forte que la mienne et, d'ici un mois, ta magie le sera aussi. Lorsque viendra le moment…

– Mais quelle plus grande magie peut-il y avoir dans notre village que celle que j'ai vue cette nuit ?

– Celle qui est en toi, Sybille. Ton destin est ailleurs.

Elle s'exprimait d'une voix plus douce, avec un tel respect que j'en ai été décontenancée. Pourtant, j'avais conscience de la gravité de l'instant, car Noni m'appelait rarement par mon prénom français lorsque nous étions en tête-à-tête.

– Mais je ne comprends point...

– Tu comprendras en temps voulu. Tiens.

De la poche de sa robe noire, elle a sorti un petit sachet noir, attaché lui aussi à une cordelette, et elle me l'a tendu.

– Il te protégera de toutes les influences néfastes pendant cette période importante, car tu n'as jamais été plus vulnérable.

J'ai pris le sachet et je l'ai accroché avec gratitude autour de mon cou. Noni gardait la main tendue, comme si elle attendait quelque chose.

– Le charme en or, tu l'as gardé ?

– Oui.

Subitement, l'idée de m'en séparer m'a inspiré la plus vive répugnance.

Me voyant hésiter, Noni a eu un geste d'impatience.

– Mon enfant, tu ne peux subir à présent aucune autre influence que celle de la Déesse. Le talisman du Juif t'a sans nul doute protégée, il t'a empêchée de succomber à la fièvre, mais mon charme à moi ne te protégera pas seulement en ce monde, mais dans le monde invisible, qui sait désormais que tu existes. J'ai besoin de ce talisman maintenant. Ne peux-tu me faire confiance ?

Sans oser protester, j'ai fait glisser la chaîne d'or et le talisman par-dessus ma tête et je les ai laissés tomber dans la main de ma grand-mère.

– Ils seront sous bonne garde, m'a-t-elle promis.

C'est seulement plus tard que j'ai vraiment compris ce qu'elle voulait me dire.

Au cours du mois précédant mon initiation, j'ai eu le temps de réfléchir aux paroles qu'avait prononcées Noni. Pourtant, la Déesse ne m'était jamais apparue si lointaine, et mes idées n'avaient jamais été si embrouillées et ne m'avaient jamais autant tiraillée. *Ton destin est ailleurs...*

Une idée insensée. Pour quelle raison aurais-je quitté mon village ? Je n'abandonnerais jamais Noni ni ma mère. Jamais...

Lorsque ces idées effrayantes s'emparaient de moi, je m'en détournais en tentant d'imaginer ma vie de femme de forgeron. Quelques jours après mon premier cercle, Justin avait rendu visite à ma mère et l'avait convaincue que je devais me fiancer avec lui, étant donné qu'il restait peu d'hommes à marier. La chose s'était conclue. Une date avait été fixée pour septembre, le mois suivant, et il m'avait offert le métier à tisser de sa mère décédée. La perspective d'épouser Justin ne m'était point désagréable, car il était jeune et bien de sa personne. Il avait bon caractère, un torse musclé et des épaules éveillant en moi des pensées qui n'avaient rien d'enfantines. Maman était satisfaite, car Justin et ses sœurs survivantes faisaient partie des gens les plus riches du village. Son vieil âge serait donc bien pourvu. Toutes ses conversations tournaient à présent autour de ce prochain mariage. Mais un sombre changement était survenu en elle depuis le décès de papa. Elle n'avait plus aucun appétit, ses joues blafardes étaient caves et ses yeux emplis de soupçons.

Le soir, lorsque, assises au coin du feu, nous cousions ma courtepointe de mariage, j'écoutais respectueusement tous les conseils qu'elle me prodiguait. Maman versait souvent des larmes à la pensée de la courtepointe qu'elle avait fabriquée vingt ans plus tôt, après ses fiançailles avec papa. Quant à moi, j'avais le cœur et l'esprit davantage fixés sur mon initiation à venir et sur l'étrange distance qui grandissait entre moi, la Déesse et la Vision.

Le grand jour a fini par arriver – ou plutôt la nuit, une nuit chargée de nuages plombés qui cachaient le ciel d'un noir plus sombre encore et déversaient une pluie chaude et drue. Pendant que Noni et moi attachions nos capes près de maman qui dormait à poings fermés, mes nerfs ont cédé. Mes doigts tremblaient. Je n'éprouvais ni l'exaltation ni l'anticipation auxquelles je m'attendais, mais une véritable peur. J'étais incapable de croiser les yeux de Noni, et elle n'essayait pas de croiser les miens. Nous sommes sorties de la chaumière sous la pluie, sans échanger une parole. Ma grand-mère marchait d'un pas déterminé, elle se déplaçait à une vitesse inaccoutumée et, dans mes efforts pour me maintenir à sa hauteur, j'ai vite été en nage sous ma cape et ma robe.

Nous avons pris le chemin du bosquet d'oliviers. C'est en tout cas ce que j'ai pensé, jusqu'au moment où Noni a subitement bifurqué à senestre, vers les collines qui se dressaient à l'est de notre village. Nous sommes entrées dans la forêt de chênes et de résineux, glissant ici et là sur le tapis de feuilles mortes, gravissant la pente douce où les ramures des vieux arbres nous protégeaient de la pluie.

Une silhouette a bondi de derrière un arbre : un homme de haute stature, masqué et drapé de noir. Il était pourtant impossible de se méprendre sur l'éclat de son épée.

Un gendarme, ai-je pensé avec frénésie. Nous allions être arrêtées et brûlées comme sorcières. J'ai poussé un cri et je me suis effondrée à genoux.

– Halte là ! a-t-il ordonné.

Un soulagement indicible m'a envahie lorsque j'ai reconnu la voix de Justin. Pourtant ce n'était pas vraiment elle, tout comme la voix de prêtresse de ma grand-mère avait été la sienne, et autre chose aussi. Une silhouette plus petite, également masquée, est apparue derrière lui. J'ai reconnu Mattheline. Il ne s'agissait donc que de Justin et de Mattheline qui effectuaient un rite séculaire. Mais lorsque la matrone a noué un bandeau autour de mes yeux et que j'ai senti la pointe acérée comme un rasoir de l'épée de Justin qui s'enfonçait dans ma robe, au point de faire une légère encoche dans le tissu entre mes seins, un frisson de peur m'a parcouru.

– Malheur à toi, m'a-t-il avertie, si tu révèles le nom d'un seul de tes Frères ou de tes Sœurs à ceux qui n'appartiennent point à la Déesse, et même si tu La renies ! Car tu seras alors l'objet de Sa malédiction. Elle déversera sur toi tout Son courroux et toute Sa fureur, et nous le ferons aussi. Nous te poursuivrons, non seulement en ce monde, mais dans tous les autres. Non seulement en cette vie, mais dans toutes celles à venir. Tu comprends ?

– Je comprends, ai-je répondu, d'une voix si faible que j'ai eu du mal à la reconnaître comme mienne.

– Jures-tu donc sur ta vie et sur la magie que tu seras fidèle à la Déesse et au Cercle et que jamais, même menacée de mort, tu ne révéleras les noms de tes frères et de tes sœurs ni de quiconque appartenant à la Race ?

– Je le jure, sur ma vie et sur la magie.

– Alors sois initiée, a-t-il dit.

La pointe qui s'enfonçait entre mes seins a disparu.

On m'a relevée, sans douceur ni bonté, et on m'a poussée plus haut sur la colline. Je grimaçais lorsque je posais le pied sur une pomme de pin tombée à terre. Nous avons continué notre montée, jusqu'à ce que je les entende haleter derrière moi. La pente s'est finalement aplanie et on m'a guidée, au-dessus de rochers humides, sans doute à l'intérieur d'une grotte, car la pluie a cessé aussi subitement de tomber que le sol que je foulais s'est asséché.

On m'a fait asseoir de force contre une froide paroi de pierres. Au-dessus de moi, Noni a ordonné :

– Avale !

On a pressé un pilule contre mes lèvres. J'ai ouvert la bouche pour la mâcher, car elle me semblait trop grosse pour que je puisse aisément l'avaler. Son goût était si immonde, si amer, que j'ai eu tout de suite un haut-le-cœur. J'ai failli la recracher, mais quelqu'un a porté un bol à mes lèvres, tandis qu'on m'ordonnait :

– Avale !

J'en ai fait descendre une gorgée. À mon grand soulagement, c'était du thé à la menthe. J'ai quand même eu du mal à ingurgiter la pilule et je me suis blottie un certain temps contre la paroi froide, en proie à de misérables renvois, tandis que Noni me faisait avaler d'autres gorgées de la tisane.

Ces nausées ont fini par se calmer. J'ai voulu me lever et ôter le bandeau, mais je n'en ai pas eu le temps. D'une poussée sur mes membres, mes côtes et mes épaules, mes trois compagnons m'ont obligée à m'allonger. La lassitude s'était emparée de moi et je me suis laissée faire sans opposer de résistance.

Plus bas, plus bas, plus bas vers le sol, plus bas vers la Déesse…

À l'extérieur de la grotte, le tambourinement de la pluie ; à l'intérieur, celui, presque assourdissant, de ma propre respiration.

Des mains douces ont dénoué ma cape trempée, pendant que d'autres, plus petites, des mains féminines, soulevaient mes jupes pour frotter mes jambes, avec lenteur et régularité. J'ai vite compris qu'elles faisaient pénétrer dans ma peau un onguent aux herbes odoriférant. Le résultat a été presque immédiat : ma respiration s'est faite lente et lourde, mon attitude passive et satisfaite. J'ai éprouvé pur plaisir à sentir glisser sur la peau de mes bras et de ma poitrine le tissu élimé de ma robe et de ma chemise qu'ils m'enlevaient, sans que ma nudité ne m'inspire la moindre inquiétude…

Dehors, un roulement de tonnerre a retenti, profond et magnifique. Allongée en transe dans la caverne, je l'ai senti gronder en moi, pendant que ces trois paires de mains se déplaçaient lentement, avec sensualité, le long de mes bras et de mon corps, et qu'ils fredonnaient à l'unisson une psalmodie sans paroles dont le ton est devenu de plus en plus aigu, jusqu'à se transformer en un fol bourdonnement d'abeilles. J'ai éclaté de rire.

161

Les massages se sont ralentis abruptement. Je n'étais plus capable d'identifier séparément ces mains. J'avais l'impression de recevoir une seule grande caresse. J'ai senti mon corps se contracter et se dilater comme celui d'une femme en couches, sans éprouver de douleur, mais avec les mêmes efforts et le même désespoir qu'elle, car j'essayais de donner la vie à quelque chose, de me libérer...

Un feu atroce, glacial, a dévoré mon corps ; je me suis redressée et j'ai vomi, à quatre pattes sur le sol.

Je me suis sentie tout de suite soulagée. Après m'être assise, j'ai ôté mon bandeau et j'ai constaté que j'étais seule et qu'il faisait aussi clair dans la caverne qu'en plein jour – une clarté aveuglante à mes pauvres yeux hébétés – car un feu avait été allumé près de son ouverture, à un jet de pierre environ de l'endroit où je me trouvais. Assez loin donc, mais je le voyais avec une clarté extraordinaire, à vrai dire surnaturelle : un feu aussi éclatant que le soleil, lançant mille éclats comme une pierre précieuse, paré de langues saphir, rubis et émeraude et tissé de fils cuivrés, argentés et dorés. S'il faisait nuit au-delà, je ne le voyais point, car j'avais l'impression que le monde entier s'était embrasé.

Si je me souviens d'un seul détail de mon expérience, c'est de l'éclat de cette lumière.

J'ai levé une main pour en protéger mes yeux endoloris, mais elle était si glorieuse que je n'ai pas pu détourner le regard. Le feu jaillissait, grandissait et s'élargissait à l'unisson de chacune de mes respirations ; en même temps, les couleurs qui le composaient se sont obscurcies : le cuivre, l'argent et l'or se sont fondus en cramoisi menaçant, le saphir et l'émeraude en noir.

Ces flammes sombres étaient dévorantes et sans pitié. Je me suis recroquevillée, m'agrippant en vain à la froide paroi de la grotte, et j'ai vu les serpentins rouge sang avancer vers moi. Une seule étincelle rougeoyante a fusé en l'air puis elle est retombée, transformée en braise lorsqu'elle s'est posée sur ma jambe. J'ai hurlé de peur et de surprise.

J'étais cependant toujours incapable de détourner les yeux, car je savais que dans ces flammes se trouvaient mes visions et mon destin. Tout en me recroquevillant, je me suis rapprochée du feu, j'ai scruté les flammes, et j'ai Vu :

En miniature, des milliers et des milliers d'hommes et des milliers et des milliers de femmes, nés il y a un millénaire ou à naître d'ici un millénaire et pendant toutes les années intermédiaires : musulman et juif, chrétien, païen et athée, lépreux et en bonne santé, esclave, serf et marchand, seigneur et dame, tous prisonniers des flammes et hurlant de souffrance. Beaucoup imploraient la Déesse par tous Ses noms ; d'autres, qui n'appartenaient point à la Race, s'en prenaient à leurs propres dieux ou à l'humanité elle-même, suppliant qu'un terme fût mis à une telle cruauté. Tous paraissaient embrasés pour l'éternité.

Désespérée, j'ai crié le nom secret de la Déesse.

Et Elle m'a répondu, d'une vague subite de chaleur dans mon cœur qui n'avait rien de douloureux, mais qui était réconfort pur, vie pure.

Je me suis retrouvée dans la caverne, à bonne distance du feu, qui me paraissait à présent moins menaçant et moins brillant. Pourtant, je n'étais point libre de me lever, car Justin était allongé sur moi. Sa chair se pressait contre la mienne, ses lèvres erraient sur ma joue et mon cou et sa senestre empoignait l'un de mes seins. D'un geste fluide mais ferme, il a passé sa dextre entre mes cuisses pour les écarter. Puis il a soulevé le haut de son corps en s'appuyant sur un seul bras. Lui aussi avait quitté les frontières du monde réel pour me rejoindre ; ses yeux avaient pris la couleur voilée, gris vert, d'une mer démontée ; leurs pupilles élargies étaient d'un noir insondable.

Comme il avait l'air sauvage cette nuit-là, avec ses cheveux ébouriffés, son corps dénudé que l'onguent faisait luire et que la terre du sol de la grotte avait souillé ! À mes yeux, les muscles de ses bras et de sa poitrine étaient beaucoup plus beaux que n'importe quelle représentation qu'en aurait faite un peintre ou un sculpteur. Fascinée, j'ai levé une main pour les effleurer. Les sentant frémir à mon contact, j'ai ri doucement. J'ai fait glisser mes doigts de son épaule à son torse puis à son ventre. Ils se sont arrêtés sur le nid, doux et sombre, de poils pubiens d'où émergeait son membre viril érigé, que le sang faisait palpiter.

Je l'ai timidement touché, en proie à une curiosité naïve et au besoin subit et dévorant d'en être transpercée ; mais sous ces deux envies, une petite voix silencieuse s'est fait entendre.

Le moment n'est point venu...

Sans me laisser le temps de m'exprimer, Justin a lâché mon sein afin de guider son membre entre mes cuisses, puis il s'est cambré pour se glisser en moi avec un gémissement.

J'ai éprouvé une douleur passagère mêlée à un plaisir intense ; à la seconde poussée, un désir désespéré m'a fait gémir aussi.

Mais pas pour Justin. Pas pour Justin... *Le moment n'est point venu...*

163

Je me suis sentie possédée d'une vigueur incroyable et, aussi aisément que j'aurais balayé une mouche, je l'ai repoussé à contrecœur et je me suis assise.

Il est retombé sur une hanche, pantelant, et en cet instant j'ai vu des émotions éternelles s'inscrire sur son visage : le désir charnel, une blessure sincère suivis du chagrin de réaliser qu'il ne retrouverait jamais en moi sa bien-aimée Bernice.

Sa soif de moi renaissant, il a voulu me reprendre dans ses bras. Je l'ai repoussé et je lui ai dit, le plus gentiment possible :

– Non, tu n'es point l'Élu.

– Mais tu y es obligée, a-t-il répondu d'une voix plaintive comme celle d'un enfant. C'est la manière de commencer.

– Pas pour moi.

Je me suis levée et j'ai constaté que mes membres avaient retrouvé leur force et que je n'éprouvais plus aucun vertige ni aucun malaise. Quant à Justin, il n'a pas protesté davantage. Il s'est juste affaissé sur le sol, ses yeux vides fixés sur le plafond de la grotte.

J'ai couru d'un pied léger vers l'ouverture de la caverne. Le feu ne m'inspirait plus aucune crainte, juste le plaisir de sa chaleur. Une main posée sur la paroi, j'ai scruté à l'extérieur.

La pluie avait cessé de tomber et le rideau de nuages avait été tiré, révélant des étoiles si lumineuses que leur rayon de lumière atteignait presque la Terre ; la lune, énorme et opalescente, était veinée de bleus et de roses chatoyants. Elle émettait un tel rayonnement que je distinguais chaque gouttelette d'humidité suspendue à chaque feuille de la forêt.

Une fois de plus, j'étais en compagnie de la Déesse.

J'ai ri doucement, et j'ai aperçu un petit cercle de lumière blanche au loin, qui se déplaçait entre les arbres. Il s'est élargi au fur et à mesure qu'il se rapprochait et, lorsqu'il est arrivé devant moi, il me dépassait en hauteur et en largeur.

Cette lumière était celle qui m'attendait à l'extérieur du Cercle lors de la lune précédente. Dans l'espoir de recevoir à présent une Vision de la Déesse, je me suis agenouillée…

… mais de la lumière a émergé un vieillard, dont la barbe poivre et sel et les cheveux descendaient jusqu'à la taille. C'était le Juif qui m'avait sauvée, l'échine courbée et vêtu comme de son vivant, l'insigne de feutre jaune épinglé à sa sombre tunique de marchand. De ses yeux sombres aux blancs jaunis par l'âge émanait un amour infini qui a fait monter les larmes aux miens.

– Jacob, l'ai-je salué, émerveillée de connaître son nom et réalisant en même temps que je l'avais toujours connu, de même que j'avais toujours su qu'il était là pour m'enseigner et me guider et que je l'avais toujours aimé.

– Ma Dame, m'a-t-il répondu à mon grand étonnement.

Prenant mes mains entre les siennes, il m'a aidée à me relever, puis il s'est agenouillé et il a baisé mes mains comme un chevalier le ferait lorsqu'il prête serment devant sa reine.

– Non, ai-je dit, épouvantée. Jacob, vous ne devez point vous mettre à genoux devant moi.

Il s'est vite relevé, comme s'il obéissait à un ordre, puis il s'est retourné et m'a montré le grand orbe blanc qui n'avait pas bougé.

J'ai alors vu se matérialiser dans la lumière une deuxième silhouette : celle d'un autre homme aux traits beaux et délicats, dont les cheveux avaient la couleur rose dorée que prend le cuivre bien poli. Il était paré du velours et de la soie de la noblesse et il portait une grande épée à la hanche.

Je le connaissais sans le connaître. Je me suis donc tournée vers Jacob pour lui demander :

– Qui est-il ?

– Édouard, m'a-t-il répondu. Un parmi bien d'autres. Un jour, vous vous souviendrez de nouveau de lui.

À l'intérieur de l'orbe, la silhouette est devenue celle d'un ecclésiastique ; puis elle s'est transformée en un troisième homme, suivie d'un quatrième. Elle s'est modifiée ensuite si rapidement que le vertige m'a prise, jusqu'à devenir celle d'un ancien chef qui portait sur la tête une grossière couronne dorée.

– Et lui ? ai-je demandé.

– Il appartient à la légende, a répondu Jacob. Son nom signifiait Ours.

Puis j'ai vu apparaître un homme d'un certain âge, arborant une moustache et une barbe fort soignées, vêtu de la simple cotte de mailles d'un chevalier du siècle passé : par-dessus son plastron, il portait sur la poitrine une ample tunique d'un blanc pur, emblasonnée d'une croix rouge sang. Son visage était long et sévère ; ses sourcils touffus encore d'un noir d'encre. Tandis que je le regardais, sa barbe, ses sourcils et ses cheveux se sont enflammés.

– Jacques, ai-je murmuré, alors que le visage embrasé du chevalier se dissolvait pour prendre l'apparence de celui de mon Juif bien-aimé. Jacob…

Retenant mes larmes, j'ai jeté un regard à mon compagnon spirituel.

– Jacob, combien de fois devrez-vous subir le martyre pour moi ?

En guise de réponse, il ne m'a adressé qu'un sourire et il m'a désigné le globe blanc encore suspendu devant nous.

J'ai alors regardé dans la lumière et j'ai vu *son* visage, le visage de mon Bien-aimé, Celui que j'ai toujours aimé et que j'aimerai à jamais. J'ai été submergée d'une ardeur presque insoutenable, dont je ne m'imaginais point capable, jusqu'à cet instant. C'était une douleur du corps, un désir charnel qui le consumait comme un incendie – et il continue aujourd'hui de le consumer lorsque je parle de lui – mais plus encore, une véritable nostalgie de l'âme. Espérant la combler, je m'étais laissé fiancer par deux fois, à Guillaume et à Justin, et, à deux reprises, j'avais été déçue. Pour *son bien*, j'avais repoussé Justin, et la mort du malheureux Guillaume m'avait inspiré du soulagement. Je ne cesserais de le chercher, tant que me resterait un souffle de vie. Car, sans lui, je ne m'accomplirais pas davantage que je n'accomplirais mon destin ; sans lui, moi et notre Race ne survivrions point aux flammes.

– Il y a un moment pour les charmes et les psalmodies, a dit Jacob. Et pour les talismans.

Il a ponctué ce dernier mot d'un regard curieusement appuyé.

– Mais pour que la Race ne s'éteigne point, il vous faut apprendre la forme de magie la plus élevée.

« Car en cette présente génération, ma Dame, un mal particulier nous attend ; un mal si grand que même une voyante comme vous ne peut être assurée de l'issue, ni savoir si nous survivrons et si certains d'entre nous échapperont aux flammes. Si nous mourons, il est certain que, sans notre influence pour les guider, hommes et femmes disparaîtront, condamnés à assassiner leurs voisins et à s'entre-tuer tant que le monde ne sera pas déserté. »

– Dans ce cas, enseignez-moi la magie, lui ai-je demandé.

Mais il a hoché tristement la tête.

– Si cela était en mon pouvoir, je le ferais à l'instant même pour sauver le monde. Mais il revient au seigneur et à sa dame de se retrouver et d'échanger leurs connaissances…

Pendant qu'il me parlait, je me suis pâmée d'une volupté inimaginable à la perspective de m'unir à mon seigneur ; je n'ai plus pensé qu'à cela, jusqu'à ce que j'entende Jacob déclarer :

– Ce n'est que lorsqu'ils se seront unis que leur magie atteindra son degré le plus élevé. Il faudra qu'elle l'atteigne, pour combattre les ennemis de la Race et de l'humanité.

Jacob s'est retourné d'un air lugubre vers le globe chatoyant et j'ai été terrifiée de constater que les ténèbres avaient remplacé la lumière. Non, il s'agissait de quelque chose de plus profond que les ténèbres : j'avais devant moi le vide de tous les vides, la négation **de la** négation, la somme de tous les désespoirs, l'horreur même qui m'attendait à l'extérieur de mon premier Cercle.

Dedans me sont apparus les visages d'autres hommes : un noble armé d'une épée, un ecclésiastique et d'autres individus, tous différents de ceux que j'avais vus dans la lumière. Des Ennemis, mais qui leur ressemblaient pourtant étrangement.

– Ces hommes appartiennent aussi à la Race, ai-je dit, épouvantée.

– Oui, a répondu Jacob, d'une voix et d'un ton profondément sereins, presque réfléchis, alors que j'avais le plus grand mal à empêcher mes genoux flageolants de céder.

Il s'est tourné vers moi et m'a adressé un regard d'une compassion absolue.

– Mais pourquoi ? ai-je demandé.

– Ils ont peur de ce qu'ils sont, s'est-il empressé de me répondre. La tragédie, ma Dame, c'est que la plupart d'entre eux cherchent à accomplir le bien. Mais lorsqu'elle est teintée de peur, une force aussi puissante que l'amour lui-même ne peut mener qu'au mal.

Une fois de plus, il a contemplé ce vide affreux. Sa compassion m'a communiqué un peu de force : j'ai fait comme lui, regardant les visages qui se succédaient et songeant que je n'avais rien vu de plus pitoyable.

Et puis ce néant…

Pardonnez-moi, frère Michel, si ma voix se brise, je ne puis plus parler. Accordez-moi un moment pour…

Non, je vais bien. Je ne pleurerai point.

Je ne pleurerai point.

Puis l'orbe s'est vidé, sans cesser pourtant de tournoyer sous mes yeux, menaçant, comme aux aguets. Une frayeur encore plus grande m'a saisie, quand Jacob a affirmé :

– Voici le pire de nos Ennemis.

Un corps d'homme flou s'est lentement matérialisé dans le vide… comme s'il était enveloppé dans un voile de brume qui se déchirait peu à peu. Ses traits ont été les derniers à se préciser, et j'ai alors éprouvé une telle épouvante que j'ai hurlé :

– Non ! Non ! Je ne puis regarder ! Je ne puis…

Je suis tombée à genoux et je me suis voilé les yeux.

Jacob s'est accroupi près de moi et m'a chuchoté à l'oreille :

– Il le faut pourtant, ma Dame. Il le faut, sinon tout est perdu.

Mais je ne pouvais effectivement pas le supporter : j'avais vu assez d'abominations pour une nuit. J'ai gardé mes paumes appuyées sur mes yeux et je suis restée ainsi prostrée sur la terre et les feuilles mouillées. J'ignore combien de temps je suis demeurée, tremblante, dans cette position, mais lorsque j'ai fini par dévoiler mes yeux, Jacob et le vide avaient disparu.

Le ciel aussi avait changé, passant du plus profond de la nuit à l'obscurité moins dense de l'heure précédant l'aube, et la lumière des étoiles avait commencé à faiblir. Leur rayonnement ne paraissait plus surnaturel, même si je ne les avais jamais vues si brillantes, et la forêt ne semblait plus éclairée comme en plein jour.

Dans un sursaut, j'ai réalisé que la nuit était passée et que maman allait bientôt se lever. Je suis repartie en courant à la grotte. Justin n'y était plus et le feu était éteint. Heureusement, ma chemise, ma robe et ma cape s'y trouvaient toujours, soigneusement pliées. Ma cape avait séché. Je me suis vite rhabillée et j'ai descendu en hâte le flanc de la colline jusqu'à notre chaumière.

Maman dormait toujours à poings fermés. Noni aussi, comme si elle ne s'était jamais rendue dans la forêt durant la nuit. Je me suis déshabillée et glissée près d'elles dans le lit, en essayant de calmer ma respiration.

Je n'ai pu trouver le sommeil durant l'heure qui a précédé le lever de Noni. Malgré sa disparition, j'avais l'impression que Jacob habitait à présent mon esprit, et que toutes les questions qui me troublaient depuis ma première Vision trouvaient une à une leur réponse. Je l'ai revu, tel qu'il s'était présenté à notre porte le dernier jour de son existence. Je l'ai entendu dire : « Carcassonne est un havre sûr.

– Monsieur, avait crié ma grand-mère, ils sont tous morts ou mourants à Carcassonne. »

Et, dans ces petites heures de l'aube, j'ai soudain compris ce qu'il entendait par là : j'y serais à l'abri non point de la peste, mais du mal plus grand auquel nous étions confrontés : les flammes envoyées par nos Ennemis pour nous détruire.

Plus vite je me hâterais de gagner Carcassonne, plus vite mon destin s'accomplirait.

Mon destin ! Noni avait dit vrai. Il ne se trouvait point ici, dans le cadre de notre humble village. Il m'attendait dans un autre lieu, où m'aideraient les hommes qui m'étaient apparus à l'intérieur de l'orbe de lumière. Et surtout, je ne le trouverais pas auprès de Justin, mais auprès de Celui dont je ne pourrais jamais oublier le visage. J'étais contrainte de partir à sa quête, car nous ne sauverions la Race et ne vaincrions le Mal suprême que le jour où je l'aurais retrouvé.

J'avais grande hâte d'apprendre à Noni tout ce qui m'était arrivé. En même temps j'éprouvais un profond chagrin. Comment allais-je pouvoir lui annoncer que je l'abandonnais avec maman jusqu'à la fin de ses jours, que je lui refusais le droit de mettre au monde ses arrière-petits-enfants ?

Lorsque Noni s'est levée, aucune parole n'a été échangée entre nous. Nous nous sommes contentées de vaquer en silence à nos besognes matinales. Maman allait bientôt se réveiller à son tour, et il était trop dangereux d'évoquer la nuit précédente, d'autant que nous avions moult choses à nous dire. Depuis longtemps, nous avions fixé à ce matin-là la récolte des dernières baies de l'été sur les terres du *seigneur,* qui produisaient trop de fruits pour sa maisonnée décimée et qui étaient à présent ouvertes aux vilains. Nous savions que maman, encore en deuil, ne nous accompagnerait pas. Ainsi, Noni et moi étions assurées de disposer d'assez de temps pour évoquer la nuit de mon initiation.

Lorsque maman s'est effectivement réveillée, elle était très agitée. Elle nous a dit qu'elle se sentait fort souffrante. Alors que nous passions près d'elle, Noni et moi, avec nos paniers, pour nous rendre dans les champs, elle a agrippé mon avant-bras avec une vigueur inaccoutumée et m'a suppliée :

– Reste près de moi, Marie-Sybille. Je suis sûre que j'ai attrapé une maladie grave. Je vais avoir besoin de ton aide et ta présence me rassurera.

Hésitante, j'ai coulé un regard à Noni. La fille obéissante que j'étais ne pouvait rien refuser à sa mère, mais je nourrissais l'espoir que ma grand-mère allait dire quelque chose pour rassurer maman et que nous rentrerions vite à la maison.

Noni n'a marqué qu'une très brève hésitation. Puis à mon grand étonnement, elle m'a dit, d'un ton calme mais sans appel :

– Reste au chevet de ta mère, Sybille. Elle a besoin de toi, c'est sûr.

Que pouvais-je faire ? Je ne pouvais désobéir à la fois à ma mère et à ma grand-mère. J'ai reposé mon panier à contrecœur et ma grand-mère a franchi seule le seuil de la porte. Quant à maman, je l'ai aidée à se rallonger et je lui ai fait boire de la tisane qui calmait la douleur, à titre de prévention, car elle ne paraissait pas du tout fiévreuse. De ses yeux seulement émanait une fébrilité étrange qui me causait grand souci. Je me suis dit que le chagrin avait fini par avoir raison de ses nerfs, en dépit de la potion apaisante que nous lui avions fait boire la veille. Je lui ai administré d'autres herbes calmantes, puis je me suis assise sur le lit à côté d'elle et j'ai travaillé à la courtepointe de mes noces, lui narrant des histoires des commères du village, afin d'essayer de calmer son angoisse.

Mais au fil des heures, son agitation n'a cessé de croître. Elle jetait sans arrêt des coups d'œil à notre fenêtre aux volets grands ouverts. À maintes reprises, je l'ai imitée, mais je n'ai rien vu d'autre que la route de terre menant à Toulouse et la grande cité qui s'étendait au nord ; un peu plus près à l'est, j'apercevais le manoir et les vignobles du *seigneur.* Chaque fois que je voulais me lever pour accomplir une menue tâche ménagère, maman m'agrippait le bras et me suppliait de ne point la quitter.

Je lui obéissais donc. Mais, au milieu de la matinée, c'est à peine si elle pouvait rester en place.

– Que se passe-t-il, maman ? lui ai-je demandé à maintes et maintes reprises.

Pour toute réponse, elle s'est contentée de marmonner, sans cesser de regarder par la fenêtre :

– Nous verrons, nous verrons.

En définitive, elle a bondi de son lit avec une vivacité surprenante et m'a fait signe de la rejoindre. Le coude appuyé sur le seuil de la fenêtre, elle m'a désigné un point au loin.

– Marie-Sybille, ta vue est meilleure que la mienne. Dis-moi ce que tu vois.

Je lui ai obéi. Un chariot tiré par deux chevaux noirs s'approchait à grand fracas de notre village, soulevant derrière lui un panache de poussière. Quand il a été assez près, j'ai vu que deux hommes avaient pris place dedans.

– Qui sont ces hommes ? a haleté ma mère.

J'ai constaté qu'ils portaient des épées à la hanche et qu'ils étaient vêtus de tuniques et de couvre-chefs identiques.

– Des gendarmes, ai-je répondu, m'interrogeant sur ce qui avait bien pu se passer d'assez grave pour que la police se déplace jusqu'à notre petit village.

C'est alors que je me suis aperçue qu'un troisième homme, habillé de noir, était assis à l'arrière du chariot.

– Des gendarmes et un ecclésiastique, ai-je précisé.

Maman a été prise de tremblements si violents que ses genoux ont plié ; je l'ai rattrapée avant qu'elle ne tombe et a moitié transportée dans mes bras sur le lit. Elle s'accrochait douloureusement à mes épaules, les yeux exorbités comme une démente.

– Tu es ma fille, Marie-Sybille, a-t-elle crié, mon unique enfant ! Tu sais que je t'aime plus que tout au monde.

– Je sais, maman, je sais. Chut…

J'ai lissé la couverture sur ses jambes grêles et je l'ai adossée à l'oreiller, mais elle a refusé de se laisser calmer. J'ai jeté un regard en arrière vers la fenêtre, malgré maman qui s'agrippait à mes épaules et à mes bras, et j'ai constaté que le chariot avait tourné en direction de l'est.

– Regarde, maman, ai-je dit joyeusement, tu n'as pas à t'inquiéter. Ils ont pris le chemin du château du *seigneur*. Ils ne viennent point par ici.

Cette nouvelle n'a pourtant pas contribué à la réconforter.

– Je t'aime, Marie-Sybille. Tu dois comprendre à quel point je t'aime.

– Je le comprends et je t'aime aussi, maman, ai-je répondu, craignant qu'elle ne fût atteinte d'un début de fièvre cérébrale, car ses frissons et sa fébrilité ne s'étaient pas atténués.

Son front et ses joues restaient pourtant frais. Je me suis donc réinstallée sur le lit et j'ai repris mon ouvrage, tentant en vain de la rassurer et de la distraire de son mal mystérieux. Elle ne s'est que légèrement calmée et a enfin sombré dans le silence. Elle restait assise contre l'oreiller, ses yeux déments fixés sur le tableau que lui offrait notre fenêtre ouverte, les mains agrippées avec une telle violence à la couverture que la peau de leurs articulations avait pris une couleur ivoire.

Un certain temps s'est écoulé avant qu'elle ne laisse échapper un petit cri. J'ai levé la tête de mon travail de couture. Dans le cadre de la fenêtre que ses yeux fous n'avaient pas quitté un instant était apparu le chariot à bord duquel les gendarmes s'éloignaient à présent du château du *seigneur*.

Je me suis levée.

– Tout va bien, maman, tu ne le vois donc pas ? Ils reprennent le chemin de la ville. Ils ne viennent point par ici…

La terreur m'a alors submergée, car je venais de constater qu'à l'arrière du chariot il y avait à présent non plus un, mais deux passagers.

Bien évidemment, je ne distinguais pas davantage leurs traits qu'aucun détail de leur personne, car ils étaient beaucoup trop loin.

171

J'avais simplement l'impression que l'une des silhouettes était celle d'un ecclésiastique, et l'autre, vêtue de noire, celle d'une femme. Mais nous avons tous la faculté de reconnaître les êtres chers à notre cœur, y compris de fort loin.

Je n'ai pas eu le temps de me tourner, terrifiée, vers ma mère. Elle était déjà près de moi. Elle m'a saisi le poignet avec une vigueur inquiétante et m'a fait pivoter vers elle.

– C'est uniquement parce que je t'aime, Marie-Sybille, m'a-t-elle dit. Regarde ce que j'ai trouvé ! Regarde ce que cette femme m'a fait !

J'étais tellement abattue qu'elle a eu la force de me traîner jusqu'au lit. De sous le matelas, elle a sorti un objet enveloppé dans un morceau de soie noire en lambeaux. Elle l'a jeté sur le lit et a déroulé la soie pour m'en montrer le contenu :

Une poupée confectionnée avec des chutes de tissu écru, emplie de feuilles et de terre. De sexe féminin, à en juger par les broderies de couleur noire qui lui tenaient lieu de cheveux et de traits. Comme je me servais du fil clair pour tisser et coudre, je n'aurais pas pu, s'il en avait manqué, ne pas m'en apercevoir. Le talisman en or de Jacob était accroché à la poitrine de la poupée par une cordelette noire, et une petite bande de tissu, noir également, lui cachait les yeux.

Noir : la couleur de la protection, lorsqu'on la portait volontairement.

Noir : la couleur du lien, de l'enfermement, dans le cas inverse.

– Une malédiction ! a sifflé maman. Elle m'a jeté le mauvais sort, tout comme elle en avait jeté un à ton pauvre père. N'as-tu pas compris qu'elle l'a assassiné ? Je suis une chrétienne, fidèle au Christ. C'est Lui qui m'a sauvée, pour que je puisse te sauver à mon tour. Le père André me l'a dit. Elle a toujours voulu te corrompre, ma douce Marie, et t'amener au diable. Toujours. Mais je ne la laisserai point faire. Je suis étonnée qu'elle ne m'ait pas simplement étranglée dans mon sommeil…

J'ai entendu les paroles prononcées par ma mère, mais je n'ai rien trouvé à lui répondre. Ma Noni, ma bien-aimée Noni, ayant recours à la magie pour me tenir sous sa coupe… Je ne pouvais y croire. Pourtant, j'en avais la preuve sous les yeux. Ma mère m'a regardée dérouler le talisman en or qui me liait à Jacob et à ceux qui m'avaient servie leurs vies durant.

J'ai ensuite détaché le bandeau : immédiatement, j'ai Vu. Un cri de souffrance et d'amour angoissé m'a échappé, car je savais ce que ma grand-mère allait accomplir pour moi. Pour la Race.

172

J'ai serré le talisman dans mon poing et, sans un mot d'adieu à ma mère, je l'ai quittée pour toujours.

J'ai couru. Couru à perdre haleine sur la route de terre, en direction de la grande cité de Toulouse, jusqu'à en avoir les poumons et les muscles qui brûlaient. Cela ne m'a pas empêchée de poursuivre à la même allure, car ma tête débordait d'images atroces. De ma bien-aimée Noni torturée par ceux qui l'avaient faite captive ; de ma Noni, versant des larmes de douleur, sans aucune âme pour lui venir en aide.

De ma Noni, se contorsionnant dans les flammes, comme ces pauvres suppliciés l'avaient fait sur le parvis de la cathédrale de Toulouse lorsque j'étais petite fille.

De ma Noni, qui avait l'intention de se sacrifier pour moi.

Une voix, sinistre et profonde, chuchotait dans ma tête, comme si un être invisible venait de me parler à l'oreille :

Tel sera son destin, tu le sais, si tu ne te précipites point à son secours. Ils la brûleront, tout comme ils te brûleront toi un jour, si tu ne te rends point en hâte à la prison, à la prison qui se trouve dans le ventre de Saint-Sernin...

La perspective de la mort de Noni m'a transpercée d'un éclair de douleur et j'ai encore hâté le pas. Je suffoquais et, malgré tout, je l'ai entendue distinctement me dire d'une voix lente : *Fais confiance à la Déesse...*

Je me suis donc mise à prier en courant. *Sainte Mère de Dieu, que votre paix descende sur moi. Guidez-moi et donnez-moi le pouvoir de venir au secours de ma grand-mère. Montrez-moi les pouvoirs magiques que je dois utiliser pour la protéger du mal...*

Tandis que je me calmais peu à peu, j'ai pris conscience de l'origine de cette voix sinistre qui s'adressait à moi : il s'agissait de l'obscurité qui m'était apparue dans ma vision d'enfant, bien des années auparavant, puis dans le Cercle et une troisième fois lors de mon initiation. L'obscurité qui cherchait à absorber la lumière.

« Arrête-toi », m'a ordonné Jacob. Je lui ai obéi et j'ai été secouée d'une quinte de toux, provoquée par la poussière que je venais de soulever en m'immobilisant abruptement. J'ai ouvert mon cœur davantage à la Déesse. D'instinct, j'ai compris que je devais faire demi-tour, mais sans revenir véritablement sur mes pas. Au lieu de repartir vers le sud et notre village, j'ai emprunté la direction du sud-est, vers Carcassonne... et la sécurité. Je me suis donc complètement écartée de la route et j'ai pénétré dans les bois où je me suis frayée un chemin entre futaies et taillis pendant des heures et des heures, jusqu'à la tombée de nuit où l'obscurité m'a contrainte à m'arrêter.

Malgré mon épuisement, le chagrin m'a empêchée de dormir pendant un certain temps. Lorsque j'ai enfin sombré dans le sommeil, j'ai fait un rêve…

Je me trouvais dans la ville, à genoux à l'intérieur d'une imposante cathédrale que j'ai reconnue : la grande basilique Saint-Sernin où je m'étais rendue enfant. Par son vaste portail ouest ouvert pénétraient les rayons du soleil d'après-midi. Le sanctuaire contenait plus de fidèles que je n'en avais jamais vus : des nonnes et des moines, mais également des personnes appartenant à toutes les couches de la société, paysans, marchands et membres de la petite noblesse, tous éplorés et en prières.

Sur l'autel, des centaines de cierges brûlaient pour les morts ; dans les nefs latérales, des pénitents étaient allongés, visage contre le sol, bras et jambes écartés pour former une croix romaine. Ils marmonnaient des *Notre Père* et des *Je vous salue Marie* sous un bas-relief concave représentant le Christ dans toute sa majesté. Certains, à genoux, le dos ensanglanté, se flagellaient avec des lanières de cuirs cloutées.

Malgré mon désespoir, le spectacle du sanctuaire, assez spacieux pour accueillir cinq mille fidèles, assez haut pour atteindre le soleil, m'a inspiré un brin d'émerveillement. Mais quelque part, sous cette beauté et cette sérénité, ma grand-mère souffrait. Le Paradis au-dessus ; l'Enfer en-dessous.

Je me suis éloignée de l'autel pour m'agenouiller sur la pierre froide et réitérer ma prière : *Sainte Mère de Dieu, laissez votre paix descendre sur moi. Guidez-moi et aidez-moi à venir au secours de ma grand-mère.*

Cette prière, je n'ai cessé de la répéter, jusqu'à être pénétrée par une forme de paix. Emplie d'amour, soulagée, je me suis alors laissée guider, pas après pas, vers ma destination.

Cinq nefs caverneuses se présentaient à moi. J'ai regardé mes pieds se diriger vers la troisième. Là, j'ai aperçu un petit transept menant à un escalier. Les marches en colimaçon aboutissaient à un corridor obscur qui se terminait devant une porte de bois verrouillée, trois fois plus haute que moi et deux fois plus large. Tout est possible dans les rêves. J'ai donc traversé cette porte sans aucune crainte, comme s'il ne s'agissait que d'un obstacle imaginaire.

Derrière le seuil, se tenait un jeune homme grand et musclé qui avait peut-être deux ans de plus que moi. La tendre couleur cannelle de sa moustache duveteuse se mariait à celle de sa barbe. L'air menaçant, il brandissait une courte épée dans sa dextre.

Sans lui adresser la parole, je suis passée à côté de lui et je me suis enfoncée dans un passage de pierres ténébreux.

Tout au fond, j'ai trouvé ma Noni assise derrière des barreaux de fer.

Le tendre sourire qu'elle m'a adressé traduisait une joie si sincère que j'en ai versé des larmes de bonheur, alors que je sentais qu'ils l'avaient déjà torturée et qu'elle souffrait. Mais c'est ainsi que les choses se passent parfois dans les rêves : nous ne distinguons pas tout nettement.

– Sibilla ! s'est-elle exclamée, en tendant les bras entre les barreaux.

J'ai serré sa main et je me suis assise aussi. On aurait dit que les barreaux qui nous séparaient avaient fondu et qu'il n'y avait plus rien entre nous, rien du tout. Ni distance, ni murs, ni même l'âge ou l'enveloppe corporelle que nous avions endossée pour la durée de cette vie.

Le sel et le chagrin ont rendu mes larmes amères.

– Pourquoi, Noni, pourquoi ? Pourquoi m'avoir caché ma Vision ?

– Mon enfant, pour quelle raison me poses-tu des questions dont tu connais déjà les réponses ? m'a-t-elle répondu sans cesser de sourire.

Elle disait vrai : si j'avais été au courant du danger, j'aurais tenu à accompagner Noni dans le verger du *seigneur*, pour essayer de la protéger. Je lui aurais interdit de monter dans ce chariot, interdit de pénétrer seule dans cette geôle.

– Dois-tu vraiment être ici ? ai-je donc insisté. Je peux revenir en compagnie de Justin et de Matthéline. Nous trouverons un moyen de te libérer, nous trouverons un moyen…

– Regarde dans ton cœur, m'a-t-elle répondu.

Un instant, elle a eu l'air d'une infinie jeunesse. Je l'ai vue telle qu'elle devait être jeune femme, avec ses cheveux noir luisant, ses lèvres pleines cramoisies, belle de tout son être. Mes larmes amères ont redoublé.

– Ah, tu le vois bien ! a dit Noni. Tu ne peux pas non plus rejeter la Déesse. Elle t'a montré ce qui doit arriver.

– Mais c'est impossible, Noni. Je ne puis supporter de les laisser te torturer, ai-je murmuré. Il doit y avoir un autre moyen. Il doit y en avoir un.

– Il y en a effectivement un, et tu sais aussi bien que moi où se trouve le chemin menant à la sécurité : à notre mort à tous, mon enfant, à l'extinction de la Race, qui débouchera sur la destruction de l'humanité. Comment pourrions-nous vivre, sachant que nous avons acheté quelques années de bonheur à un tel prix ?

Elle a posé une main, ferme et chaude, sur ma joue humide – il ne s'agissait point d'un rêve, je vous l'affirme, car cette main, je l'ai sentie, aussi sûrement que je sens à présent les souffrances que m'a infligées mon bourreau.

– Je suis heureuse de mon choix. Je l'ai fait le jour de ta naissance, lorsque la Déesse m'a montré mon destin et le tien. Le tien est le plus dur, Sibilla, car tu dois à présent apprendre à être davantage qu'humaine.

Elle a marqué une pause et a retiré sa main.

– Et ensuite, tu dois *le* trouver, car toi seule es capable de le sauver du Mal qui le guette ; toi seule es capable de lui montrer le véritable commencement que vous êtes destinés à prendre ensemble. Il n'existe pas plus grand pouvoir que celui que possèdent le Dieu et la Déesse une fois unis. Aucun mal ne peut alors les vaincre.

« Hâte-toi maintenant de suivre ton chemin, a-t-elle poursuivi, et prends garde de ne point retourner à la maison, car ta Mère est à présent entre les mains du Mal et représente un véritable danger pour toi. Toute ta magie ne suffira pas à la sauver. Je te bénis, mon enfant, et je te transmets tous les dons de la Déesse ; en toi, ils vont se multiplier par mille. »

– Je ne puis te laisser souffrir ainsi ! ai-je insisté.

Mais ma protestation n'a eu aucun poids. Elle m'avait déjà quittée et je me suis réveillée, seule dans les ténèbres, un tas de feuilles mortes sur les genoux.

Pendant trois jours, j'ai cheminé à travers bois, estimant ma direction à la position du soleil et à ce que me disait mon cœur. Il est dit que le patriarche Jacob s'est battu avec Dieu sous la forme d'un ange ; durant ces journées, j'ai d'une certaine façon lutté avec la Déesse, accompagnant chacun de mes pas d'une prière fervente, tel un suppliant, agrippé à la jambe de son bienfaiteur, qui ne la lâche pas tant qu'il n'a pas obtenu satisfaction. Je ne sentais rien à propos de Noni. Sans doute avait-elle fait appel à ses pouvoirs magiques pour m'empêcher de souffrir davantage.

Jusqu'à l'après-midi du troisième jour. Épuisée, je me suis endormie sous les frondaisons d'un bosquet de chênes. Lorsque je me suis réveillée, j'avais le cœur battant, car la Vision était descendue sur moi.

Je me tenais sur le grand parvis de la basilique Saint-Sernin. Une berme y avait été construite dans laquelle avaient été plantés des poteaux. On amenait des prisonniers enchaînés à ce bûcher.

J'ai cru suffoquer, mais mon effroi était tel que je n'ai ni pleuré ni crié.

Ils étaient plusieurs et je demande à leurs esprits de pardonner mon manque de compassion et d'attention, car en cette atroce journée je n'ai vu qu'un seul être traîné dans ces lourdes chaînes de fer vers sa destination finale :

Noni.

Ma précieuse Noni, dépouillée de toute sa vie et de toute sa beauté. Disparue, la matrone robuste que j'avais connue ; à sa place, une vieille femme chenue et fragile. Ses longs cheveux ébène luisants, striés de rares fils argentés, avaient été rasés. Ne restaient plus que quelques mèches hirsutes qui avaient presque entièrement blanchi depuis la dernière fois que je l'avais vue. Ses joues étaient caves, car ils lui avaient brisé presque toutes les dents, et ses yeux tuméfiés étaient quasiment clos, si bien qu'elle était presque aveugle. J'ignore comment je l'ai reconnue, car son corps lui-même avait été affreusement martyrisé : ses jambes étaient fléchies, ses bras désarticulés.

Tous les prisonniers étaient reliés les uns aux autres par les chevilles et les poignets. Les gardes les pressaient d'avancer. Comme elle était la plus faible, Noni a trébuché et elle est tombée. Un garde l'a relevée, puis il l'a poussée brutalement dans le dos, manquant la faire chuter de nouveau.

Lorsque ses bourreaux l'ont enfin détachée de ses compagnons et lui ont donné l'ordre de se mettre à genoux, elle s'est affaissée avec un frisson d'acceptation, comme si le pire de ses souffrances était passé et qu'il ne lui restait plus à accomplir qu'une simple formalité. Les deux bourreaux s'étaient déjà occupés des autres condamnés. L'un d'eux s'est approché d'elle et a ouvert l'une des chaînes dont ses chevilles étaient prisonnières à l'aide d'une clé. Il l'a placée, poteau entre les tibias, puis il a refermé la chaîne. Il a fait de même avec les fers qui lui entravaient les poignets, les desserrant pour lui ligoter les bras dans le dos (ce qui l'a fait grimacer de souffrance) et les refermant ensuite.

Ces précautions interdisaient – même à une personne robuste – de se détacher. Pourtant elles ne se sont point arrêtées là, car demeurait la possibilité que Noni s'évanouisse, s'avoue vaincue, s'affaisse en avant dans les flammes et meure très vite. Pour l'en empêcher, le bourreau a ligoté une corde plusieurs fois autour de son torse, afin de lui maintenir l'échine droite. Comme cela, il avait l'assurance qu'elle ne rendrait son dernier souffle que bien après avoir souffert le martyre dans le brasier.

Lorsqu'il en a eu terminé, le deuxième bourreau a pris sa relève. Pour commencer, il a placé du petit bois autour de ma grand-mère agenouillée, auquel il a ajouté des bûches. De la sorte, les flammes jailliraient haut.

Pendant qu'il accomplissait cette tâche funèbre, ma grand-mère a entamé une psalmodie :

> Diana e la bona Dea
> Diana e la bona Dea

Comme ses paroles étaient mal articulées et confuses, j'ai tendu l'oreille pour comprendre. Elle a continué fièrement son incantation. Un chant magique peut-être, une déclaration en tout cas qu'elle n'avait jamais eu la liberté de faire en public, ni même à l'intérieur de son propre foyer.

La populace a elle aussi fini par comprendre et des huées se sont élevées. Quelqu'un a jeté une pierre qui a éraflé la joue de Noni. Elle a esquissé un sourire qui dévoilait ses gencives ensanglantées et a poursuivi sa psalmodie :

> Diana est la bonne Déesse, la Sainte Mère
> Bénissez tous Diana, la bona Dea !
> Elle qui a toujours été
> La Mère de Dieu !

On lui a jeté une deuxième pierre, suivie d'une troisième. Les deux ont raté leur cible. Les gendarmes ont agité leurs épées d'un air menaçant en direction des auteurs de ce geste. La populace s'est calmée sur-le-champ, mais le blasphème intolérable prononcé par Noni en a quand même poussé certains à lui lancer d'autres quolibets.

Anna-Magdalena ne paraissait pourtant pas les entendre. Sans cesser de psalmodier, elle a levé la tête vers le ciel. Malgré son apparence sinistre, son visage martyrisé irradiait.

Puis elle s'est tournée vers un ecclésiastique qui observait la scène d'une tribune voisine. J'ai essayé de distinguer ses traits, mais il était drapé dans une cape et dissimulé dans l'ombre.

Anna-Magdalena s'est adressée directement à lui :

Diana e la bona Dea,
Diana e la bona Dea.
Domenico, toi qui as brisé le vitrail
Il y a si longtemps dans la cathédrale,
Toi la brise traîtresse à la naissance du bébé,
Toi le corbeau, par ce froid matin d'été,
Tu penses que la haine l'a finalement emporté.
Ne serais-tu point aveugle ? Elle a seulement permis
À l'amour de gagner encore,
De forcir encore.
C'est nous, et non toi, qui sommes vainqueurs.
Tourne de nouveau ton cœur vers la Sainte Mère
Et tu trouveras la paix...

Que puis-je dire à propos de la mort ?

On nous raconte des histoires de saints et de héros qui, percés de flèches, crucifiés la tête en bas, les yeux énucléés, ne crient pas de douleur, mais accueillent leur fin avec félicité, le visage irradié par l'extase. Je vous l'affirme maintenant : il ne s'agit que de contes. Dans la mort douloureuse, il n'y a ni dignité ni bénédiction, ni élégance ni beauté. Nous, les humains, mourons en poussant des cris aigus de cochons.

C'est donc ainsi que s'en est allée ma Noni – mais pas tout de suite. Lorsque le petit bois s'est embrasé et que le feu a commencé à lécher les pieds des condamnés, la plupart ont tout de suite hurlé, mais ma Noni n'a interrompu sa psalmodie et poussé des cris de douleur que quand les flammes du petit bois se sont communiquées aux bûches.

Comme Jacob, j'ai invoqué la Déesse et je m'y suis agrippée, l'implorant de tous les muscles, tous les os, toutes les fibres de mon être : *Empêchez-la de souffrir, empêchez-la de souffrir, transmettez-moi sa souffrance.*

Aucune magie n'entrait dans ma supplique. Il ne s'agissait ni d'un charme, ni d'un sortilège, ni d'une incantation, juste de l'expression de ma volonté. Volonté associée à l'amour, qui constituent sans doute la plus efficace de toutes les magies, car j'ai tout de suite été ravagée par une souffrance atroce, comme je n'en avais jamais connue. Je me suis courbée en avant vers le sol en hurlant, à la fois heureuse d'avoir été si vite entendue et folle de douleur.

Il nous est tous arrivé, par ignorance ou par inattention, de toucher un chaudron chauffé au rouge ; nous éprouvons alors dans notre chair

179

une souffrance si fulgurante que nous retirons tout de suite notre bras, notre main ou notre doigt brûlés, tant elle est insupportable. Cette brûlure est ensuite si aiguë que les enfants apprennent sur-le-champ à ne point répéter leur geste. Comment puis-je alors décrire les sensations que procure l'immersion dans un brasier ? Le corps se contorsionne en tous sens, incapable d'échapper à une torture insoutenable, une torture qui annihile toutes les pensées, toutes les émotions, tous les souvenirs, jusqu'à ne plus être que seule à exister, le moi et le monde ayant disparu…

Ma voix s'est jointe au chœur continu des autres suppliciés, dont les chemises transformées en cendres s'envolaient sous forme de braises incandescentes, révélant leur chair rougie par le feu. Les flammes ont consumé le tissu jusqu'à leurs épaules, puis elles ont bondi au-dessus de leur cou et de leur menton et ont atteint leur crâne dont elles ont jailli comme des langues de feu. En cet instant spectaculaire, leurs cheveux ont tous disparu en fumée, dénudant leurs crânes roses qui ont vite rougi, se sont couverts de pustules pâles et ont noirci, avant de se muer en rouge…

Alors que se produisait cette insupportable métamorphose, je me suis rendu compte que la voix de ma grand-mère ne s'était pas jointe à celles des autres, et j'ai plissé mes yeux ruisselant de larmes pour la voir.

Noni s'était transformée en torche vivante : elle n'offrait pas le tableau pathétique des autres suppliciés carbonisés. Elle était l'incarnation d'une Divinité, une femme jeune, belle, solide, portée à incandescence. La cascade de cheveux et de flammes mêlés formait un halo doré autour de ses épaules. J'ai compris que je n'avais point une sainte sous les yeux, mais la Déesse incarnée, la déesse souriante, triomphante. Mes larmes de souffrance se sont muées en larmes de joie.

Elle s'est alors adressée, d'une voix qui était la plus belle de toutes les musiques, à l'Ennemi qui observait ce supplice :

Tu penses avoir gagné, Domenico, mais voici la magie : les vainqueurs, c'est nous…

Je ne puis dire combien de temps les tortures de mon corps ont duré, car au bout d'un moment ma faiblesse est devenue telle que je ne pouvais plus me contorsionner, hurler ni même chuchoter. Je n'y voyais plus rien. La souffrance s'était communiquée au centre de mon être, car mes entrailles commençaient à brûler.

Enfin est arrivé le moment de la mort de ma grand-mère. Ma douleur a subitement cessé, puis j'ai senti qu'elle rendait son dernier souffle.

J'ai alors été pénétrée d'une étrange vague de chaleur, comme si Noni était entrée en moi.

Elle, et Quelque Chose de plus grand…

Je dois avouer que sur le moment mon cerveau n'a pas du tout saisi ce qui se passait. Mais mon cœur et mon âme avaient intuitivement compris que le sacrifice que Noni venait d'accomplir pour moi et celui que j'avais accompli pour elle, d'une certaine façon étaient un échange nécessaire. Sinon, je me serais battue de tout mon être pour essayer de l'empêcher de mourir. Mais ce jour-là j'ai Vu, clairement, que sa mort était un grand honneur, un destin qu'elle avait accompli avec un véritable bonheur ; qu'elle avait rendu l'âme sans souffrir, glorieusement.

Cette Vision m'a également apporté un sentiment de paix et d'acceptation, et lorsque les rayons du soleil ont teinté les nuages de corail, la présence de la Déesse et de l'âme joyeuse de Noni m'a réconfortée.

Mais je suis également humaine. La nuit tombée, la Déesse et Noni m'ont quittée et le chagrin les a remplacées. Bouleversée, je me suis levée et j'ai pris mes jambes à mon cou. J'ai couru jusqu'à ce que la forêt cède la place à la montagne nue, qui s'est de nouveau boisée. Couru à perdre haleine, couru jusqu'à l'éreintement. Je me suis effondrée, suffocante, sur les pierres, les feuilles et la terre à l'arôme pénétrant.

Le destin est parfois amer.

Au-dessus de moi, des nuages noirs houleux grondaient, la montagne répercutait les profonds roulements du tonnerre. Lorsque l'orage d'été a éclaté, ma souffrance a fait de même et j'ai pleuré avec la pluie.

TROISIÈME PARTIE

MICHEL

Carcassonne

Octobre 1357

XI

Après vêpres, Michel retourna à la chambre du père Charles. Thomas attendait devant la porte ouverte.

– Bonne nouvelle, lui annonça-t-il, d'une voix étouffée et lugubre qui signifiait exactement le contraire.

La lueur des flambeaux se reflétait sur son front haut, auquel collaient des mèches de cheveux blonds que la transpiration avait légèrement assombries.

– Je viens de rendre visite à l'évêque. Il a donné son accord de principe sur votre ordination, qui sera censée avoir été célébrée aujourd'hui ; une missive le déclarant va être envoyée derechef à l'archevêque de Toulouse. Tout est pratiquement réglé. Évidemment (il se gonfla de fierté) Chrétien ne manquera point de donner son accord définitif, puisque c'est moi qui suis l'auteur de cette démarche.

Michel poussa un soupir dans lequel n'entrait aucun soulagement. Thomas n'aurait jamais accepté de l'aider s'il avait connu les intentions qu'il nourrissait à l'égard de Sybille – de *mère Marie-Françoise*, s'empressa-t-il de se corriger.

Le prêtre désigna la chambre d'un hochement de tête.

– Malheureusement, il ne s'en sort pas mieux que mon pauvre secrétaire, dit-il tristement. Mais grâce à Dieu, personne d'autre n'a contracté la maladie.

Il se tut. Tous deux regardèrent Charles. Le visage terreux, le père était allongé, inerte, contre les oreillers.

– Il est dur de le voir souffrir ainsi. Nous devons prier, frère. Prier sincèrement.

D'un geste gauche, Thomas posa une main sur l'épaule de Michel.

– Au moins, son état n'a point empiré depuis la nuit dernière, constata le jeune moine, quoique Charles n'eût pas l'air d'aller mieux non plus.

Il était impossible de dire s'il reprenait des forces ou s'il était mourant, car il était figé comme la pierre, et de la même couleur grise. Un seul détail le distinguait d'un cadavre : sa poitrine qui s'élevait et s'abaissait faiblement.

Thomas se tourna vers Michel.

– L'abbesse. Son interrogatoire s'est bien passé aujourd'hui ?

Michel baissa les yeux. À dire vrai, cela était loin d'être le cas. Le récit de l'abbesse l'avait à la fois intrigué et fasciné – la description de son initiation en particulier. Ce n'était qu'après avoir quitté son cachot qu'il avait réalisé que, selon les critères de Charles, il s'agissait tout simplement d'un rite satanique et qu'elle avait ouvertement reconnu que son destin était d'accomplir des rites de magie sexuelle en s'accouplant avec le « seigneur ».

Michel avait néanmoins été ému – et il l'était toujours – par le récit de la mort de sa grand-mère ; il ne connaissait que trop bien les souffrances que la vieille femme, hérétique ou non, devait avoir subies et il était clair que Sybille – non, l'abbesse – l'avait sincèrement aimée et que son chagrin était encore vif.

Le geôlier avait fait irruption pour lui apprendre que le jour était tombé et que le père Thomas s'en était allé depuis longtemps. Michel avait résumé rapidement à l'abbesse l'essence de son hérésie, il l'avait pressée de se repentir et d'accepter le Christ. Pour toute réponse, elle lui avait opposé le silence.

Le silence, et ce regard envoûtant.

Elle lui avait alors précisé que le lendemain, elle lui parlerait de son « Bien-aimé ». Michel lui avait une nouvelle fois répété qu'il ne voulait rien entendre, que l'enquête ne concernait qu'elle et qu'il n'avait pas de temps pour autre chose.

Elle était retombée dans son mutisme et avait refusé de rien ajouter.

À présent encore, repensant à la manière innocente dont elle avait mentionné le « vieux chevalier » de sa vision, il éprouvait le même mélange déroutant de fascination et d'agacement. Elle était peut-être née paysanne, mais elle était originaire de la région de Toulouse, où tout le monde connaissait les Chevaliers du Temple. *Jacques,* l'avait-elle appelé. Sans doute avait-elle entendu parler du maître de l'ordre des Templiers qui avait été martyrisé, Jacques de Molay.

Ce qu'elle laissait entendre – que cet ordre existait encore et qu'elle était en contact avec lui – était hérésie pure et simple. Les templiers avaient en effet pratiqué la forme de magie la plus abominable et la plus dépravée. En tout cas, c'était ce qu'avait déclaré le roi Philippe le Bel, un siècle plus tôt. Ses accusations avaient conduit au démantèlement de l'Ordre. Jacques de Molay (de même que tous ceux qui n'avaient pas fui le pays à temps) avait péri sur le bûcher.

Qu'elle eût ainsi imbriqué dans son récit l'ancien chef à la couronne dorée... Ours. *Artos.* Arthur. Il y avait également une bande de chevaliers dans cette légende.

De la folie au mieux, un blasphème pour le moins. Mais il ne pouvait s'empêcher d'être intrigué par son récit...

En proie à un grand désarroi, il s'obligea à ne pas s'évertuer à résoudre ce problème. Le récit de l'abbesse témoignait au moins qu'elle possédait un caractère noble et un grand cœur – sans parler de la détermination qui lui avait permis de passer de sa vie de vilaine à la position puissante d'abbesse. Elle lui rappelait beaucoup Saül l'égaré, cette âme bien intentionnée qui avait passé la première partie de sa vie à persécuter les chrétiens avec un zèle sans égal.

Qui était en mesure d'affirmer que l'abbesse ne pouvait être convertie et devenir, comme saint Paul, une grande force œuvrant pour le bien au sein de l'Église ?

Michel choisit donc ses mots avec précaution.

– Il m'est impossible de vous dire comment il s'est passé. Les propos de l'abbesse ne sont pas tant une confession qu'un récit qui traduit une imagination débridée, mais elle a reconnu qu'elle n'était point chrétienne.

Il ne précisa pas qu'il avait l'intention de se servir de cet aveu pour établir la preuve qu'elle n'était pas *relapse*.

Le père Thomas donna une tape sur le bras du moine pour le réconforter.

– Continuez de faire du bon travail, Michel. Si elle a confiance en vous, elle finira par vous faire assez de révélations pour nous permettre de la condamner. Je savais que j'avais raison d'avoir foi en vous.

Il marqua une pause.

– Rigaud m'a également appris que le cardinal Chrétien est en route pour Carcassonne.

– Vraiment ?

Michel fronça les sourcils. Cette information semblait indiquer que l'enquête évoluait de manière inhabituelle. En qualité de chef de l'Inquisition, Chrétien était en droit, administrativement parlant, de prendre le contrôle de n'importe quelle procédure. Il était le cardinal qui avait présidé à l'arrestation de mère Marie-Françoise. Mais la coutume voulait que l'enquête fût menée par l'évêque local. En l'occurrence Rigaud, qui déclarait suivre déjà les ordres de Chrétien.

Thomas hocha la tête d'un air lugubre.

– Il arrivera après-demain. La nouvelle… de la maladie du père Charles le préoccupe fort. Il est impatient de voir le cas de la mère Marie-Françoise traité comme il sied. Les exécutions doivent se tenir le lendemain de son arrivée.

– Les exécutions…, répéta Michel, abasourdi. Thomas, vous ne pouvez ajouter foi à la déclaration de l'évêque Rigaud ! Il est impossible que mon père ait déjà décidé du destin de l'abbesse. Je me trouvais sur l'estrade le jour des exécutions ; j'ai vu, de mes propres yeux, ce qu'elle a fait à ce prisonnier. Comment peut-on, lorsqu'on a assisté à cette scène, attribuer sans réflexion son acte à Dieu ou au diable ?

Les traits du visage de Thomas se pincèrent de dégoût.

– Vous êtes encore plus sot que je ne le croyais. Comment faites-vous donc, après avoir été élevé par Chrétien, pour garder une telle naïveté à propos du fonctionnement politique de l'Église ? Les faits sont là : le pape en personne a été menacé et…

– Cela reste à prouver, le contrecarra Michel.

Thomas ne lui laissa pas le temps de continuer.

– Vous allez *obéir* aux ordres et la trouver coupable, le coupa-t-il.

Un long silence hostile s'installa entre eux. Pour finir, Michel se força à baisser les yeux, comme à l'ordinaire, en signe d'humilité.

– Je vais faire de mon mieux pour œuvrer au plus vite. *Et prier pour qu'aucune exécution n'ait lieu…*

Lorsque la nuit tomba pour de bon, le frère André convainquit Michel de s'installer dans la pièce adjacente à la chambre du père Charles, réservée aux invités. Elle offrait bien davantage de confort que les cellules des moines. Le manque de sommeil de la nuit précédente et la tension de la journée l'empêchèrent d'y opposer la moindre résistance. Dès qu'il se laissa tomber sur le matelas de plumes et que sa tête s'enfonça lentement dans l'oreiller frais, il sombra dans le sommeil.

Et il se mit tout de suite à rêver…

Sa joue est appuyée contre une épaule recouverte d'une laine qui sent un peu le renfermé, son visage tourné vers un cou hâlé et noueux, qu'il serre avec des petites mains, des mains d'enfant. Il respire une odeur familière, composée d'un mélange de sueur, de cheveux réchauffés par le soleil et de chevaux. Des bras robustes le portent le long d'un corridor de pierre spacieux, dont les murs sont décorés de tapisseries tissées de fils d'or.

Un serviteur, une épée à la hanche, les précède. L'homme s'arrête devant une haute porte de bois voûtée à l'armature en fer noir, et tire un lourd verrou de bois. La porte s'ouvrant, il en franchit le premier le seuil, avant de faire signe à l'homme qui porte l'enfant d'entrer dans la pièce.

À l'intérieur, une dame de compagnie est agenouillée, la tête recouverte d'une guimpe de soie inclinée si bas qu'il est impossible de distinguer ses traits. La pièce est meublée de grandes chaises hautes, d'une table massive, de plusieurs candélabres d'argent, de coussins de velours écarlate et d'autres tapisseries.

Deux passages voûtés ouverts donnent sur d'autres pièces, que les hommes ignorent. Celui qui tient l'enfant dans les bras le serre plus fort et se place en retrait pendant que le serviteur lui ôte son épée, avant de faire tourner avec précaution la clé d'une porte plus petite qui donne peut-être sur un placard. Le serviteur en franchit prudemment le seuil, puis il fait signe à son maître d'entrer à sa suite.

La pièce est étonnamment plus spacieuse que les précédentes. Sur ses murs, blanchis à la chaux et lambrissés, ont été peintes de délicates roses pâles ; l'un deux est entièrement recouvert d'écheveaux de fils épais écarlate, safran, indigo, et vert forêt. Dans un angle est disposé un grand métier à tisser, sur lequel est déployée une tapisserie en cours, représentant des femmes occupées à la cueillette d'oranges luisantes. Hormis la faible odeur végétale des teintures, il règne dans cette pièce un parfum merveilleux : le sol pavé est parsemé de lavande, de menthe pouliot, de romarin et de pétales de roses blanches et roses qui sont tombés des vases.

Et dans ce cadre est assise une femme à un rouet. Elle leur tourne la tête et ne réagit absolument pas à leur entrée – pas avant que l'homme ne lui annonce :

– Dame Béatrice. Je vous ai amené votre fils.

La femme se tourne vers eux. Son visage exprime une indolence effrayante, mais, à la vue de l'enfant, il irradie de bonheur. Sa beauté est grande, ses traits aussi délicats et réguliers que ceux d'une statue romaine, sa peau tout aussi lisse et pâle. Ses cheveux d'or, coiffés en tresses, sont enroulés en macarons sur ses oreilles ; ses yeux sont d'un bleu-vert d'une profondeur à nulle autre pareille. Elle est vêtue d'une chemise de laine crème sous une robe de soie lavande.

Sans prononcer une parole, elle se lève de son rouet, s'agenouille et écarte les bras ; l'enfant s'écarte de la poitrine de son père d'un geste impulsif. Il voudrait courir vers elle, mais à sa grande déception, son père le retient et le serviteur s'intercale entre la mère et l'enfant.

– Tu connais la règle, Luc, dit son père : tu dois toujours rester près de moi. C'est compris ?

– Je vous le promets, papa, répond le petit garçon d'une voix flûtée.

Son père le pose tranquillement sur le sol, mais il place une grande main sur son épaule, comme pour se tenir prêt à le tirer en arrière.

Maman ploie son long cou d'un air sinistre et contemple son mari avec des yeux dans lesquels brille quelque chose de prédateur et de sauvage. Luc, l'enfant, trouve qu'ils luisent comme ceux d'un chat dans la nuit.

En même temps, papa s'exprime avec une gaieté forcée.

– Luc, pourquoi ne chantes-tu pas la chanson qu'oncle Édouard t'a apprise cette semaine ?

Lentement, dame Béatrice laisse retomber ses bras. Ses traits ravissants expriment une si grande désolation que l'enfant a envie de pleurer. Luc chante tout de suite la chanson, une triste ritournelle des croisades qui évoque un pauvre pèlerin pénétrant sur une terre hostile dont il ne reviendra peut-être jamais :

> *Chanterai por mon coraige*
> *Que je vuil réconforter*
> *Ne quier morir n'afoler*
> *Quand de la terre sauvage*
> *Ne voi mais nul retorner.*

Tout en chantant de sa voix haut perchée, il voit sa mère sombrer dans la mélancolie, puis s'agiter. Et, à sa grande horreur, elle fond en larmes et bondit vers lui en se faufilant devant le serviteur.

Papa reprend tout de suite l'enfant dans ses bras, afin d'empêcher sa femme de l'atteindre.

– Cela suffit. Ta mère a besoin de prendre du repos.

Et il se hâte de ressortir de la pièce, pendant que le serviteur tient maman à distance. Une fois qu'il leur a permis de battre en retraite, la porte est de nouveau verrouillée derrière eux, mais Luc entend sa mère gémir :

– Luc, mon Luc…

Elle ne prononce aucun autre mot, mais alors que son père lui fait traverser la pièce de la dame de compagnie et ressortir dans le corridor, il entend sa voix se transformer en hurlement inhumain.

– *Luc…*

Luc verse des pleurs, car il est incapable de comprendre pourquoi leur vie ne peut pas être plus douce et plus simple, pourquoi sa mère est contrainte de vivre à l'écart, pourquoi il lui est interdit de courir se jeter dans ses bras lorsqu'elle lui sourit et les tend vers lui. Il verse des pleurs, le visage enfoui dans le cou de son père qui le transporte jusqu'au passage couvert (dont on a allumé l'âtre pour le réchauffer) qui relie la chambre de la dame à celle du seigneur. Son chagrin est d'autant plus grand qu'il sent que son père est préoccupé par quelque chose de plus important que le sort de son épouse tourmentée. Les ennuis flottent dans l'air comme de la fumée et l'enfant, plus sensible que n'importe quel adulte, déchiffre les yeux et les visages, les mains et les corps. Pas un mot ne lui échappe.

Personne ne lui en a parlé, mais Luc sait que les adultes se préparent à un événement important : son père a revêtu sa plus belle cape, attachée par une broche d'or et de rubis sur une tunique de soie safran. Luc aussi porte ses plus beaux atours : une tunique et des chausses qui sont déjà trop courtes et des poulaines d'adulte aux extrémités recourbées, légèrement trop grandes.

Un long périple à travers des salles glaciales, puis un escalier extérieur. Et voici Luc assis dans un réfectoire au plafond très élevé, à une longue table installée sur une estrade qui domine deux dizaines d'autres tables où ont pris place des convives, dames et seigneurs, une centaine de chevaliers tous revêtus de chasubles blanches immaculées sur lesquelles sont brodés un faucon et des roses. Son père préside la grande table. Il a des cheveux auburn et des sourcils d'un roux tellement plus sombre qu'ils en sont presque noirs. Luc est assis à sa dextre, trois chaises plus loin.

Il est minuscule sur sa chaise de bois, tout juste capable d'atteindre la tranche de pain qui sert d'assiette et le frais gobelet d'argent empli d'hypocras, le meilleur vin du château, parfumé à la cannelle et au clou de girofle. Il en avale une gorgée et sourit. Le fumet des plats qu'on leur sert l'emplit d'un plaisir familier : ragoût d'anguilles et de poissons, moutons rôtis, lapins de garenne grillés au vinaigre et aux oignons, pois au safran et soupe de poireaux accommodée avec du jambon, de la crème et des miettes de pain. Installée à côté de lui, Nana lui coupe sa viande avec son couteau et la pose sur son pain. Il l'entend lui chuchoter par-dessus la musique des harpes :

– N'oublie pas que tu dois mettre seulement des petits morceaux dans ta bouche et les mâcher en la gardant fermée. Et cette fois, fais bien attention d'utiliser ta cuillère pour les pois et la soupe.

Sa voix lui est à la fois familière et étrangère. Luc lève les yeux. Nana est une matrone aux cheveux gris nattés et torsadés sous une guimpe agrémentée d'un long voile blanc transparent étroitement noué sous la mâchoire pour retenir son double menton. Son manteau est confectionné dans un splendide tissu de brocart violet foncé sur fond lilas. « Au diable le noir, se plaît à dire Nana. Toute ma jeunesse, j'ai porté des habits de deuil, maintenant que je ne suis plus qu'une vieille femme, je me vêts comme il me plaît. » Il lui arrive parfois d'avoir des manières un peu brusques, mais son cœur est aussi tendre que son corps rebondi, avec sa poitrine généreuse. Luc, qui partage son lit et passe davantage de temps avec elle qu'en compagnie de ses parents, lui est reconnaissant d'être l'objet de sa plus grande affection.

– Nana, marmonne-t-il avec bonheur à sa grand-mère.

Mais une autre voix noie la sienne.

– Notre devoir est de montrer l'exemple, déclare l'archevêque, un homme aux yeux bleus injectés de sang dans un visage rond et plein. Notre devoir est de rappeler au peuple du Languedoc que l'Église ne tolère plus aucune forme d'hérésie. Je pense d'ailleurs qu'il souhaite se le voir rappeler. Il lui faut trouver une raison à toutes ces épidémies et à ces mauvaises récoltes. Qui peut affirmer qu'il ne s'agit point d'une punition de Dieu ?

« L'hérésie se propage comme une mauvaise herbe, avec grande célérité, sans qu'on en voie les racines. Nous pensions que de Montfort avait exterminé les cathares et que le roi Philippe le Bel en avait fait de même avec tous les templiers. Mais, à la vérité, ils rôdent parmi nous… »

Derrière Luc, une voix familière s'enquiert d'un ton léger, qui frise même la plaisanterie :

– Les templiers ? Je les croyais tous morts ou exilés en Écosse.

– Oncle Édouard ! s'exclame Luc.

Nana n'a pas le temps de le retenir par sa tunique. Déjà, il a pivoté sur sa chaise, manquant la renverser, afin de permettre à son oncle de le soulever dans ses bras.

– Oh, Édouard Luc, je crois bien qu'à partir de l'an prochain je ne pourrai plus te porter ! s'écrie à son tour le seigneur Édouard.

Si la mère de Luc était un homme, elle ressemblerait comme deux gouttes d'eau à son jumeau, Édouard. Elle posséderait les mêmes yeux malachite hors du commun, les mêmes traits magnifiques, mais avec une mâchoire un peu plus carrée, des sourcils un peu plus épais et des cheveux d'or aux reflets rouges, de la couleur du cuivre lorsqu'il vient d'être battu. Édouard replace son neveu sur sa chaise, avant de se tourner vers son beau-frère qui s'est levé.

— Seigneur de la Rose, dit-il, en s'inclinant officiellement, avant d'ajouter, lorsque le père de Luc lui tend les bras avec le sourire : Paul, comment vous portez-vous, mon frère ?

— Bien, répond ce dernier.

Les deux hommes s'étreignent avec grande affection. Puis Édouard recule un instant afin de sonder le regard de son beau-frère. La réponse qu'il y cherche est manifestement négative, car il constate qu'il est évasif, sur la défensive. Une lueur de déception assombrit brièvement le visage d'Édouard. Il prend immédiatement place à la table et dit :

— Veuillez m'excuser, monseigneur. Je vous en prie, continuez…

L'archevêque s'exécute.

— Ce sont les templiers, sachez-le, qui ont rapporté la magie du diable d'Orient, à l'époque où ils devaient ouvertement protéger les pèlerins et combattre les Sarrasins en Terre sainte. Il est vrai qu'au début, certains ont fait preuve de noblesse et qu'ils se sont sacrifiés dans le but de reprendre le temple de Jérusalem au nom de la chrétienté. Mais à la vérité…

Le vieil homme se penche en avant et baisse la voix au point qu'elle n'est plus qu'un murmure.

— Certains ont découvert des documents magiques sous le Temple, rédigés de la main de Salomon en personne. Et grâce à eux, la source d'un pouvoir inestimable. Ils ont partagé ces connaissances avec les juifs et les sorcières. Tout cela contribue à la conspiration maléfique à l'échelle du monde entier.

— J'ignorais que les sorcières tenaient leur magie des templiers, intervient poliment Nana. Je croyais qu'elle provenait des vieilles coutumes païennes, antérieures aux Romains.

— Cela est en partie vrai, reconnaît l'archevêque. Mais les femmes sont inconstantes, et la plupart des sorcières appartiennent à ce sexe. Et de même qu'elles sont inconstantes, papillonnant de dieu païen en dieu païen et d'ensorcellement en ensorcellement, elles ne sont que trop heureuses de dérober les rites magiques partout où elles les trouvent.

Leur magie ne vient pourtant que d'une seule source : Lucifer. Il est donc leur dieu, indépendamment du nom par lequel elles l'invoquent. Nous savons que les templiers préféraient de loin organiser leurs orgies sataniques en la seule compagnie d'hommes, mais les templiers et les sorcières avaient et ont encore – comment pourrais-je l'exprimer avec délicatesse ? – l'occasion de s'accoupler entre eux.

Le père de Luc a gardé les yeux baissés sur son repas et il a continué à se restaurer pendant toute l'intervention de l'archevêque. La diatribe du prélat terminée, il lui adresse enfin un regard intense et direct et commente plaisamment, d'un ton qui n'est pas davantage convaincu que désapprobateur :

– Effectivement.

Nana sourit à l'archevêque et ne dit rien, mais Luc la sent se raidir à ses côtés et il comprend alors que l'homme d'Église lui déplaît tout aussi profondément qu'à son père. Pour quelle raison les adultes prétendent-ils tous partager l'avis de l'archevêque alors qu'il n'en est absolument rien ?

Subitement, la scène change. L'archevêque, accompagné de Paul de la Rose, sort en grande pompe de l'immense réfectoire entre les convives agenouillés. Nana et Édouard les suivent à distance respectueuse. Luc marche entre eux. L'enfant serre la main de sa grand-mère sur sa dextre, et celle de son oncle sur sa senestre.

Luc sent de la chaleur et de la force colorées de chagrin émaner de la main d'Édouard. Il en conclut que son oncle a rendu visite à sa jumelle, Béatrice, avant de se joindre au banquet. Édouard porte un amour ardent à sa sœur, semblable à celui qu'il voue au seul fils auquel elle a donné la vie. Luc, le sachant, lui rend la pareille.

Indépendamment de toute tristesse, Édouard lui communique toujours la même sensation de joie intense lorsqu'il le touche. Non point une euphorie fiévreuse et fluctuante mais le bonheur rassurant et solide, y compris face à la tragédie, d'un homme qui a de véritables convictions et qui croit en quelque chose de prodigieux et de beau.

Aujourd'hui, cette joie elle-même est amoindrie par une terreur mystérieuse – une terreur identique à celle qui émanait de la main douce de Nana. Ils offrent une représentation parfaite à l'attention de l'archevêque et de l'assemblée, ces adultes, mais ils sont incapables de tromper un enfant.

Ils se retrouvent à l'extérieur : Luc est installé sur une selle dorée devant son père, à califourchon sur le bel étalon noir de Paul. À bonne distance devant eux, des serviteurs installent l'archevêque à bord d'un splendide *chariot* à quatre roues, dont le bois est tendu de cuir blanc et or sur lequel ont été ouvragés des symboles raffinés représentant la chrétienté et la famille de l'archevêque. Une tapisserie assortie, en brocart blanc tissé de fils d'or, sert de dais au vieillard qui cale ses os fragiles contre des coussins de velours écarlate.

Des images se succèdent alors rapidement :

Une place publique bruyante, le bourdonnement de milliers de voix. Le chuchotement de son père à son oreille :

– N'oublie jamais ce que tu vas voir et entendre ; et que cette scène te rappelle, en toutes circonstances, à garder ta langue.

Ils montent sur une tribune de bois où les attendent quatre hommes : deux vicaires, un moine, un prêtre du nom de Pierre Gui. En contrebas, au centre de la place qui a été évacuée, des poteaux de bois sortent du sol.

Le ciel est pur, d'un bleu aussi vif que le regard de son père. Luc, frissonnant, lui serre la main à la vue des flammes, des flammes couleur sang, des flammes qui transforment des êtres vivants en carcasses carbonisées et noircies.

Luc a détourné le visage, mais d'un geste ferme, sans piper mot, son père a repoussé son menton.

Il est donc contraint d'observer ce spectacle et, lorsque tous ont fini par rendre l'âme et que les gendarmes ont sectionné les corps noirâtres en morceaux à l'aide de tisonniers pour leur permettre de brûler plus rapidement, il retourne en compagnie de son père et de son oncle au château, pour partager avec eux un souper léger. Il ne peut presque rien avaler, mais il vomit quand même.

En proie à des vertiges et à une grande faiblesse, il se love dans son endroit favori : un siège de fenêtre dans le solarium, offrant une vue stratégique des terres du château et des champs qui s'étendent au-delà de ses murailles. Le soleil a réchauffé la petite pièce séparant le quartier du seigneur de celui de sa dame. Pendant que Luc somnole, il entend son père et Édouard se quereller :

– Vous n'avez donc rien dit au garçon ?

– C'est mon fils, Édouard. Ce n'est point le vôtre... ni celui de vos précieux templiers.

La voix de son oncle, très basse mais néanmoins audible :

– Pour l'amour du ciel, Paul, si les serviteurs nous entendaient ! D'ailleurs, ces termes ne veulent rien dire. Je ne suis pas davantage un templier qu'un cathare, un maure qu'un chrétien. Peut-être suis-je les quatre à la fois, peut-être ne suis-je aucun. La vérité est la vérité, peu importe comment on la qualifie. Et la vérité, c'est que votre fils…

– Mon fils, vous l'avez dit.

Un soupir.

– Oui, votre fils, Paul. Votre fils, et celui de Béatrice. Et il ne peut échapper à son…

La voix de papa, que la colère fait monter :

– Voudriez-vous le rendre fou, comme sa pauvre mère ? Voudriez-vous le voir rôtir comme un goret à la mamelle, tout comme ces pauvres malheureux l'ont été aujourd'hui ?

Édouard, sans s'énerver :

– Sans votre aide, mon frère, et sans la mienne, il pourrait sombrer dans la folie. Et sans conseils, il risque d'utiliser ses talents imprudemment, en présence des personnes inappropriées.

Vite, à présent, et plus fort, comme en réponse à un bruit qu'a fait Paul, comme s'il voulait l'interrompre :

– Eh bien, oui, il possède ces talents, au même degré que sa pauvre mère, même si vous ne parvenez point à le supporter.

Paul :

– Comment pouvez-vous affirmer chose pareille ? Il n'a pas manifesté le moindre…

– Vous ne l'avez pas vu parce que vous refusez de le voir.

Un long silence, puis Édouard continue :

– Paul, confiez-moi ce garçon. Laissez-moi faire son éducation. Il n'est point en sécurité en ces lieux, près de Béatrice dans l'état où elle est. Elle sert d'yeux et d'oreilles à notre adversaire et plus longtemps l'enfant restera ici, plus il sera à craindre que l'Ennemi ne trouve un moyen pour qu'elle…

De son père, un sanglot enroué.

– Comment puis-je le laisser partir, lorsque je vois ce que sa mère est devenue ? Dites-moi ce qu'elle a fait pour mériter de tels tourments. Je me pose la question : s'agit-il d'une punition céleste ? De démence pure et simple ? Ou alors…

– Je ne puis dire pourquoi, répond Édouard, mais je puis dire qui.

Un silence, subitement.

– L'une d'entre nous, déclare Édouard.

Luc ne comprend pas ce que son oncle entend par là, mais sa peau se hérisse quand même.

– L'une de la Race ? Non, non, c'est impossible. Comment un être si comblé de dons pourrait-il être si corrompu ?

– C'est pourtant arrivé, Paul.

– Non, non, je suis coupable, je vous l'affirme. Nous l'avons poussée, vous et moi. Elle a toujours été sensible. Il ne s'agit peut-être aucunement d'une attaque. Trop sensible, vous le savez mieux que personne, vous, son propre jumeau. J'ai fait ce que vous m'avez demandé, toujours. Vous et elle disiez que c'était mon destin. Et regardez l'effet que cela a opéré sur elle ! Toutes ces visions, toute cette magie, ont fini par la rendre folle.

Édouard, d'un ton apaisant :

– Les êtres les plus comblés de dons sont ceux qui courent les plus graves périls. J'aurais dû sentir quelque chose, j'aurais dû deviner qu'elle finirait par être submergée par sa propre peur. J'aurais dû vous interdire à tous les deux d'œuvrer en dehors de ma présence – ou j'aurais dû tout au moins coordonner le jour et l'heure, lorsque nous étions éloignés les uns des autres. Nous avons tous commis des erreurs : vous, Béatrice, et surtout moi. C'est son talent inné qui expose Béatrice. Même si cela se produit rarement, ceux qui ont reçu le plus de dons sombrent parfois dans la démence. Je sais maintenant comment nous aurions pu l'en prévenir. Il est possible d'éduquer l'enfant avec précaution, afin que cela ne lui arrive pas à lui aussi. C'est son destin, Paul, tout comme le destin de Béatrice était de le porter pour le bien de la Race. Ce sera une tragédie si nous ne…

Le claquement bruyant du métal contre la pierre. Un gobelet d'hypocras, peut-être, lancé contre un mur. Luc tressaille, car de l'autre côté de la paroi son père hurle :

– Maudit soit le destin ! Il ne peut y avoir pire tragédie que celle-ci !

Un silence et de nouveau la voix de Paul, cette fois calme et lourde de chagrin.

– Cette femme est un bijou, Édouard, une pierre précieuse, l'amour de ma vie. Comment pouvez-vous me parler de mon destin alors qu'il nous faut la garder captive à deux pas d'ici derrière des murs et des barreaux, en proie à Dieu sait quels tourments intérieurs, afin de l'empêcher de se blesser ou de blesser son fils ? Qu'ai-je à faire de la Race, alors que j'ai perdu ma Béatrice ?

– Confiez-moi l'enfant, déclare Édouard avec fermeté. Il est peut-être trop tard pour sauver ma sœur, mais nous pouvons encore aider l'enfant.

Paul, d'une voix enrouée.

– Non, n'ayez point l'arrogance de me le demander, Édouard. J'ai perdu mon épouse. Luc est tout ce qui me reste.

– Ignorer qui il est et ce qu'il est ne changera en rien les choses, mon frère. Le destin le trouvera, qu'il y soit préparé ou non.

Édouard se tait, avant de reprendre d'un ton toujours aussi calme et réfléchi.

– Confiez-moi le garçon.

– Non.

Confiez-moi le garçon.

Confiez-moi le garçon...

Luc sombre dans le délire ; il a peut-être crié, car il se souvient du visage inquiet de son père penché sur lui, suivi de celui d'Édouard et de celui de Nana. Au supplice, il s'agite sur le lit qu'il partage d'ordinaire avec sa grand-mère.

Son âme est tourmentée – non pas tant par le souvenir insoutenable des souffrances dont il a été témoin que par la terreur qui est sienne depuis la révélation selon laquelle il est destiné à devenir comme sa mère.

Tourmentée par cette nouvelle, et aussi par le souvenir d'une enfant aperçue alors qu'il contemplait les torches vivantes du haut de la tribune. Une petite paysanne aux cheveux noirs, tressés en une grosse natte, aux pieds nus sales en équilibre sur le rebord d'un chariot... Elle a poussé un hurlement, puis elle a basculé et elle n'a plus bougé, comme si elle était morte sur le coup. À la suite de sa chute, il y a eu un tohu-bohu, les membres de sa famille ont tant bien que mal réussi à l'atteindre et à la hisser à bord du chariot. Ils ont tout de suite quitté les lieux de l'exécution – non sans difficultés, en raison de la populace qui s'y pressait.

Luc ne parvient pas à comprendre pourquoi il garde un souvenir si précis de cette scène, car il ne s'agissait que d'un petit chariot parmi d'autres, au milieu d'une foule de paysans et de marchands. En outre, lui et son père, le *grand seigneur,* étaient séparés des roturiers par la berme où se tenait l'exécution et par le brasier.

Pourtant, Luc est submergé de vagues douloureuses durant lesquelles il voit et revoit ce moment, comme s'il avait été à côté de la petite fille au lieu de l'observer de loin : ses yeux noirs, écarquillés et emplis d'angoisse, ses lèvres écartées, ses bras qu'elle agitait pour tenter de reprendre l'équilibre...

Puis le hurlement, le plongeon en avant, la chute. Et alors que la foule s'écartait, sa silhouette inerte...

Sur son lit de malade, Luc gigote, hanté par la petite paysanne. Il éprouve une envie désespérée de la sauver, de la retrouver, de savoir si elle est encore en vie. Au milieu de ce public composé de spectateurs curieux et froids, elle seule, il le sait, a ressenti comme lui les souffrances des êtres qui trépassaient dans les flammes ; comme lui, elle a compris dans toute son horreur la tragédie qui se déroulait sous leurs yeux.

Et il s'est dit : *De tous ces gens, elle seule est comme moi. Et si elle est morte, alors je vais mourir aussi...*

Il demande aux visages aimés penchés au-dessus de son lit – papa, Édouard, Nana – si l'un d'eux a vu la petite fille qui a crié et qui est tombée du chariot. Aucun d'eux ne l'a vue et ils opposent un sourire condescendant à son véritable désarroi, avant d'essayer de lui en détourner les idées. Bien que trop jeune pour interpréter leur attitude, elle le met hors de lui. Car il s'est dit que s'il parvenait à connaître le nom de la petite fille, il arriverait peut-être à la retrouver, et à se satisfaire d'apprendre qu'elle était guérie et en bonne santé.

Au milieu de la nuit, le moine Michel se réveilla à moitié, encore enchevêtré dans son rêve, le cœur débordant d'une satisfaction si profonde qu'elle fit monter les larmes à ses yeux.

Sybille. Elle s'appelle Sybille...

Presque sur-le-champ, il sombra dans un autre rêve.

Une année, deux peut-être, ont passé. L'enfant Luc se réveille dans un grand lit, si haut que lorsqu'il pose ses jambes par-dessus le rebord, ses pieds pendent dans le vide sans toucher le sol. D'une glissade puis d'un bond, il atterrit sur la pierre froide et se faufile de sa chambre d'enfant au passage couvert, dans lequel il fait froid en ce début d'hiver, malgré le feu qui y est allumé. Calme et cependant très décidé, il a l'impression que quelqu'un s'est emparé de son cœur et que ce cœur le guide, tendrement mais avec fermeté – de son lit au passage, le long du corridor, devant la sentinelle postée à l'entrée de la chambre de son père.

Il constate avec étonnement que la porte est entrebâillée – juste assez pour qu'un enfant puisse s'y glisser, comme si quelqu'un avait conspiré pour lui permettre d'entrer.

À l'intérieur, son père, Paul, est étendu sur le grand lit de plumes, le corps recouvert de peaux d'ours et d'épaisses couvertures de laine. Un feu mourant jette sur cette scène une pâle lueur orangée. Le loyal serviteur du *seigneur*, Philippe, somnole, installé dans un fauteuil à son chevet ; dans un autre, Nana ronfle avec l'abandon des vieillards.

Luc se faufile jusqu'au lit, se hisse sur la pointe des pieds et tend le cou pour voir son père. Le visage du *grand seigneur* est tiré, d'une pâleur effrayante. Des gouttelettes de transpiration coulent sur son front et dans la barbe hirsute, d'un rouge cuivré, qui recouvre ses joues. Un visage sombre, avec ce front creusé par une expression renfrognée jusque dans le sommeil.

Le père de Luc remue et laisse échapper un gémissement de douleur – bas, faible. Il souffre, il souffre terriblement. En dépit des efforts du médecin, la blessure béante de sa jambe s'est infectée, et on s'attend à ce qu'il y succombe.

Sa cuisse a été transpercée par une lance au cours d'un tournoi en l'honneur du roi. Paul, en sa qualité de plus ferré et plus habile de tous les chevaliers, a été choisi comme champion du souverain, mais il a combattu sans y mettre son cœur. *Presque,* ont chuchoté ses serviteurs, *comme s'il désirait mourir.*

Luc est submergé d'une pitié, d'une compassion et d'une adoration si fortes qu'il croit presque défaillir. Sans avoir le temps d'analyser ses intentions, il grimpe sur le lit et tire sur les couvertures qui recouvrent la cuisse blessée de son père, enveloppée dans des linges suintants et qui a gonflé au point d'avoir doublé de volume. La peau qui n'est pas cachée par les pansements est tirée et violacée. Elle brille.

Ce spectacle est atroce, sans parler de l'odeur qui l'assaille : d'âcres relents de moutarde, de peau pourrissante et de viande avariée. Pourtant, Luc n'éprouve aucune peur. Il n'agit que guidé par un instinct qui le pousse à poser ses petites mains sur le cataplasme humide et chaud.

Une sensation bizarre – de chaleur accompagnée du bourdonnement d'un millier d'abeilles – traverse son corps et passe de ses mains à la blessure de son père. Ses paumes deviennent de plus en plus chaudes, les vibrations augmentent, lui procurent une béatitude qui l'enveloppe comme s'il s'y noyait, il perd tout sens du temps qui s'écoule. Le petit garçon cesse en effet de bouger jusqu'au moment où il sent la jambe remuer sous ses mains. Étonné, il lève la tête et s'aperçoit que son père le dévisage, les yeux écarquillés de stupéfaction.

– Luc, chuchote-t-il en se redressant lentement sur les coudes. Luc, mon Dieu…

Le petit garçon suit le regard de son père qui contemple sa cuisse bandée. Elle n'est plus gonflée et sa peau est souple et d'une couleur saine.

L'enfant bat des mains et éclate d'un rire de ravissement ; la timidité l'empêche pourtant de jeter les bras autour du cou du *grand seigneur.* Le vieux serviteur, Philippe, renifle bruyamment et remue dans son fauteuil comme s'il allait se réveiller. Le père de Luc porte un doigt à ses lèvres et fait signe à son fils de ramper sans bruit vers lui.

L'enfant lui obéit, l'enlace par le cou et presse sa joue tendre contre la joue hirsute et burinée par le temps. À la grande joie de Luc, son père l'étreint de toutes ses forces.

– Mon fils, pardonne-moi, dit Paul, dont la joue se mouille tout à coup de larmes. Je t'ai fait grand tort en essayant de nier la vérité, à cause du chagrin que j'éprouvais pour ta mère. J'espérais que l'ignorance te servirait de protection contre ton héritage, mais je vois bien qu'il te rattrape, avec ou sans mon aide. Mieux vaut que ce soit avec, mon garçon. Mieux vaut que ce soit avec…

Dans l'obscurité, le moine Michel se redressa complètement, les mains enfoncées dans le matelas moelleux. Il se sentait à la fois hébété et violé par ces images qui l'assaillaient – surgies de l'esprit d'un autre homme, des rêves d'un autre homme.

– Ainsi donc, chuchota-t-il, elle pense m'ensorceler.

Le lendemain matin, il se rendit plus tôt que les jours précédents à la prison. Alors que le geôlier l'accompagnait au cachot de l'abbesse, la porte s'en ouvrit de l'intérieur et le père Thomas en émergea, l'ourlet de sa robe de satin aubergine chuintant contre le sol de terre battue.

– Frère – ou devrais-je dire père – Michel, l'accueillit-il avec un sourire, derrière lequel rôdait néanmoins une espèce de menace.

Michel parvint à garder un visage neutre, alors que la vue de Thomas lui inspirait de l'inquiétude.

– Qu'est-ce qui vous amène ici de si bonne heure, mon père ?

Le prêtre était-il allé interroger l'abbesse lui-même, avait-il découvert son hérésie et conclu qu'ils détenaient déjà assez de preuves pour la juger coupable – ce qui montrerait par la même occasion que Michel ralentissait volontairement la procédure afin de la protéger ?

Le sourire de Thomas s'évanouit. Il inclina la tête et scruta Michel. Ses traits étaient indéchiffrables.

– J'étais curieux de voir comment l'abbesse se portait. Elle a bien entendu refusé de me parler, et j'ai cru comprendre que vous aviez décidé de ne plus avoir recours à la torture.

Il s'exprimait d'une voix feutrée et égale, mais dans laquelle sourdait néanmoins une pointe de danger aux oreilles de Michel.

Sans laisser le temps au prêtre de lui poser la question qui s'imposait, le moine déclara donc avec fermeté :

– Cela n'était point nécessaire, mon père. Comme je vous l'ai dit hier soir, l'abbesse a parlé assez librement. Je disposerai bientôt de toutes les preuves dont j'ai besoin.

– Prenez bien soin d'y parvenir, déclarera le jeune prêtre du même ton tranquille qui avait le don de lui faire perdre légèrement son calme. Car, à notre connaissance, vous rendez grand service au père Charles. Comme vous avez assisté avec lui à l'audience que lui a accordée l'évêque Rigaud, il est clair que vous avez compris que nous n'avons nulle intention de laisser passer la moindre irrégularité dans l'interrogatoire de l'abbesse. Nous ne tolérerons aucun retard, ni aucune malencontreuse suggestion de miséricorde.

Sans changer d'expression, Michel acquiesça d'un léger signe de tête.

– La censure est une condamnation des plus raisonnables pour une erreur de justice.

Il n'eut pas le temps de prononcer le dernier mot en entier car Thomas l'interrompit :

– Il n'est point question de punitions vénielles telles que censurer ou défroquer, frère... Ni même de celle, beaucoup plus sérieuse, qu'est l'excommunication. L'évêque Rigaud n'a peut-être pas fait clairement comprendre la position de l'Église : ceux qui éprouvent de la sympathie pour la mère Marie-Françoise sont, comme elle, de ligue avec le diable ; et ils subiront la même sentence qu'elle.

Une fois de plus, Michel ne manifesta aucune réaction. Mais en esprit, il vit un petit maillet fendre l'air et retomber sur un poteau enfoncé dans la terre fertile de Carcassonne qui résonnait sous ses coups.

– Je comprends.

– Fort bien, commenta Thomas. J'espère donc que vous prenez cet avertissement tout à fait au sérieux... aussi sérieusement que vous prenez votre vie.

Il prit alors congé en lui adressant son habituel sourire lumineux et creux et emprunta d'un pas rapide le couloir menant à la cellule commune. Michel le regarda s'éloigner.

À l'intérieur du cachot, l'abbesse était assise sur la planche de bois. Son visage, quoique toujours gonflé, était moins tuméfié. Ses hématomes s'étaient assombris. Son œil blessé était à présent presque entièrement visible. Il était tout aussi noir que l'autre et brillait autant que lui.

Dès que le geôlier eut refermé la porte derrière lui, Michel déclara avec amertume :

– Donnez-moi des raisons pour lesquelles je ne devrais point vous condamner à présent, ma mère. J'ai entendu votre témoignage, dans lequel vous avez reconnu, sans y être contrainte, pratiquer la sorcellerie. Je vous ai offert une occasion de vous repentir et de recevoir le pardon de Dieu, que vous avez refusée. Pour quelle raison devrais-je continuer à vous entendre ?

– Vous ne devriez pas, répondit-elle d'une voix douce.

– De plus, vous avez tout fait pour essayer de m'ensorceler. Vous m'avez envoyé les rêves d'un autre homme, d'un hérétique possédé par le diable.

Il se tut, réalisant ce qu'il venait de dire, et en demeura troublé. Il avait la sensation que son cœur et son esprit avaient été déchirés : en lui, le chrétien savait, intellectuellement, que les rites magiques qu'elle lui avait narrés étaient une hérésie et que la liberté avec laquelle elle évoquait les affaires de la chair était un affront à la chasteté. Mais il ne pouvait nier les fortes émotions, à la fois sacrées et profanes, qui l'attiraient vers elle. Elle lui avait confessé ses actions scélérates et, pourtant, il la considérait toujours comme une sainte femme, une véritable guérisseuse envoyée par Dieu ; mais, en même temps, il continuait à être la proie d'une lubricité comme il n'en avait jamais connue, mêlée à un désir pur et saint.

– Il est vrai que je vous ai envoyé ces rêves, reconnut l'abbesse. Ils racontent l'histoire de mon bien-aimé, Luc de la Rose. Luc n'était point un hérétique, mais un héros. Il préférait guérir que détruire et, pour finir, il s'est sacrifié par amour. Toutes les souffrances que je subis ne sont rien au regard des siennes. Et je ferai en sorte que soit racontée son histoire. Si vous refusez de l'entendre durant la journée, vous en rêverez la nuit.

Elle observa un silence avant d'ajouter :

– Vous ne me laissez point le choix.

Sa voix s'adoucit.

– J'ai une fort bonne oreille. J'ai cru entendre ce que le père Thomas vous disait derrière la porte. Il a menacé votre vie. Me suis-je trompée ?

Comme Michel ne répondait rien, elle poursuivit :

– Mon pauvre frère, votre destinée est liée à la mienne. Vous n'y échapperez point. Accordez-moi céans une nouvelle occasion de refuser de me repentir. Encore et encore et encore. Vous m'en avez déjà offert la possibilité à plusieurs reprises comme l'exige la loi, et vous n'avez nul besoin de vous sentir coupable de me condamner. Mon destin était écrit avant que je ne sois amenée dans cette prison. Mais le vôtre repose entre vos propres mains. Allez dire au père Thomas que vous avez obtenu une condamnation.

Michel réfléchit à ses propos. Il paraissait logique de la condamner. Elle avait avoué être sorcière, elle refusait de se repentir, et s'il suivait la loi à la lettre, il lui était possible de sauver sa propre existence. Et pourtant… pourtant, il ne pouvait nier que, en dépit de son histoire, chacun des actes de l'abbesse démontrait qu'elle était la sainte qu'il s'attendait à rencontrer. Maintenant encore, elle se souciait de son bien et n'éprouvait en apparence aucune crainte quant à son propre destin. Hérétique ou non, il y avait beaucoup de bon en elle ; et quand bien même se trompait-il, elle méritait, comme tous les enfants de Dieu, d'avoir l'occasion de connaître le Seigneur avant de mourir.

Il ne pouvait pas non plus se départir d'un faible espoir : une fois qu'elle se serait convertie, Chrétien, son protecteur, se laisserait peut-être aller à la miséricorde.

Il inspira et déclara d'un ton neutre :

– Ma mère, nous n'avons pas le temps pour ce genre de débat. Je vous en prie, continuez votre histoire. Et faites vite.

Les lèvres de l'abbesse étaient encore trop enflées pour lui permettre d'esquisser un sourire ; mais elle l'exprima dans son regard en prenant la parole…

QUATRIÈME PARTIE

SYBILLE

Carcassonne

Automne 1348

XII

Je me suis endormie à l'endroit même où je m'étais effondrée de fatigue, sans nulle protection contre les bêtes sauvages ou la pluie. Je me suis réveillée frissonnante, humide de rosée. J'ai repris ma marche, les jambes alourdies par mes jupes trempées. Ma destination n'était pas lointaine. J'avais le sentiment que je l'atteindrais le jour même.

J'ai erré à travers forêts, prairies et champs désertés. J'ai même traversé un village fantôme, vidé de ses habitants. Là, devant une petite hostellerie, j'ai trouvé un objet étrange suspendu à un arbre : un habit de nonne, bruissant doucement dans la brise. Sans doute avait-il été abandonné par ceux qui avaient soigné la femme qui le portait et qui avait péri avec tous les autres, car il était roide, comme s'il avait enduré beaucoup de pluie, de soleil et de vent.

Mais il avait également échappé à l'orage de la veille. Je me suis donc empressée de me débarrasser de mes vêtements encore humides pour le revêtir à la place, sans oublier son voile. Non seulement j'étais heureuse d'être de nouveau au sec, mais d'avoir trouvé un déguisement.

Comme je me sentais plus en sécurité, j'ai osé m'aventurer en terrain moins accidenté et ouvert et j'ai fini par emprunter un chemin qui menait à des villages inhabités et à une cité.

En dépit de mon chagrin et de mon épuisement, j'ai souri à la vue des célèbres fortifications de bois, car il ne pouvait s'agir que de Carcassonne. *Carcassonne, un havre sûr.* J'allais y trouver de quoi me restaurer – car je mourais de faim – et me loger. J'ai donc accéléré le pas dans cette direction et j'ai failli entrer en collision avec une grande silhouette sombre qui me barrait le chemin. J'ai levé les yeux. C'était un moine trapu, revêtu d'une robe noire dont la capuche était bordée de blanc : un dominicain.

Un inquisiteur. Quelque chose, dans son apparence, m'a néanmoins troublée. Quelque chose que j'ai été incapable d'identifier sur-le-champ. Je savais que la Déesse m'accompagnait, mais je n'ai pu retenir un frisson d'épouvante. Était-ce l'Ennemi qui avait envoyé cet homme à ma recherche ?

– Bonjour, ma sœur, m'a-t-il dit avec le sourire. Qu'est-ce qui vous amène à vous aventurer seule dans les bois ?

Si je m'enfuis, je lui fournirai simplement une raison de nourrir des soupçons, ai-je pensé. *Cet homme n'est qu'un moine. Il ne vient pas de Toulouse ; il ne me connaît point.*

– Bonjour, mon bon frère, ai-je répondu sans me démonter. Je pourrais vous retourner votre question.

Un sourire a relevé ses grosses joues rubicondes qui ont presque caché ses yeux.

– Mais je ne suis point seul !

La preuve m'en a été immédiatement fournie : des mains robustes m'ont saisie par les poignets et j'ai été brutalement attirée en arrière contre le corps d'un autre homme, au moins aussi grand et fort que le premier.

J'ai donné des coups de pied et appelé à l'aide. J'ai même réussi à me tourner à moitié, le temps de découvrir que l'individu qui m'avait faite captive portait aussi l'habit dominicain.

Les émissaires du Mal m'avaient donc enfin rattrapée. J'étais perdue. Mais je ne capitulerais jamais. J'ai enfoncé les dents dans un avant-bras dur et musclé, jusqu'à ce que l'homme pousse un grognement et lâche ma senestre.

Le premier dominicain l'a alors saisie et l'a serrée de toutes ses forces.

– Point de bourse, lui a annoncé l'autre.

Cette nouvelle l'a fait grommeler.

J'ai alors entendu le tonnerre des sabots d'un cheval et le crissement des roues d'un chariot, accompagnés d'une voix de femme qui hurlait :

– Arrière, Arrière, brigands ! Espèces de chiens ! (et pas du tout *canis Domini).* J'ai trouvé les pauvres moines à qui vous avez volé ces habits et ils sont prêts à vous accuser. Encore une fois : arrière !

Le sifflement d'un fouet ; suivi d'un autre. Et d'un autre.

Quelque chose de dur a heurté ma tempe. Une pierre ? J'ai chuté en arrière, sans personne pour me rattraper ; rien que la terre fraîche, les cailloux blessants, qui m'ont coupé le souffle. Les moines se sont volatilisés.

À leur place, encadré par les branches d'arbres altiers, il y avait le ciel. Il était bleu et dégagé, car une brise avait chassé les derniers nuages de l'orage de la veille.

Un nouveau visage inconnu a éclipsé ce bleu : celui d'une femme, carré et pâle, ceint d'une guimpe blanche couronnée d'un voile blanc. *Mère*, a murmuré quelqu'un derrière elle, et j'ai compris qu'il s'agissait de la Déesse. Elle était habillée exactement comme moi, et lorsque nos yeux se sont croisés, les siens étaient emplis d'une telle compassion que, dans mon chagrin et mon hébétement, j'ai fondu en larmes.

– C'est Dieu qui nous a amenées toutes les deux en ce lieu, a-t-elle dit.

Elle a essuyé mes larmes en m'adressant un sourire.

Elle s'appelait mère Géraldine. Plus tard, j'allais apprendre que son nom entier était mère Géraldine Françoise, mais ce jour-là je n'ai entendu que celui par lequel les autres nonnes l'appelaient. Elle m'a aidée à monter à bord d'un grand chariot, surmonté d'un toit de toile qui servait de protection contre le soleil. Je garde des souvenirs très précis de ce voyage : les braiments asthmatiques de la mule, les grondements et secousses incessants de l'attelage, qui me donnaient des maux de tête et de dos, que j'avais encore douloureux à la suite de ma chute. Je me souviens de la gentillesse de ces religieuses, de la bonté avec laquelle elles m'ont offert du pain et de l'eau pour me désaltérer, puis m'ont permis de poser la tête sur leurs genoux accueillants. La plupart du temps, elles murmuraient des prières :

Sainte Marie, mère de Dieu, soyez bénie entre toutes les femmes...

Nous avons voyagé jusqu'à la vesprée, où nous nous sommes arrêtées pour établir un campement. L'obscurité est vite tombée. J'ai dormi d'un sommeil agité, et je me souviens que mère Géraldine a passé une bonne partie de la nuit à me veiller à bord du chariot. Les nonnes avaient confectionné un grand feu, dont les flammes vacillantes projetaient une lumière orange pâle menaçante sur la peau et l'habit blancs de ma bienfaitrice.

Le lendemain matin, les nonnes ont repris leur voyage en silence. J'ai un vague souvenir de notre arrivée devant un vaste bâtiment de pierres qui sentait la mort. On m'a aidée à m'aliter et j'ai sombré dans un profond sommeil.

Lorsque j'ai fini par revenir à moi, complètement éveillée, j'ai vu une sœur en guimpe blanche et voile noir penchée sur moi. Ses lèvres et son nez étaient dissimulées sous un linge noué autour de son visage. Les coins de ses yeux se sont plissés, elle a battu des mains en s'écriant avec joie derrière le tissu qui étouffait sa voix :

– Que Dieu et saint François soient loués ! Comment vous sentez-vous, ma sœur ?

– Mieux, ai-je répondu d'une voix cassée.

J'étais en train de me demander si ce linge n'était qu'un objet fantomatique, vestige de mon délire, lorsque je me suis aperçue que l'odeur particulière et désagréable de la veille – qui me rappelait vaguement celle que j'avais sentie dans la chambre de la femme de l'orfèvre – persistait. Il était donc bien réel.

Je n'ai pas eu le temps de questionner mon infirmière à son sujet. Elle était sortie de la pièce en hâte. Mais elle est revenue, toujours aussi enthousiaste, m'apporter un bol de soupe.

C'était une femme jeune et avenante, étonnamment bavarde pour quelqu'un qui avait pris le voile. Tandis que je me restaurais lentement, j'ai tout appris sur mon nouvel état : nous nous trouvions dans un couvent de Carcassonne, son nom était sœur Marie-Magdeleine et oui, il y avait eu des morts dans la pièce voisine, mais leurs corps en avaient été enlevés. Les sœurs la récuraient à présent et cette puanteur allait bientôt disparaître.

Elles craignaient de me voir succomber au coup que m'avaient infligé les brigands, car mon sommeil s'était prolongé, sans qu'elles parviennent à me réveiller. Mère Géraldine, la plus pieuse et la plus compatissante d'entre elles, avait passé la nuit précédente en prières à mon chevet.

Malgré ma faiblesse, j'avais retrouvé assez de lucidité pour sursauter. J'ai porté les mains à mon crâne pour le tâter, m'attendant à sentir les longues nattes torsadées qui allaient me trahir. J'ai été soulagée de ne palper que le fin tissu de la guimpe qui recouvrait ma tête ; quelqu'un avait soigneusement plié mon voile et l'avait posé à côté de mon lit.

Si sœur Marie-Magdeleine avait remarqué mes cheveux sous le tissu, elle n'en a rien montré, puisqu'elle m'a demandé poliment :

– Comment se fait-il que vous vous trouviez seule dans les bois, ma sœur ?

On n'a bien évidemment jamais entendu parler d'une femme, et encore moins d'une nonne, voyageant sans accompagnement. J'ai essayé en hâte de trouver une explication, mais je n'y suis point parvenue. Après l'avoir regardée fixement pendant quelques secondes, j'ai répondu :

– Je n'en sais rien.

– Vous l'avez oublié ?

Un pli s'est creusé entre les sourcils de sœur Marie-Magdeleine.

– Pauvre chose ! Qui sait ce que ces brigands ont pu vous faire – ou à vos autres sœurs ? Est-ce à cause du coup porté à votre tête ? Ou alors…

L'idée qui venait de lui traverser l'esprit était trop révoltante pour qu'elle osât la formuler.

– Je ne m'en souviens point, me suis-je empressée de répéter, reconnaissante de ce prétexte qu'elle venait de m'offrir pour cacher tout ce que je ne saurais éclaircir.

Mais je n'avais aucune explication à donner pour mes cheveux. Et c'est ainsi que lorsqu'elle m'a quittée pour vêpres, j'ai pris le petit couteau posé près du plat de sangsues à côté de mon lit et, à la lueur vacillante des bougies, j'ai coupé ma chevelure à laquelle personne n'avait touché depuis ma naissance. Je l'ai offerte à la flamme et je l'ai regardée roussir, se racornir et se transformer en néant. Je me suis recroquevillée lorsque j'ai respiré l'odeur atroce qu'elle dégageait, car elle m'a fait penser à Noni.

Le lendemain, j'avais repris suffisamment de forces pour me lever et utiliser le pot de chambre placé dans un coin de la cellule. Mais je n'étais pas d'humeur à aller prier à la chapelle en compagnie des sœurs, car je ne manquerais pas de révéler mon ignorance et mon abominable latin. Mon infirmière, Marie-Magdeleine, n'a pas passé la journée à mon chevet. Elle s'est contentée de m'apporter mes repas et de venir les reprendre.

C'est pendant l'une de ses absences que j'ai vu apparaître la tête de la mère supérieure par la porte entrebâillée.

– Puis-je entrer ? m'a-t-elle aimablement demandé.

– Bien sûr.

J'ai voulu me lever, car cette femme était manifestement issue de la noblesse, alors que je n'étais rien d'autre qu'une paysanne. Mais d'un geste ferme, elle m'a fait signe de rester assise et je lui ai obéi, bien calée contre l'oreiller. Pour sa part, elle a pris place sans la moindre formalité, à l'extrémité de mon lit.

De sœur Marie-Magdeleine, j'avais senti intuitivement qu'elle était une fille sincère, incapable de blesser quiconque ; elle n'avait eu qu'à s'asseoir près de moi pour que la Vision me l'apprenne. Mais l'abbesse…

Du cœur de l'abbesse, je ne devinais rien, ne Voyais rien, comme si un mur invisible avait été érigé autour d'elle, en dépit de la compassion qu'elle m'avait témoignée et de la confiance qu'elle m'avait inspirée le soir où elle s'était portée à mon secours. J'ai songé que j'avais peut-être été découverte ; qu'elle, ou l'une de ses sœurs, avait aperçu le talisman d'or que je portais autour du cou alors qu'elle soignait ma tempe. L'une d'elles avait peut-être vu ma longue chevelure avant que je ne réussisse à la couper.

L'abbesse, qui ne paraissait pas s'apercevoir de mon malaise, m'a dit avec bonté :

– Je m'appelle mère Géraldine Françoise. Et vous ?

– Marie, ai-je répondu sans réfléchir, avant de rectifier : sœur Marie… Françoise.

Je n'ai point osé lui dire que je m'appelais Sybille ; Marie était un prénom suffisamment répandu pour me procurer une sécurité et, dans ma frayeur, j'ai répété par erreur le second prénom de l'abbesse.

Elle a écarquillé les yeux de ravissement.

– Sœur Marie-Françoise ! Enfin, nous voici officiellement présentées.

D'un geste impulsif, elle m'a serré chaleureusement les mains. Mes mains, râpeuses et calleuses, entre les siennes, si lisses, avec leurs ongles courts et immaculés. Puis elle m'a embrassée sur les deux joues.

– Pardonnez-moi, ma chère sœur, m'a-t-elle dit, de ne pas être venue plus tôt à votre chevet, pour me présenter et vous apprendre qui nous sommes. Mais votre état de faiblesse m'a incitée à ne point vous approcher tout de suite après avoir déménagé les morts…

– Les morts, ai-je répété, me souvenant de la puanteur qui régnait à l'intérieur du couvent durant ma première nuit. C'est vrai, j'ai appris par sœur Marie-Magdeleine que des personnes étaient décédées dans la pièce voisine.

– Pas seulement dans la pièce voisine. Plus de soixante sœurs franciscaines ont été emportées au ciel par la pestilence, a-t-elle précisé d'un ton prosaïque.

Ma réaction l'a incitée à me donner une explication.

– Nous n'avions personne pour les enterrer, si bien que nous nous en chargeons nous-mêmes, avec la dérogation de l'évêque. Les rares moines bénédictins que Dieu a bien voulu épargner sont venus nous prêter main-forte. Pardon pour ces relents, mais nous en aurons bientôt fini avec cette triste tâche. Nous pourrons alors nous atteler à la deuxième : repeupler notre couvent.

» C'est d'ailleurs pour cela que je suis venue vous rendre visite aujourd'hui. »

Elle s'est arrêtée et a incliné la tête si bas que ses paupières dissimulaient presque entièrement ses yeux. Son sourire s'est estompé.

– Sœur Marie-Magdeleine m'a appris que vous aviez des troubles de mémoire hier. Cela va-t-il mieux aujourd'hui ?

– Je crains fort que non…

– Pourtant, vous n'avez point oublié votre nom. Vous souvenez-vous d'autre chose ? Le cloître dont vous venez, peut-être ? Les sœurs qui voyageaient en votre compagnie ?

– Je… non. J'en suis navrée.

– Manifestement, vous venez de fort loin. Vous portez un habit de franciscaine, il est vrai, mais nous ne sommes plus très nombreuses à présent. Le couvent le plus proche, à ma connaissance, est celui de Narbonne, mais les nouvelles voyagent fort lentement depuis l'épidémie. J'ignore si des sœurs y ont survécu.

Elle a relevé la tête et m'a présenté son visage carré irradiant la sérénité et ses yeux pénétrants. L'intensité de son regard m'a déconcertée.

– Narbonne ?

J'ai hésité. Si je voulais survivre, je devais à tout prix persister dans le mensonge que sœur Marie-Magdeleine m'avait fourni.

– Ma mère, je ne voudrais pas vous causer de difficultés. Mais je n'arrive tout simplement pas à me souvenir.

– Ah ! s'est-elle écriée avec trop de circonspection pour que je puisse déchiffrer sa pensée. Je vais donc écrire aux nonnes de ce couvent, afin de leur demander si elles connaissent une sœur Marie-Françoise… bien qu'évidemment il s'agisse d'un nom fort courant à l'intérieur de cet ordre. C'est le moins que je puisse faire pour vous aider à retrouver la place qui est la vôtre.

Elle s'est levée pour prendre congé. Mais, après m'avoir tourné le dos, elle s'est ravisée et m'a de nouveau fait face. J'ai pris soin de garder un visage inexpressif.

– Ma sœur…, a-t-elle alors dit d'une façon et d'un ton hésitants. Je ne voudrais point faire preuve de présomption, mais lorsque j'ai vu une religieuse franciscaine, qui plus est une sœur professe, je n'ai pu m'empêcher de penser que Dieu avait fait en sorte que nos chemins se croisent. Je ne dispose ici que de postulantes et de novices ; aucune n'a prononcé ses vœux. J'ai grand besoin d'une sœur expérimentée pour m'aider à pourvoir à leur enseignement et à leur organisation.

« Acceptez-vous de me venir en aide jusqu'à ce que nous retrouvions votre couvent ? Vous êtes si jeune, à peine en âge de consentir, et vous avez déjà prononcé vos vœux. Cela signifie donc que Dieu occupe une place primordiale dans votre vie. Resterez-vous auprès de nous ? »

À mon tour, j'ai hésité. Illettrée comme je l'étais, j'ignorais à peu près tout des religieuses, hormis le fait qu'elles savaient lire, car j'avais eu l'occasion (lors des rares fois où maman nous entraînait tous à Saint-Sernin lorsque nous avions à faire à Toulouse) de voir des sœurs voilées dans le sanctuaire, qui suivaient la lecture d'une des leurs dans de petits missels. En cet instant, j'aurais été incapable de distinguer une cistercienne d'une dominicaine, ou une pauvre clarisse d'une bénédictine. Pourtant je n'avais d'autre solution pour le moment que de me reposer sur les bonnes grâces de cette femme. La Déesse m'avait amenée en ce lieu dans un but précis. J'allais donc y demeurer aussi longtemps que j'y serais en sécurité.

– Mère Géraldine, ai-je répondu avec sincérité, j'ai peur. J'ignore qui je suis. Je me souviens à peine de mon latin ; je crains de ne plus savoir lire, ni même de me souvenir de toutes mes prières. Vous avez fait preuve d'une telle bonté et d'une telle charité à mon égard... que je ne puis refuser de vous les rendre. Mais comment pourrais-je vous être utile, alors que je suis incapable de me souvenir de l'expérience que vous cherchez ?

Elle a effleuré ma joue des doigts pour me rassurer.

– N'ayez aucune crainte, m'a-t-elle dit avec gentillesse. Avec le temps, la mémoire vous reviendra, et quand bien même n'en serait-il rien, je suis ici pour vous aider. Nous pourrons commencer nos leçons dès cet après-midi et d'ici un mois, vous aurez retrouvé vos connaissances. Je reste convaincue que vous avez été envoyée ici pour me venir en aide, et non l'inverse.

J'ai souri, quelque peu soulagée temporairement. Car je savais que si je restais un certain temps au couvent, si j'apprenais à lire, à écrire et à adopter les manières d'une dame bien née, les inquisiteurs ne reconnaîtraient jamais en moi la paysanne de jadis.

À condition de continuer à parvenir à tromper les nonnes sur mon identité. Cette mère abbesse avait tout l'air d'être une femme d'une intelligence supérieure. Ses grands yeux étaient peut-être emplis d'une compassion sincère, mais ils contenaient aussi de la sagacité, sagacité qui finirait un jour, j'en avais la conviction, par percer mon déguisement et découvrir la menteuse que j'étais.

Une autre journée m'a suffi pour être en état d'entamer mon existence de nonne. Elle ne correspondait en rien à tout ce que j'avais pu imaginer : j'avais toujours entendu raconter qu'il s'agissait d'une vie de privations terribles, de jeûne et de flagellation, de pénitences cruelles et de labeur incessant.

Peut-être l'était-elle – pour une femme issue de la noblesse. Mais pour la fille d'un vilain, elle approchait du luxe. Je disposais de mon propre matelas, d'une cellule privée, et je jouissais de l'invraisemblable confort que constituait la *garde-robe** située à l'étage même où logeaient les sœurs. Vous êtes bien né, frère : vous ne pouvez concevoir le bien-être que l'on ressent de ne point être contraint de se soulager dehors en plein cœur de l'hiver.

Le rituel quotidien présentait le même confort. Cinq fois par jour, nous nous rassemblions dans le sanctuaire pour chanter en latin, prier en commun et entendre une lecture des Évangiles ; une fois la journée, un prêtre venait de la ville pour célébrer l'Eucharistie.

Les heures restantes étaient consacrées à la prière personnelle, aux repas du matin et du soir, au travail et à l'étude. Les sœurs employaient le terme *travail,* mais à mes yeux, il s'agissait davantage d'une récréation, lorsque je le comparais au labeur des champs ou à celui d'une sage-femme : nous soignions les malades qui occupaient la partie du grand cloître transformée en hôpital, aidées de quelques sœurs laïques qui, rendues veuves par la peste, recevaient du monastère pitance et toit. Comme la population des pauvres de Carcassonne avait été décimée, il ne restait plus que de rares malades à soigner, y compris lorsque mère Géraldine a ouvert une aile du couvent pour accueillir les lépreux qui avaient survécu à la colère de la populace affamée et frappée par la peste. Les nonnes ne devaient donc consacrer que quelques heures par jour à veiller sur les patients ; et chaque sœur travaillait un nombre égal d'heures.

De toutes les nouveautés auxquelles j'ai été contrainte de m'habituer, l'égalité entre les sœurs a été la plus difficile : je me surprenais souvent à faire la révérence aux religieuses de haute naissance et il m'a fallu un certain temps pour apprendre à ne plus manifester une attitude déférente à leur égard. Tel était l'héritage de saint François, qui, quoique né fils d'un riche marchand, traitait tous les hommes – indépendamment de leur pauvreté – comme ses supérieurs.

---

* En français dans le texte.

Chaque après-midi, je passais en secret deux heures, parfois davantage, en compagnie de mère Géraldine, afin d'apprendre mes lettres : en français d'abord, puis en latin. Quel miracle que le mot écrit ! J'avais abordé ma première leçon terrorisée, car étant à la fois femme et paysanne, je me croyais créature trop sotte pour apprendre. À ma grande stupéfaction, j'ai mémorisé l'alphabet et ses sons fort vite, et en un peu plus d'une semaine j'ai été capable d'épeler des mots courts. L'abbesse a attribué la rapidité à laquelle j'apprenais au fait que ses leçons remuaient ma mémoire endormie, et je n'ai rien fait pour l'en détromper.

Après la peine et la terreur que j'avais éprouvées, le couvent représentait un véritable havre. À travers les rituels, m'était offerte la possibilité de communiquer avec la Déesse. Jusqu'à un certain point, ils apaisaient ma douleur, car ils étaient beaux, et c'est à travers l'expérience de la beauté que nous nous souvenons des meilleurs moments de l'existence des êtres chers à nos cœurs que nous avons perdus. Si vous m'aviez vue en prières, le visage calme, serein même, vous auriez pensé que j'étais une aussi bonne chrétienne que les autres.

Mais lorsqu'à l'heure prescrite je m'agenouillais dans ma cellule solitaire, c'était uniquement à titre de prévention, au cas où l'une de mes sœurs y entrerait par surprise. Et lorsque, comme toute bonne nonne, je marmonnais le rosaire, je n'adressais pas seulement ma prière à la Mère de Jésus, mais à la Mère de Tous.

Chaque jour, je priais et, chaque jour, je posais les mêmes questions :
Que me réserve ici le destin ?
Quand trouverai-je mon Bien-aimé ?

C'était en ce lieu, je le savais, que les réponses me seraient données. Ma grand-mère était morte, mais elle avait planté une graine. Et cette graine a commencé à germer dans la terre du couvent, qui m'apportait le vivre et le couvert et où je ne risquais rien.

Je suis donc restée dans cette communauté, où j'ai vécu en compagnie des autres sœurs une existence d'obéissance, de pauvreté et de chasteté, selon les préceptes de saint François. Il est impossible de passer beaucoup de temps à genoux sans commencer à réfléchir ; il est impossible de contempler le visage extasié de ses sœurs en prières, sans être également émue. Au couvent, j'ai commencé à me sentir en paix. En vérité, je n'ai jamais imaginé être née créature vorace et vile au point qu'un homme aurait dû verser son sang pour moi ; à coup sûr, il m'était impossible de prier un dieu qui exigeait qu'un tel sang fût versé pour épargner au monde des tortures éternelles, ou qui estimait qu'un tourment pareil était la condamnation appropriée aux peccadilles érotiques ou au manquement à la messe quotidienne.

J'avouerai même davantage : il m'est venu à l'esprit que l'on pouvait peut-être assimiler Dieu à celle que je connaissais sous l'appellation de Déesse ; je l'ai vu sur les traits du visage radieux de mère Géraldine, je l'ai entendu à vêpres, dans sa voix exubérante, lorsqu'elle a évoqué la beauté des rayons du Frère Soleil qui pénétraient à flots par les vitraux de la chapelle et qu'elle nous a dit que saint François avait bien raison d'affirmer que la splendeur de la nature dépasse de loin la beauté de toute création humaine. La Terre en son entier est une magnifique cathédrale, a-t-elle affirmé, et nous avons le bonheur d'être les âmes qui font leurs dévotions à l'intérieur de cet édifice.

Comment aurais-je pu ne point être d'accord avec cette comparaison ? La nuit qui l'a suivie, lorsque je me suis allongée sur mon petit lit, j'ai su que la Déesse m'entourait, me protégeait, vivait en moi.

Mais lorsque je me suis endormie, j'ai rêvé de Jacob. Sa barbe et ses longs cheveux bouclés poivre et sel étaient embrasés et il tendait le bras droit en un geste d'imploration. Et il a dit :

Les flammes se rapprochent chaque jour, ma Dame.
Les flammes se rapprochent chaque jour.

J'en étais déjà à ma seconde année au couvent lorsqu'un jour, au milieu de la matinée, je suis allée travailler comme d'ordinaire au lazaret, accompagnée de sœur Habondia. Habondia était fragile comme un oiseau. Elle ne possédait plus que quelques dents, des yeux luisants et vifs et un visage profondément creusé par des rides tombantes ; en toute sincérité, je ne me souviens pas avoir jamais vu le moindre sourire éclairer ce visage. Elle était veuve, et une simple allusion à ses enfants suffisait à lui faire retrousser les lèvres. Ils l'avaient contrainte, de nombreuses années auparavant, à entrer au couvent, et son caractère revêche permettait de deviner sans mal la raison de leur geste. J'avais pitié de ses patients, car elle les soignait en gardant un silence aigre, sans leur manifester de chaleur humaine. Lorsqu'elle était d'humeur particulièrement sombre, je les entendais pousser des cris de douleur, car elle les lavait ou pansait leurs blessures sans le moindre ménagement.

Je constate qu'il me suffit de mentionner les lépreux pour que vous éprouviez un malaise. Pour ma part, après toutes ces années où je les ai côtoyés, je ne puis plus les redouter comme autrefois. J'étais moi aussi emplie de crainte la première fois que mère Géraldine m'a ordonné d'aller les soigner. Notre hôpital de fortune comprenait un quartier réservé aux lépreux trop atteints pour que les membres de leur communauté, qui vivaient dans les collines à l'écart de la ville et des villages, puissent s'en occuper eux-mêmes.

Toutes les sœurs avec lesquelles je me suis entretenue n'avaient apparemment guère de crainte de contracter la lèpre ; beaucoup soignaient des lépreux depuis des années sans avoir jamais été touchées par la contagion. Le secret de cette immunisation était un bassin d'eau toujours fraîche dans laquelle chaque sœur se lavait les mains avant de quitter le lazaret, ainsi que la prière spéciale adressée à saint François chaque fois qu'elles tiraient cette eau du puits. François lui-même avait été l'ami des lépreux. Avant que Dieu ne l'appelle à une vie de pauvreté, alors qu'il s'en revenait de guerre, sa route avait croisé celle d'un lépreux. Ce pauvre gueux s'était caché le visage derrière la cape noire qu'il était contraint de porter, tout en faisant sonner sa clochette pour alerter François de sa maladie. Mais ce dernier, envahi d'une immense compassion, avait sauté à bas de sa monture pour étreindre le malheureux auquel il avait fait don d'une bourse bien remplie. Le pauvre homme l'avait vu repartir, hébété de bonheur.

Oui, j'ai éprouvé une véritable horreur la première fois que mes pas ont franchi le seuil de l'immense salle qui servait de lazaret. Mon éducation m'avait appris à craindre les affligés : ils ne s'approchaient que rarement des frontières de notre village, lorsque la faim les y poussait. Je me souviens de silhouettes recroquevillées, drapées dans des capes grisâtres en haillons, aux pieds et aux mains déformés entourés de pauvres bandages, avec leurs visages défigurés et hantés dissimulés dans l'ombre de leurs capuches, qui faisaient tinter leurs sonnettes et leurs crécelles. Je me souviens de ma mère me tirant par le bras pour me faire rentrer à l'abri dans notre chaumière, pendant que mon père leur jetait de loin des fruits pourris. Je n'ai point oublié l'expression du visage de maman, le jour où nous nous sommes rendues à la rivière pour faire la lessive et où nous avons trouvé sur un rocher la moitié supérieure d'un doigt grisâtre et vidé de son sang.

La première lépreuse que j'ai lavée était une jeune femme de noble naissance qui m'a raconté qu'elle avait été belle naguère. Lorsqu'elle a enlevé la cape grise qui indiquait sa condition d'intouchable, elle a versé des larmes de honte ; et moi, des larmes de pitié. Son visage n'avait pratiquement plus rien d'humain. L'arête de son nez s'était creusée et une tumeur de chair de forme ovale, blanche et brillante, s'était développée à partir d'une commissure de ses lèvres et remontait le long de sa joue, cachant en partie l'un de ses yeux. Elle était entrée au lazaret parce que l'un de ses pieds était devenu insensible. Elle avait perdu trois orteils et ne pouvait plus marcher. Comme la plupart de ses frères et sœurs de misère, elle vivait dans l'épouvante d'être découverte par les gens de la ville et brûlée vive sur le bûcher en punition de sa maladie. En dépit de nos soins, elle est morte peu après, car les plaies béantes laissées par la perte de ses autres orteils avaient été atteintes par la gangrène.

Comme cette salle était silencieuse ! Comme elle assourdissait les souffrances ! Nombre des affligés souffraient de plaies à la bouche ou à la mâchoire qui les rendaient muets ; la honte avait contraint les autres à garder bouche close. La plupart avaient été officiellement déclaré « enterrés » ou, si vous préférez, proclamés morts. Ils avaient assisté à leur propre service funéraire dans une église entièrement vide, à l'exception d'un prêtre qui se tenait le plus loin possible d'eux.

Tel était le cas de l'un des hommes que j'ai pris l'habitude de soigner, un vieux paysan dénommé Jacques, doué d'un esprit vif et d'une jovialité tout à fait stupéfiants dans l'état qui était le sien. La maladie avait rongé ses deux pieds jusqu'aux chevilles, mais il se servait de béquilles fabriquées de ses propres mains pour se déplacer clopin-clopant et s'obliger à aller à la *garde-robe* (car il affirmait préférer mourir que se pisser dessus sur sa paillasse). Cet effort était d'autant plus remarquable qu'il n'avait plus que ses pouces et que son visage était tellement déformé qu'aucun de ses compagnons de douleur n'aurait fait ce déplacement, par crainte d'être vu. L'arête de son nez s'était tellement effondrée qu'il avait été contraint d'en découper la chair pourrissante et le cartilage pour pratiquer un trou à la hauteur du crâne qui lui permettait de respirer. Comme une de ses paupières avait été rongée, le globe oculaire qu'elle protégeait s'était desséché, puis il avait été infecté dans son orbite.

En résumé, Jacques était devenu un être grotesque. Mais comme il était entré au lazaret depuis cinq ans, je m'étais tellement accoutumée à lui et aux autres pensionnaires de l'établissement que j'étais capable de voir au-delà de leur défigurement et d'imaginer à quoi l'homme devait ressembler par le passé. À la vérité, nous avions développé une mutuelle affection. Affection née pour ma part du fait que j'imaginais en lui le père que j'avais perdu devenu vieillard, que l'on me permettait de soigner. Quant à Jacques, il m'avait raconté qu'il avait une fille, que sa maladie lui interdisait désormais de voir. De la sorte, nous nous réconfortions l'un l'autre.

Tous les matins, il me saluait d'un « Bonjour, ma chère sœur Marie ! Comment Dieu vous traite-t-il ? ». Ce à quoi je ne manquais jamais de lui répondre « Bien ». Puis je l'interrogeais sur son état et il me faisait toujours la même réponse : « Je ne me suis jamais mieux porté ! Vivre une existence si confortable et si oisive et être soigné par des femmes si belles ! Je n'en aurais jamais rêvé plus merveilleuse lorsque je peinais dans les champs ! Je n'aurais jamais imaginé que dans mes vieux jours je pourrais chier à l'intérieur, comme un *grand seigneur !* » Il m'adressait alors un sourire de sa bouche déformée, qui dévoilait des gencives grises et édentées. Je lui rendais son sourire, tandis qu'il me présentait ses escarres à nettoyer.

Il ne faisait point de doute que ses plaies étaient aussi effrayantes que celles de ses compagnons ; la lèpre avait en fait attaqué presque tout son corps. Mais il était mystérieusement parvenu à leur survivre. Il avait réussi à échapper à la malédiction de la gangrène, et par conséquent à une mort assurée.

J'en reviens à la matinée que j'évoquais, en compagnie de sœur Habondia. Notre première tâche, lorsque nous pénétrions dans l'hôpital, consistait à vider et à lessiver les pots de chambre à la pompe qui se trouvait à côté dans la *garde-robe*. La chose faite, nous retournions au lazaret nettoyer les quelques malheureux trop infirmes ou trop atteints par l'infection pour se servir sans aide des pots de chambre.

À mon retour, je me suis attendue à recevoir l'accueil habituel de Jacques ; mais ce matin-là il a gardé un silence qui ne présageait rien de bon. Je me suis donc tout de suite approchée de son chevet et j'ai constaté, à notre gêne mutuelle, que pour la première fois mon ami s'était souillé. Serait-il agi de n'importe quel autre malade que j'aurais pris cet incident avec légèreté. Mais il s'agissait de Jacques, qui se faisait un véritable orgueil d'apporter le pot de chambre aux autres. J'ai crains que son état n'eût subitement empiré ; mais il a détourné les yeux de honte et ne m'a pas adressé la parole, même lorsque je lui ai apporté des vêtements de rechange.

Cet incident a jeté un voile sur la matinée. J'ai vaqué à mes autres besognes avec moins de gaieté que d'ordinaire, pendant que, de son côté, sœur Habondia s'en acquittait avec ses habituels marmonnements déplaisants.

Une heure plus tard environ, alors que je venais de soigner une escarre fort vilaine sur la jambe d'un lépreux, j'ai entendu un bruit. Léger et étouffé, comme si quelqu'un s'éclaircissait discrètement la gorge, mais néanmoins teinté du désespoir le plus vif.

Nombre des locataires du lazaret toussaient et émettaient sans arrêt des grognements. En temps normal, je n'aurais même pas remarqué un bruit si discret. Mais un pressentiment m'a incitée à interrompre ma tâche, mon chiffon mouillé dans une main et mon bassin posé sur le sol entre mes genoux, et à tourner la tête.

À l'autre bout de la salle, sœur Habondia était également agenouillée par terre, occupée à soigner les plaies d'un malade. Derrière elle encore, Jacques, allongé sur sa paillasse, se tenait la gorge.

Subitement j'ai Vu – Vu grâce à une compassion entièrement tournée vers Jacques et qui excluait ma personne, mes propres craintes ou ma perte éventuelle. Rien que vers Jacques et vers l'esprit courageux et noble qu'il était demeuré, en dépit de circonstances qui auraient brisé bien des hommes doués d'une force d'âme moins grande ; rien que vers Jacques, vers l'énergie et la bonté qu'il avait montrées à l'égard non seulement de ses compagnons d'infortune, mais des femmes qui veillaient sur lui.

J'ai Vu, avec une netteté absolue, sa langue de lépreux, qui s'était détachée et coincée dans sa gorge.

– Ma sœur ! ai-je crié à Habondia.

De surprise, elle a fait tomber son chiffon dans son bassin. L'eau l'a éclaboussée, laissant une auréole sur son habit noir.

– Occupez-vous de Jacques ! Sa langue !

Sans se relever, elle a jeté un regard par-dessus son épaule et froncé les sourcils au spectacle du pauvre Jacques dont la bouche muette béait.

– Dépêchez-vous ! ai-je hurlé, jetant mon propre chiffon sur le sol et me hâtant de me relever. Il l'a avalée ! Il étouffe !

Sœur Habondia s'est remuée si lentement et moi si prestement que nous sommes arrivées en même temps au chevet de Jacques, alors qu'elle se trouvait juste à côté de lui et moi à l'autre extrémité de la salle.

Après l'avoir examiné, sœur Habondia a levé les mains en signe de désarroi. Elle avait enfin compris ce qui s'était passé. Quant à moi, guidée par la Vision, j'avais la certitude qu'il ne fallait pas perdre une seconde.

D'une main, j'ai ouvert davantage la bouche de Jacques, autant que je le pouvais. Puis avec moult assurance, car je savais ce que j'allais découvrir, j'ai vite glissé les doigts de mon autre main entre ses gencives glissantes et râpeuses. Il avait une haleine particulièrement fétide, mais je n'ai pensé qu'à saisir entre mes doigts sa langue gonflée. Je n'ai pu en atteindre que le bout, car il avait avalé tout le reste.

La chose faite, j'ai tiré, tiré fort, de plus en plus fort, jusqu'à ce que la langue se libère avec un grand bruit de succion.

Se libère entièrement. Un instant, j'ai examiné cet objet – gris, gluant comme une limace – qui était ressorti de la bouche avec ma main. À mes côtés, sœur Habondia s'est couvert les lèvres, accompagnant son geste d'un regard si désemparé et si dégoûté que j'ai été étonnée qu'elle ne vomisse ou ne s'évanouisse point.

En même temps, le pauvre Jacques a avalé une bouffée d'air rauque à travers sa bouche béante et les fentes qui lui servaient de narines.

Une chose particulière s'est alors produite.

Un sentiment de – comment pourrais-je le décrire ? – de justesse m'a submergée, un sentiment de paix, composé uniquement d'amour. Une douce chaleur m'a envahie, elle a pénétré par ma tête et elle est descendue dans mon corps, comme si je me tenais sous les rayons du soleil. Le temps a cessé d'exister et j'ai eu l'impression de me dissoudre en elle, de perdre la conscience de mon existence. C'était exactement la même sensation qu'après la mort de Noni, lorsque j'avais éprouvé la présence de la Déesse.

Puis j'ai entendu quelqu'un pousser un petit halètement à côté de moi. Je me suis tournée et j'ai vu le regard de sœur Habondia posé sur l'objet que je tenais dans ma paume ouverte : une langue, non plus grise, boursouflée et déformée, mais à la forme parfaite, rose et saine. Du bout de mes mains, visible même à la lumière du jour, irradiait une lueur dorée.

Les mains de Noni ; les mains auxquelles avait été accordé le don du Toucher. Pas une seconde je n'ai douté que la mort glorieuse de ma grand-mère avait acheté ce moment ; car j'ai senti qu'elle se tenait à mes côtés.

Je n'ai pas réfléchi. Je n'ai éprouvé ni surprise, ni crainte, ni tourments. J'ai simplement accompli un geste qui me semblait juste : reglisser cette langue dans la bouche toujours ouverte de Jacques. Et j'ai senti une chaleur, intense mais agréable, envahir mes doigts que j'ai laissés posés un instant sur la racine de la langue, puis que j'ai retirés sans brusquerie…

Le temps s'est remis à s'écouler plus rapidement. J'ai repris conscience de moi-même et du geste que je venais d'accomplir, et j'en suis restée coite de stupéfaction.

À genoux, j'ai contemplé Jacques, allongé sur sa paillasse. Il s'est assis en sursaut, son œil valide écarquillé d'émerveillement, son visage (quoique toujours défiguré et offrant un spectacle pitoyable) irradié par la joie. Il m'a saisi la main (celle qui avait tenu sa langue atteinte par la lèpre) et il l'a baisée à de nombreuses reprises.

Puis il a levé vers moi son œil empli d'une adoration troublante et il s'est écrié :

– Vous m'avez guéri ! Vous m'avez sauvé la vie, vous m'avez rendu la parole !

Il s'est tourné vers la salle, afin que tous ses compagnons de misère puissent l'entendre. Et il s'est adressé à eux, d'une voix plus distincte que je ne l'avais jamais entendue depuis mon arrivée.

– Écoutez-moi tous ! La bonne nonne que voici est une sainte, une faiseuse de miracles envoyée par Dieu ! La nuit dernière, ma langue s'est détachée dans ma bouche. Elle était si gonflée que j'ai été incapable de la cracher. J'étais tellement abattu à la pensée de ne plus jamais pouvoir parler que j'ai espéré qu'elle allait m'étouffer et me faire vite mourir.

« Alors cet ange (et il m'a désignée d'un geste théâtral) a non seulement deviné mon tourment de loin, mais elle a retiré la langue que je venais d'avaler, *et puis* elle l'a guérie et grâce à un miracle, elle l'a remise en place pour me permettre de reparler.

« Que Dieu soit loué de nous avoir envoyé une vraie sainte, sœur Marie-Françoise ! »

J'ai senti un frisson me parcourir l'échine, non seulement de plaisir, mais qui ressemblait à cette froide brûlure que nous éprouvons quand de la glace nous effleure la peau. Pourtant ma communion avec la Déesse a tout de suite été brisée net.

De derrière moi m'est en effet parvenu un marmonnement que je n'aurais pas dû entendre au milieu de la liesse et de la cacophonie de questions qui se sont ensuivies mais qui a néanmoins hérissé ma nuque.

– C'est de la magie ! soufflait sœur Habondia. De la sorcellerie…

Comment pourrais-je décrire le curieux mélange d'émotions que j'ai alors ressenti ? J'étais bien sûr emplie de joie de voir mon ami Jacques avoir recouvré la parole, et profondément reconnaissante envers Noni d'avoir accompli le sacrifice qui avait permis cette guérison ; en même temps, j'étais loin d'être prête à reconnaître que je venais d'accomplir un miracle. En fait, la réaction de sœur Habondia m'a inspiré l'envie de nier les implications de mon acte.

Les lépreux n'éprouvaient pas du tout les mêmes tiraillements que moi. Ceux qui étaient encore en état de se lever ont claudiqué vers moi aussi vite que le leur permettaient leurs infirmités. Ils ont agrippé mon tablier de leurs mains auxquelles manquaient plusieurs doigts, me suppliant de les prendre en miséricorde et de leur faire la grâce de les toucher.

Malheureusement, j'étais alors tellement préoccupée de moi-même que la Présence en était entièrement étouffée, pour la première fois depuis la mort de Noni. Sœur Habondia et moi n'avons pu que les supplier de regagner leurs paillasses pour nous permettre de poursuivre nos tâches.

Ils ne nous ont obéi qu'avec la plus grande réticence et il ne s'en est pas trouvé un, lorsque je suis venue les soigner, pour ne point m'implorer de le toucher afin de lui rendre la santé ; beaucoup ont saisi ma main et l'ont pressée, paume ouverte, contre leurs plaies béantes. Ils voulaient si désespérément guérir et j'étais tellement impuissante à accéder à leur désir que lorsque sœur Marie-Magdeleine est venue me relayer, j'étais au bord des larmes.

Sœur Habondia ne m'avait pas davantage adressé la parole qu'elle n'avait échangé un regard avec moi depuis la guérison de Jacques. Lorsque nous sommes ressorties du lazaret, elle a même pris garde à ne marcher que plusieurs pas derrière moi. Face à sa méfiance, j'ai songé à m'enfuir. J'étais convaincue qu'elle n'allait pas manquer de cancaner et d'introduire le doute à mon égard dans l'esprit de toutes les pensionnaires ; avant peu, j'allais être remise entre les mains de l'évêque, puis des inquisiteurs.

C'est rongée par ces préoccupations que je me suis rendue à la chapelle pour y célébrer l'*Opus Dei* avec mes compagnes. Si je m'enfuyais à présent, toutes les occupantes du couvent seraient alertées et je risquais d'être vite reprise. Si j'attendais que le soleil se fût couché et que vêpres eussent été célébrées, personne ne remarquerait ma disparition jusqu'aux matines du lendemain et je pourrais mettre à profit les sombres heures de la nuit.

J'ai donc fait bonne figure et j'ai psalmodié les heures avec mes sœurs, commettant plusieurs erreurs, tant mon agitation était grande. Pas une seconde, je n'ai perdu conscience du regard pesant de sœur Habondia sur moi, même si elle évitait obstinément de croiser mes yeux.

Après la chapelle, chaque sœur était affectée à une tâche spécifique avant le repas du soir. Pour ma part, j'étais chargée de placer les bols. Le moment est enfin venu de nous asseoir à la longue table à tréteaux et d'incliner nos têtes pendant que mère Géraldine prononçait le bénédicité pour notre pain quotidien.

Les règlements interdisaient aux religieuses de bavarder dans la chapelle ou au cours du repas qu'elles prenaient ensuite en commun. Habondia ne disposerait donc que d'un temps fort bref pour lancer ses accusations entre le dîner et le moment où les sœurs se retireraient dans leurs cellules privées afin d'y prier. Les autorités ne pourraient être alertées avant le lendemain.

Pourtant, lorsque j'ai relevé la tête, j'ai constaté un phénomène déroutant : d'ordinaire, les femmes qui composaient cette assemblée s'asseyaient toujours à la même place. Mais, aujourd'hui, elles avaient modifié leurs habitudes. Plus de la moitié d'entre elles étaient assises, leur corps et leur visage souriant légèrement mais indubitablement inclinés vers moi, du côté senestre de la table ; les autres, le visage fermé, se serraient les unes contre les autres, penchées vers sœur Habondia sur la dextre.

Mère Géraldine était la seule à occuper sa place accoutumée, au centre de la table. Après le bénédicité, elle s'est levée pour nous servir, une à une, au chaudron suspendu au-dessus du grand âtre. Pendant que l'abbesse s'affairait de la sorte, sœur Habondia m'a jeté un regard et a pointé deux doigts vers moi pour se garder du mauvais œil.

Mère Géraldine l'a vue faire. Et malgré la règle qui interdisait de parler durant les repas, hormis en cas de nécessité absolue, elle a tancé sœur Habondia du regard et lui a dit :

– Vous êtes excusée, ma sœur. Je m'entretiendrai avec vous plus tard. Regagnez votre cellule et priez Dieu pour le geste que vous venez de commettre.

Le visage grave, mais indéchiffrable, elle s'est ensuite tournée vers moi.

– Vous êtes également excusée, sœur Marie-Françoise. Venez avec moi.

Sur ces entrefaites, elle a tendu la louche à sœur Marie-Magdeleine, qui avait l'air abasourdie.

À moitié défaillante de crainte, j'ai suivi l'abbesse. Cependant, après ces années au couvent, j'avais confiance en elle, car elle m'avait toujours bien traitée.

Nous avons quitté le réfectoire en silence, traversé la cuisine et emprunté le couloir. À mon grand étonnement, l'abbesse m'a tout de suite conduite dans le sanctuaire à moitié plongé dans l'ombre en cette fin d'après-midi ; et là, à la lueur des cierges qui brûlaient éternellement pour les âmes du purgatoire, elle s'est immobilisée face à l'autel, puis elle s'est signée et elle s'est agenouillée sur la pierre glacée.

J'ai fait comme elle ; comment aurais-je pu ne pas l'imiter ? Mais j'ai senti mon cœur se refroidir, car son expression restait insondable, son visage sévère, et elle évitait de croiser mes yeux. Je m'attendais à chaque instant à sentir une main se poser sur mon épaule et à trouver derrière moi un dominicain revêtu d'un habit noir et d'une capuche bordée de blanc, tel un corbeau mangeur de charognes.

Pourtant ma crainte ne s'est point concrétisée. L'abbesse a fini par se relever, elle s'est de nouveau signée et – une fois que j'ai eu fait comme elle – elle m'a de nouveau intimée d'un geste de la suivre.

Je lui ai obéi. Nous nous sommes rendues dans le lazaret où mère Géraldine s'est immédiatement dirigée vers la paillasse de Jacques en s'écriant :

– Cher Jacques ! Mon bon ami !

Et comme s'il s'agissait de la chose la plus naturelle du monde, elle s'est agenouillée près de lui, a saisi sa main infirme et l'a baisée.

– Ma gentille mère, a-t-il répondu d'un ton indiquant que sa joie d'avoir retrouvé une bonne élocution ne s'était pas tarie, et ma douce sœur Marie ! Savez-vous, ma mère, que Dieu nous a envoyé en sa personne une véritable sainte ? Elle a accompli un vrai miracle, elle a guéri ma langue. Je mourais, ma mère…

Elle l'a interrompu, sans pourtant laisser voir ce qu'elle éprouvait.

– Mon cher ami, me permettez-vous d'examiner la preuve ? Il est vrai que vos progrès sont déjà audibles, mais pour que notre sœur puisse être sanctifiée, il nous faudra un autre témoin oculaire.

Jacques n'a été que trop heureux d'accéder à sa demande. Les rayons du soleil couchant pénétraient à flots par les fenêtres du lazaret qui s'ouvraient sur l'ouest. Mère Géraldine a tendu ses béquilles à Jacques, pour lui permettre de s'approcher dignement de l'une d'elles sans l'aide de personne. Ce tableau reste gravé dans ma mémoire : auréolées d'une lumière cramoisie, les deux silhouettes sombres de Jacques, recroquevillé sur ses petites béquilles, et de la nonne, plus haute que lui, inclinée en avant pour examiner sa gorge.

Alors qu'ils revenaient vers moi, j'ai distingué les traits de l'abbesse. Comment la décrire ? Ses lèvres étaient pincées et elle avait le souffle court, car sa poitrine haletait visiblement sous son habit. Elle était émue, profondément émue, et elle retenait ses émotions et ses paroles. Mais j'étais si inquiète que je ne suis pas parvenue à deviner si son attitude présageait quelque chose de bon ou de mauvais pour moi.

– Merci, mon ami, a-t-elle dit au lépreux.

Lorsqu'il a été de nouveau confortablement installé sur sa paillasse, nous avons pris congé et Jacques nous a lancé :

– Que Dieu soit loué ! Que Dieu soit loué et qu'il bénisse sœur Marie-Françoise pour l'éternité !

L'abbesse m'a emmenée en toute hâte dans sa cellule, sans m'adresser la parole. C'était la plus humble et la plus nue de toutes les pièces, sans même un lit. La coutume voulait que les sœurs laissassent leurs portes ouvertes, mais elle a fermé la sienne et m'a enfin affrontée.

– Cela est donc vrai, a-t-elle déclaré, ou plutôt demandé, car il était clair qu'elle souhaitait obtenir confirmation de ma part. Sœur Habondia n'a donc point menti : vous avez deviné que Jacques étouffait et lorsque vous lui avez retiré sa langue, elle a guéri entre vos mains et vous l'avez remise en place.

Comment aurais-je pu le nier ? Elle en avait vu la preuve de ses propres yeux, et deux personnes lui avaient déclaré que j'étais l'auteur de cette guérison. Il est vrai qu'elle m'avait toujours traitée avec affection. N'aurait-il été question que de la parole d'Habondia contre la mienne, que j'aurais peut-être osé proférer un mensonge ; mais il m'était impossible d'accuser Jacques de falsification.

J'ai donc baissé les yeux pour lui répondre :

– Cela est vrai. Mais il s'agit de l'œuvre de Dieu, non de la mienne.

– Habondia dit que c'est de la sorcellerie, m'a-t-elle répondu d'une voix douce qui m'a fait frissonner.

Je n'ai rien objecté, j'ai gardé la tête baissée jusqu'à ce que mère Géraldine reprenne la parole :

– Il y a beaucoup de personnes comme elle et en ces temps dangereux, mieux vaut être prudent.

L'espoir naissant, j'ai relevé lentement la tête. Elle a poursuivi :

– Vous n'avez peut-être pas oublié qu'après notre première rencontre, je vous ai dit que j'avais le sentiment que Dieu avait fait en sorte que nos chemins se croisent. Vous êtes-vous imaginée que vous étiez tombée par accident sur un habit de religieuse et plus particulièrement de franciscaine ? Qu'il vous attendait devant cette hostellerie ? C'est moi qui l'avais placé là.

Tandis que je restais coite, confondue, m'efforçant d'assimiler cette nouvelle, elle s'est expliquée :

– Comprenez-moi, ma sœur, je Rêve. J'ai Rêvé que je tombais sur vous alors que vous veniez d'être attaquée par des brigands. J'ai Rêvé des événements d'aujourd'hui. Mon destin est de vous servir, ma sœur, tout comme votre destin est de poursuivre votre route afin d'accomplir de plus grandes choses.

Pendant qu'elle me parlait, je me suis effondrée à genoux dans un bruissement de mon habit blanc.

– Je ne peux, je ne dois... (j'ai pressé une paume contre mes yeux, ma voix n'était plus qu'un murmure). Je suis une imposture, un mensonge vivant... Ma mère, je ne suis point sœur, je ne suis même pas une vraie chrétienne.

Elle s'est agenouillée avec grâce près de moi et m'a pris la main. Elle était beaucoup plus grande que moi et cela m'a alors réconfortée, car j'avais l'impression d'être une enfant consolée par sa mère.

– Dieu est plus grand que son Église, m'a-t-elle déclaré. Plus grand que les doctrines de l'homme, plus grand qu'aucun de nous ne peut le concevoir. Et cela, quel que soit le nom que nous lui donnions ou que nous donnions à la Déesse : Diane, Artémis, Hécate, Isis, sainte Marie...

Elle a observé un silence, puis elle a ajouté :

– Lorsque nous vous avons trouvée, j'ai vu le sceau de Salomon autour de votre cou.

J'ai cligné les yeux de stupéfaction.

– Le talisman en or, gravé de l'étoile et des lettres en hébreu. Vous le portez toujours ?

La parole coupée, j'ai hoché la tête. Comment cette chrétienne pouvait-elle connaître le nom du médaillon magique, alors que moi qui le portais n'en avais pas la moindre idée ?

– Fort bien. Il vous protège. C'est grâce à lui que vous êtes arrivée jusqu'ici.

– Je ne sais même pas ce qu'il signifie, ai-je reconnu. Et c'est la première fois que j'accomplis une chose comparable à celle qui s'est passée avec Jacques aujourd'hui. J'ignore pourquoi j'ai subitement...

– Moi je le sais, a-t-elle affirmé. C'est l'héritage que vous a laissé votre grand-mère ; le résultat de votre initiation suprême, accomplie par le sacrifice de sa mort.

« Car vous êtes destinée, ma chère Sybille, à devenir plus qu'humaine ; et votre grand-mère a magnifiquement rempli le rôle qui lui était alloué à cet effet. Un grand pouvoir va vous être octroyé, et notre but est de vous aider à en faire usage... »

XIII

Le lendemain matin, tout le couvent avait eu vent de la guérison de Jacques – sinon de ses propres lèvres grises et marbrées, mais qui exprimaient joie et louanges, du moins de celle de Habondia, chargées de crainte et de venin. La distribution des camps ébauchée la veille à la table du dîner s'est précisée au repas suivant : six sœurs se sont montrées de ferventes émules de Habondia et de ses soupçons. Elles se déplaçaient en groupe, serrées les unes contre les autres comme un banc de vairons à la tête voilée. Elles chuchotaient, me coulaient des regards furtifs, marmonnaient à haute voix des prières pour se protéger et maudissaient le diable sur mon passage.

Comme sœur Habondia, j'étais entourée d'une cour de disciples. Il était trop tard pour nier que j'avais participé à la guérison du lépreux, mais j'ai pris bien soin d'insister sur le fait que c'était Dieu, et non moi, qui avait accompli ce miracle. La plupart l'ont compris, mais elles cherchaient ma présence, comme si elles croyaient qu'ayant été une fois visitée par Dieu, je conservais une partie de Son rayonnement, auquel elles souhaitaient se réchauffer. Certaines, néanmoins, m'ont canonisée dans leur cœur. Sœur Marie-Magdeleine avant tout, atteinte d'un si grand zèle religieux que l'on aurait dit qu'elle s'efforçait d'être à mon égard ce que saint Jean l'Évangéliste avait été pour Jésus. Elle marchait si près de moi que nos habits se frottaient l'un contre l'autre, elle me tenait la main, la pressait à ses lèvres en m'implorant :

– Parlez-nous de Dieu, ma douce sœur. Que vous a-t-Il dit aujourd'hui ?

– Je ne suis point une sainte. Dieu me parle comme il vous parle à vous : par l'intermédiaire des Écritures et de la liturgie.

Cette nuit-là, je n'ai pas réussi à trouver le sommeil. J'en étais venue à éprouver de l'affection à l'égard de nombre de mes sœurs, et en particulier de ma protectrice, mère Géraldine, à laquelle je n'avais pas adressé la parole depuis qu'elle m'avait révélé, à ma stupéfaction absolue, qu'elle devait me servir de guide. Et je vivais dans la terreur, car, dans mon esprit, notre sort ne faisait aucun doute : elle et moi n'allions pas tarder à être découvertes pour ce que nous étions…

Le lendemain, alors que je vaquais à mes besognes quotidiennes dans le lazaret en compagnie de sœur Habondia, sœur Marie-Magdeleine est apparue sur le seuil de la porte. Elle suffoquait et son visage était empourpré, comme si elle avait couru. Sans prêter attention à sœur Habondia qui la scrutait des yeux, elle m'a interpellée :

– Mère Géraldine vous fait quérir. Il vous faut la rejoindre de suite !

Une fois que nous avons été dans le couloir, elle m'a pris la main.

– Je dois vous remplacer au lazaret, ma sœur, mais je devais vous le dire… Sœur… (d'un geste brusque de la tête, elle m'a fait comprendre qu'elle me parlait de Habondia) a demandé au père Roland de parler à l'évêque du miracle.

Elle m'a serré la main avec enthousiasme, tandis que je la fixais, épouvantée.

– Entendez-vous par là que le père et l'évêque sont tous deux au courant ?

– Bien mieux encore, m'a-t-elle répondu avec ravissement. L'évêque est *ici.*

– *Ici*, ai-je répété tout bas, car la tête me tournait trop pour qu'un son parvienne à sortir de ma gorge.

– Afin de *vous* voir. N'est-ce point nouvelle merveilleuse ? Je dois vous laisser, mais il faudra tout me raconter plus tard.

Elle a croisé les mains à la hauteur de sa taille et a laissé ses manches retomber dessus ; puis elle est repartie d'un pas rapide vers le lazaret, dans un glissement léger de sa robe de laine contre la pierre.

Engourdie, j'ai fait plusieurs pas dans la direction opposée. Puis j'ai défailli et je me suis effondrée à genoux, la main posée sur le mur. J'avais grand-peine à respirer : la chose même que je redoutais venait de se produire. Mais, au moins, personne n'impliquait Géraldine. S'ils me soumettaient à la torture, aurais-je la force de ne pas prononcer son nom, ou celui des autres sœurs ?

Déesse, venez à mon secours, ai-je imploré en silence, la tête inclinée sous le poids de ma crainte.

J'ai prononcé ces cinq paroles avec une telle intensité, un tel désespoir et une telle volonté que j'ai su qu'elles avaient été entendues.

Je n'ai pas bougé, le temps de rassembler mes pensées frénétiques. Toute tentative de fuite scellerait ma culpabilité ; de plus, il ne faisait aucun doute que le *chariot**, les chevaux et les aides de l'évêque attendaient à l'extérieur du couvent.

Je n'avais donc pas le choix : il me fallait affronter mes inquisiteurs. Je pourrais alors feindre au moins l'innocence et attribuer la responsabilité de la guérison au Dieu des chrétiens.

Ma conduite décidée, j'ai poussé un profond soupir pour me calmer et j'ai levé le visage… Mère Géraldine et l'évêque se tenaient à faible distance de moi.

Le dignitaire de l'Église était un vieillard majestueux aux joues émaciées, aux yeux las du monde derrière d'épaisses paupières, soulignés de cernes profonds ; il était voûté et douloureusement maigre, comme si ses responsabilités l'avaient vidé de sa chair. Ce jour-là, il portait la soutane noire d'un simple prêtre et la calotte mauve qui indiquait son rang.

– Sœur Marie-Françoise, a dit mère Géraldine d'un ton officiel et étrangement distant. Vous connaissez notre bon évêque…

Je le connaissais. Au cours des années précédentes, il nous avait rendu plusieurs visites officielles en sa qualité de prélat, afin d'inspecter les finances du couvent et de célébrer avec nous l'anniversaire de notre implantation à Carcassonne.

– Ma sœur, a-t-il prononcé d'une voix que l'âge rendait ténue.

Il s'est avancé d'un pas pour me présenter sa bague. Je me suis agenouillée devant lui, afin de baiser l'anneau de métal froid et la pierre précieuse. Ce rituel accompli, il m'a prise par la main pour m'aider à me relever.

– Venez, m'a-t-il ordonné.

Nous nous sommes dirigés vers le petit cabinet de mère Géraldine ; il nous a fait signe d'y pénétrer les premières, puis il a refermé la porte de bois derrière lui et il est resté adossé au battant, la main sur la barre de fer.

Il a gardé le silence un moment, se contentant de me scruter avec une intensité qui m'a rendue fébrile. Une vive intelligence émanait de ses yeux perçants. On pouvait tout aussi bien discerner de l'admiration

---

* En français dans le texte.

dans son regard qu'y voir la convoitise d'un corbeau étudiant une charogne dont il avait l'intention de faire son dîner.

– Racontez-moi l'histoire de la guérison du lépreux.

Il s'exprimait d'une voix affable, presque encourageante. La hardiesse m'est venue, et gardant les yeux baissés par respect, je lui ai narré les faits en toute simplicité : Jacques s'était étouffé, je m'en étais rendu compte et j'avais tiré sur sa langue qui avait miraculeusement guéri. J'ai affirmé avec insistance que c'était Dieu, et non moi, qui était responsable de cette guérison, et que je n'avais aucune idée de la façon dont elle s'était réalisée. Je n'étais qu'une humble nonne, ne se distinguant en rien dans son sacerdoce, que Dieu n'avait d'ailleurs, depuis cette guérison, point jugé bon d'utiliser de nouveau.

Le vieil homme a observé le silence pendant que je parlais. Mais plus je m'expliquais, plus j'avais le sentiment qu'il ne m'écoutait pas, mais qu'il m'observait.

Cela m'a plongée dans un état de nervosité bien plus grand que ne l'aurait fait aucune accusation. Parvenue au milieu de mon récit, je me suis interrompue, ayant perdu le fil de mes pensées. Je suis restée hébétée, incapable de prononcer une parole ; mais, par la grâce de la Déesse, j'ai repris mes esprits et j'ai terminé mon histoire en bégayant.

L'évêque continuait à se taire. Cela a duré si longtemps que j'ai fini par oser lui couler un regard.

Son visage affichait une grimace de désapprobation.

– Sœur Habondia affirme qu'il s'agissait d'un acte de sorcellerie, que vos mains étaient auréolées d'une lueur étrange, plus lumineuse que le jour. Qu'avez-vous à répondre à cette accusation ?

J'ai immédiatement rebaissé la tête.

– Monseigneur, il ne s'agissait point de sorcellerie, ni d'un acte de mon propre fait. C'est Dieu, et non moi, qui a guéri Jacques.

– Vous êtes en droit d'entendre votre accusatrice, a-t-il dit, avant d'appeler d'une voix péremptoire et sévère : ma sœur !

En même temps, il a tiré le verrou de la porte afin de laisser pénétrer une nonne à la tête tellement inclinée que son visage était assombri par sa guimpe et son voile. Malgré cela, je n'ai pas douté un instant de son identité.

– Monseigneur, a-t-elle dit d'une voix frêle et vacillante – à dire vrai, plutôt pitoyable.

Elle s'est agenouillée pour baiser la bague de l'évêque. Alors qu'il l'aidait à se relever, elle a failli perdre l'équilibre.

– Sœur Habondia, racontez-nous ce que vous avez vu le matin où Jacques a été guéri.

Les traits subitement illuminés par une inspiration et une vertu si grandes qu'elles ont effacé ses rides de colère, de sorte que pour la première fois je me suis rendu compte qu'elle avait été belle naguère, Habondia a déclaré d'une voix passionnée et débordante de conviction :

– *Monseigneur*, j'étais affairée auprès de l'un des lépreux lorsque j'ai entendu un bruit affreux de l'autre côté de la salle – des hurlements de sœur Marie-Françoise.

– Que disait-elle ? s'est calmement enquis l'évêque.

– D'affreux jurons, *Monseigneur*. Des jurons contre Dieu, et Jésus… et une prière au diable.

La stupéfaction m'a fait suffoquer si bruyamment que l'attention de l'évêque en a été attirée.

– Je sais que la chose est difficile pour vous, sœur Habondia, mais quelles paroles *exactes* a-t-elle prononcées ? Il nous faut savoir si nous devons procéder à un procès.

– Oh, *Monseigneur !* s'est-elle exclamée, pétrifiée à cette idée.

De désarroi, elle a pressé les paumes sur son ventre. Mais elle a néanmoins obéi, le visage empourpré.

– Si je me souviens bien, elle a dit : Maudit soit Dieu, maudit soit Jésus et… (elle s'est signée) Satan, donnez-moi la force… ou plutôt, non, c'était *Lucifer,* donnez-moi la force.

En ayant terminé, Habondia s'est de nouveau signée et a baissé la tête jusqu'à ce que son visage disparaisse comme à son entrée.

– Et alors ? a soufflé l'évêque.

– Oh ! Alors, elle a tiré la langue du lépreux hors de sa bouche et l'a ensuite remise en place. Et ses mains, a ajouté Habondia dont le débit s'était accéléré, ses mains étaient entourées d'une bizarre lueur jaune. Ses deux mains. Cette lueur a duré un certain temps.

– Mais ce sont des mensonges, des mensonges purs et simples ! me suis-je exclamée.

– Ne soyez pas impudente, ma fille ! Adressez-vous à moi comme il sied à mon rang !

L'évêque a pivoté vers moi, le front creusé de rides de colère.

– Vous prétendez maintenant ne pas avoir guéri ce lépreux, alors que vous avez reconnu le contraire.

– Non point, Monseigneur. J'affirme que je n'ai jamais maudit Dieu et que je n'ai absolument pas adressé de prière au…

C'est alors que mère Géraldine s'est empressée d'intervenir, me plongeant à la fois dans l'ahurissement et le désespoir.

– Monseigneur, en vérité, cette femme n'est pas davantage nonne que chrétienne ; elle me l'a avoué. C'est une simple paysanne, qui s'est enfuie de Toulouse après l'exécution de sa grand-mère, convaincue de sorcellerie.

Elle a tendu le bras vers moi. Il formait une ligne droite accusatrice, de l'épaule au bout des doigts.

– Demandez-lui, Monseigneur, ce qu'elle porte autour du cou !

Je n'ai pu que la contempler, épouvantée, tandis que l'évêque s'écriait :

– Eh bien, montrez-nous.

Qu'aurais-je gagné à résister ? Je me suis débattue quelques instants pour extraire mon bras de sa manche et le plonger sous mon habit, où j'ai trouvé le disque de métal que le contact de ma peau avait réchauffé. Je l'ai tiré vers le haut, fait passer par l'ouverture de mon col et sous la guimpe attachée autour de mon cou, et pour la première fois depuis que j'avais quitté Toulouse j'ai montré le talisman à un tiers. Il pendait sur ma poitrine, brillant et accusateur.

Un long silence solennel s'est ensuivi.

– Il s'agit donc bien de magie, a déclaré le prélat. De la pire des magies. Sœur Habondia, vous allez m'accompagner en ville. Mère Géraldine, escortez la sœur Marie-Françoise à sa cellule et veillez à ce qu'elle y passe la nuit. Je reviendrai au matin muni d'accusations officielles, et je ferai en sorte d'accompagner en personne l'accusée à la prison.

L'abbesse m'a raccompagnée à ma cellule comme elle en avait reçu l'ordre. Sa trahison m'inspirait une telle stupéfaction et une peine si amère que j'étais incapable de lui adresser la parole, et que je ne pouvais même pas supporter de lever les yeux vers elle. Elle venait de m'infliger une profonde blessure ; mais en cet instant, c'était la confusion qui l'emportait en moi. Mère Géraldine appartenait à la Race, je n'en doutais point. Elle avait évoqué avec bonté le sacrifice de ma grand-mère. Sachant que j'allais bientôt arriver et que je passerais par cette forêt, elle y avait déposé l'habit de nonne à mon intention. Comment pouvait-elle donc me trahir si cruellement auprès de l'évêque ?

Tout cela dépassait alors mon entendement. Nous avons donc marché en silence. Géraldine ne m'a fourni aucune explication de sa cruelle déloyauté, et lorsque nous sommes arrivées à ma petite cellule, j'y suis entrée sans protester, je me suis tout de suite agenouillée et assise sur mes talons. Sur ces entrefaites, l'abbesse m'a dit, sans honte ni jubilation, mais le plus naturellement du monde, comme s'il n'était rien survenu de terrible entre nous :

– Ne bougez point d'ici. Je vais aller chercher une sœur pour qu'elle demeure devant votre porte toute la nuit.

Sa promptitude à me laisser seule n'a fait qu'augmenter ma confusion. Me faisait-elle confiance pour ne point m'échapper ? (Évidemment, je n'en ferais rien, en tout cas pas avant d'avoir laissé assez de temps s'écouler pour que le *chariot* de l'évêque se fût suffisamment éloigné.) Pensait-elle qu'une seule sœur suffirait à me retenir ? Malgré ma petite taille, j'étais vigoureuse, beaucoup plus vigoureuse que nombre des sœurs plus grandes que moi. En outre, j'étais capable de recourir à la magie.

Ou s'agissait-il d'une tentative de m'inciter à m'enfuir – acte qui scellerait tout de suite ma culpabilité et mon destin ?

Mère Géraldine s'en est allée. Et durant l'heure qui s'est écoulée avant que sœur Barbara, de nature douce sous une stature imposante, ne vienne tenir la garde devant ma porte, j'ai été déchirée. Car je ne me souvenais que trop bien de l'angoisse que m'avaient inspirée les flammes que j'avais vues et dont j'avais souffert à la place de Noni. Je savais que je n'aurais pas la force de les supporter une seconde fois ; ce souvenir faisait trembler mon corps sans répit.

Je me souvenais de Noni hurlant à son bourreau, celui qui l'avait envoyée à la mort : *Domenico...*

C'est l'Ennemi, me suis-je dit en frissonnant. *Je suis tombée entre les mains de l'Ennemi, les mains de ceux qui veulent détruire la Race.* Il me fallait m'échapper à tout prix...

Mais, dans le même temps, mon cœur ne cessait de me chuchoter que le moment n'était point encore venu, point encore venu de quitter ce lieu, que là était ma place.

Je suis donc restée des heures assise sur la pierre glaciale. La lumière du jour a décliné et le crépuscule est tombé. Sœur Habondia est apparue avec deux lampes à huile allumées. Elle en a tendu une à sœur Barbara et a gardé l'autre. Pour une fois, elle ne m'a pas dévisagée d'un œil torve ; elle s'est contentée d'éviter mon regard et, sa tâche accomplie, de s'éclipser sur-le-champ.

J'ai passé une nuit plutôt paisible, hormis les moments où la peur me faisait tressaillir de tout mon corps. J'ai continué à hésiter entre deux issues : tenter de m'échapper dès que sœur Barbara se serait endormie ; rester exactement où je me trouvais, car j'avais le sentiment que la Déesse le voulait ainsi.

Est néanmoins arrivé un moment où mon corps a refusé de réfléchir davantage au bûcher et à la mort, alors que sœur Barbara restait bel et bien éveillée jusqu'à une heure de la nuit fort avancée. Bientôt allait sonner l'heure des laudes. La communauté se réveillerait alors dans l'obscurité pour prier, avant de se rendormir. Dans mon désespoir, j'ai décidé de jeter un sortilège à ma gardienne.

J'ai alors senti que je possédais un pouvoir étrange et tout de suite compris que, de même que j'avais été capable de rendre la parole à Jacques, je pouvais terrasser sœur Barbara si l'envie m'en prenait. J'ai Vu, avec clarté, comment paralyser sa langue pour lui interdire de donner l'alerte, comment figer ses membres pour l'empêcher de me prendre en chasse.

J'ai envisagé un instant d'utiliser ce moyen – puis j'ai éprouvé à cette idée une répulsion innommable. La terreur qui était mienne ne me permettait cependant point de rester ; j'ai donc choisi d'évoquer un globe qui contiendrait son corps. À l'intérieur de ce globe, des bijoux étincelants tombaient comme la neige, une neige apaisante qui incitait au sommeil. Il m'a été si facile de réaliser ce sortilège que je me suis demandée pourquoi je m'étais donnée la peine de fabriquer des charmes et des potions et de tracer des cercles sur le sol.

Il n'a fallu que quelques instants à sœur Barbara pour ronfler tranquillement, la tête inclinée en avant. Son menton reposait confortablement sur sa poitrine ; ses mains jointes étaient dissimulées sous ses longues manches. Elle gardait donc la pose gracieuse et droite d'une sœur plongée dans ses prières.

Sans prêter attention à mes jambes raides, je me suis levée. En esprit, j'étais déjà passée à côté de sœur Barbara, j'avais emprunté le corridor et j'étais sortie par une porte rarement utilisée, située entre la *garde-robe* et le lazaret. J'étais déjà dehors dans les ténèbres, je m'enfuyais à travers bois et montagnes…

Mais dans le monde de la réalité, je n'ai point bougé. Je n'ai pas *pu* bouger, car mon cœur et ma volonté me l'ont interdit, puisque je connaissais les pensées de la Déesse. Mon destin se trouvait ici. Ici dans cette cellule, dans ce couvent, entre les mains de mère Géraldine et de l'évêque.

Avoir utilisé la magie à tort m'a inspiré du dégoût et je me suis empressée de dissoudre le globe qui enveloppait sœur Barbara. Elle s'est réveillée en sursautant légèrement, a cligné des yeux et balayé les lieux du regard. Lorsqu'elle a constaté avec satisfaction que je me trouvais toujours dans ma cellule, elle a pris le rosaire accroché à sa taille et elle a commencé à prier à voix basse.

Un grand calme m'a envahie. Non pas l'abandon provoqué par la lassitude et le désespoir qui s'empare des personnes condamnées, mais la paix véritable que j'avais éprouvée à la mort de Noni, en présence de la Déesse. Je m'y suis lovée jusqu'au lever du jour.

Prime avait sonné et la lumière du soleil pénétrait par la fenêtre lorsque sœur Barbara a levé la tête, comme si une main invisible la poussait à le faire. Elle s'est levée et, d'une voix à la fois composée et sereine, elle m'a dit :

– Venez, ma sœur.

Elle m'a emmenée auprès de mère Géraldine. Après avoir timidement frappé à sa porte, elle en a défait le verrou. La porte s'est ouverte sur l'abbesse, Habondia et l'évêque, à la prestance sévère et majestueuse. J'ai frémi de crainte lorsqu'elle s'est refermée d'un claquement sec dans mon dos, mais je me suis maîtrisée à la pensée de Noni et de la Déesse.

C'est mère Géraldine qui s'est adressée à moi la première.

– Vous vous êtes bien conduite, mon enfant. Assez pour une première leçon : vous avez appris que la peur chasse la Déesse et que la magie inspirée par la peur cause de grands maux. Le temps viendra, néanmoins, où il vous faudra la maîtriser – car la moindre trace d'elle dans votre cœur vous détruira. Nous avons beaucoup à accomplir avant que vous ne soyez prête à embrasser votre destin.

Tandis que je restais pétrifiée, comme frappée par la foudre, l'évêque s'est avancé et, faisant une génuflexion, il m'a baisé la main.

– Ma Dame…

Il a reculé et Habondia a pris sa suite.

– Ma Dame, m'a-t-elle déclaré avec ferveur, pardonnez-moi d'être celle qui a été élue pour vous causer du chagrin.

Est ensuite venu le tour de Géraldine, dont j'ai clairement compris qu'elle détenait l'autorité dans leur groupe, de s'incliner devant moi. Après avoir ajouté son baiser solennel à celui des autres, elle m'a dit :

– Ma Dame, vous serez toujours en sécurité ici auprès de nous, car nous avons prononcé le serment de vous protéger.

J'étais abasourdie.

– Qui êtes-vous donc ? me suis-je écriée. Des sorciers ou des chrétiens ?

Mère Géraldine m'a adressé le plus radieux des sourires.

— Peut-être ni l'un ni l'autre, ma Dame ; peut-être les deux. Bien que femmes – hormis le brave évêque ici présent –, nous sommes néanmoins des chevaliers du Temple.

D'un geste preste, elle a sorti de sous son habit et sa guimpe un collier auquel était suspendu un disque rutilant, sur lequel étaient gravées une inscription en hébreu et des étoiles : le sceau de Salomon.

Lorsque l'évêque et Habondia se sont retirés et que nous sommes restées en tête-à-tête, Géraldine a repris ses explications :

– La chose importante qu'il vous faut maintenant apprendre, c'est qui vous êtes.

« Peut-être en avez-vous une certaine idée. Votre grand-mère vous a peut-être transmis le récit qu'elle tenait de son propre maître. Peut-être pas. Mais lorsque vous étiez enfant, vous avez sans doute assisté à la messe, et vous y avez entendu le prêtre raconter l'histoire de Dieu fait homme.

« Laissez-moi simplement vous en narrer une autre, tout aussi ancienne – peut-être plus ancienne –, celle d'une enfant devenue femme. Elle vivait près d'un lac appelé Galilée, dans un pays où erraient les lions.

« Son prénom, Madeleine, signifiait Tour de Garde. Ceux qui l'avaient connue enfant pensaient qu'elle avait été baptisée d'après la ville d'où elle était originaire. Mais ceux qui l'aimèrent adultes savaient que c'était parce qu'elle Voyait loin, beaucoup plus loin que le commun des mortels.

« Et elle connaissait celui qui était Dieu incarné, car elle, la Déesse, était son égale. Ensemble, ils étaient le Père et la Mère de la Race. Ils partageaient un destin commun : aider l'humanité, enseigner la compassion, guider ceux de leur sang et doués comme eux à faire de même.

« Bien vite cependant, ils se sont retrouvés confrontés au danger : des hommes étaient en effet jaloux de leur pouvoir et de l'influence qu'ils exerçaient sur le peuple. Le Mal a levé la tête et il a déclaré profane ce qu'ils avaient trouvé sacré et cherché à les détruire tous les deux.

« Il me revient de vous prévenir contre ce Mal qui a dérobé cette magie suprême et qui, jusqu'à ce jour, la pervertit dans le but de vous empêcher tous les deux d'accomplir votre destin commun. Mon rôle est également de vous apprendre à découvrir et à perfectionner les pouvoirs que vous possédez déjà.

« Génération après génération, la même histoire se répète : ces deux êtres doivent se trouver et s'unir dans un but commun, et vaincre le mal qui s'acharne à les détruire. Au fil des générations, votre Ennemi a acquis davantage de pouvoir, car certains, parmi ceux qui possèdent le sang et les pouvoirs sacrés, ont été influencés par le mal ; vous êtes aujourd'hui confrontée à un très grave péril. Car votre Seigneur et vous-même devez maintenant affronter bien pire que vos propres morts : l'éradication de notre espèce, si bien que les habitants de cette terre seront abandonnés, sans aide, sans espoir, prisonniers d'un présent et d'un avenir emplis de guerres et de haine. »

J'étais toujours aussi stupéfaite.

– Vous êtes donc tous des templiers ? l'ai-je questionnée.

Elle m'a souri.

– Effectivement, ma Dame. Il est vrai que nous, les femmes, ne portons ni glaives ni épées. Nos batailles, nous les menons dans un autre royaume. Étant de sexe féminin, nous n'aurions pas pu non plus appartenir à l'Ordre des chevaliers du Temple de Salomon, mais les hommes qui servaient avec nous le Seigneur et la Dame avaient formé un ordre intérieur des templiers, et ils ont été persécutés à cause de leurs convictions. C'est ainsi que nous en sommes venues à nous référer telles, car nous servions avec eux. Leur tâche consistait à entraîner et protéger le Seigneur ; la nôtre, à faire de même avec la Dame. Lorsque l'Ordre a été officiellement anéanti, que les hommes ont été exécutés ou qu'ils ont fui vers le Nord – hormis quelques très rares individus dont l'association n'a jamais été découverte –, nous les femmes sommes restées, car qui aurait jamais soupçonné que nous faisions partie de cet ordre intérieur ?

« Au cours des mille ans qui ont précédé cette époque, nous nous appelions simplement disciples.

« À l'intérieur de notre couvent, quelques religieuses ont hérité de dons très puissants – la Vision, le Toucher, le Rêve et bien d'autres – mais la plupart n'ont que de faibles pouvoirs magiques et se contentent de croire et de servir, en fonction de leurs capacités. Sœur Habondia en fait partie. Elle utilise ses facultés mentales et physiques, et comme vous avez pu le constater, son talent particulier pour jouer la comédie. »

– Mais je ne suis point différente de vous, lui ai-je opposé. Vous connaissez la Déesse mieux que moi ; vous êtes plus puissante que moi. Vous saviez que j'allais venir et je n'ai même pas su deviner si vous m'aviez ou non trahie.

D'un ton plus sombre, elle m'a répondu :

– Détrompez-vous, ma Dame. Je ne possède pas une once de votre pouvoir – ou plutôt, du pouvoir de la Déesse. Ne comprenez-vous donc toujours point ce qui s'est passé à la mort de votre grand-mère ? Votre initiation suprême ?

À cette pensée, des larmes brûlantes m'ont piqué les paupières, mais j'ai gardé un visage impassible.

– Je sais… que j'ai senti la présence de la Déesse avec une intensité jusque-là inconnue. Je sais que j'ai reçu le pouvoir du Toucher.

– Vous avez reçu bien davantage.

Géraldine s'est tue. Elle a très légèrement incliné la tête, si bien que son voile noir hivernal s'est drapé sur la ligne droite et ferme de l'une de ses joues et qu'il est retombé gracieusement sur sa mâchoire carrée. Ses yeux restaient fixés sur moi, mais en même temps elle contemplait, au-delà de mon enveloppe corporelle, un spectacle profond et magnifique. Son expression s'est adoucie, et je me suis soudain souvenue de la statue en bois de Marie, dans le bosquet d'oliviers.

– Cela ne s'est produit qu'une seule fois depuis les débuts de la Race. Ma chère sœur Marie, que vous le croyiez ou non dans votre cœur, et même s'il vous reste encore à le découvrir par vous-même, vous avez été élue pour devenir l'incarnation de la Déesse.

XIV

Au fil des années suivantes, mère Géraldine m'a expliqué moult choses. Par elle, j'ai appris qu'il y avait deux manières d'être initié, c'est-à-dire d'obtenir des pouvoirs magiques permettant d'effectuer le bien ou le mal : la mort et l'amour, interprété par les adeptes de la magie ordinaire comme l'acte de procréation. Il est vrai, m'a-t-elle précisé, que l'acte charnel à lui seul permet d'arriver à un certain degré d'initiation ; mais on parvient au degré suprême par le biais d'un acte de compassion qui nous transcende. C'est ainsi qu'au cours des précédentes générations, l'accouplement du Seigneur et de la Dame a permis d'atteindre des pouvoirs d'un niveau extrêmement élevé. (Pardonnez-moi de vous parler avec une telle franchise, frère. Je ne voulais point vous faire rougir.)

Comme Noni avait éprouvé à mon égard un amour altruiste, qu'elle s'était en outre volontairement abandonnée à la mort, elle avait conféré une double force à mon initiation. Selon Géraldine, je détenais grâce à elle une telle puissance que j'allais être en mesure de trouver mon Bien-aimé et de l'initier à mon tour avec davantage d'autorité.

Mais il fallait d'abord que le Seigneur et moi recevions un apprentissage et une préparation particuliers, car notre génération était sous la menace d'un péril d'une gravité sans précédent. Jusque-là, je serais exceptionnellement vulnérable aux attaques de l'Ennemi.

Mon apprentissage a commencé par un Cercle avec les autres sœurs appartenant à la Race. Un Cercle qui ressemblait beaucoup à celui auquel Noni m'avait fait participer. Géraldine a ensuite invoqué la Lumière et s'en est laissé inonder au moyen de paroles qui sonnaient comme celles qu'avait employées Noni. De l'hébreu, m'a-t-elle appris par la suite, et non de l'italien, comme je l'avais d'abord cru. Car à l'époque où les templiers avaient dû prendre la fuite pour échapper à la mort, de nombreuses sorcières leur avaient offert un refuge, et ils avaient échangé leurs connaissances magiques. Les êtres gigantesques de différentes couleurs sont également apparus, qui étaient en fait les archanges Raphaël, Michel, Gabriel et Uriel, ainsi que les étoiles et le Cercle.

Tous ces rites ont été accomplis au fond de la cave, dans un lieu datant des différentes périodes où Carcassonne avait subi des invasions : une petite cachette secrète creusée à l'intérieur du sol de terre battue, protégée par des murs en torchis. Entourées de pierres grossièrement taillées et moisies, sans même un soupirail pour éclairer vaguement les ténèbres, nous ne disposions d'aucun instrument ni objet magique. Rien que d'une lampe à huile et de nos cœurs. Géraldine n'a pas non plus pris la peine de tracer un cercle sur le sol. Mais la présence de l'invisible était d'une clarté indicible. C'est dans le noir, à mon avis, que nous Voyons le mieux.

C'est là, dans cette petite pièce, sous la protection de l'abbesse et de mes sœurs – et de celle de bien d'autres éparpillés dans maintes villes et maints pays, présents en esprit plutôt qu'en chair et en os –, que j'ai fait les premiers pas qui allaient m'apprendre à me concentrer sur la Vision.

– Pensez à votre Ennemi, m'a murmuré Géraldine lors de ce premier Cercle, lorsque nous nous sommes retrouvées en sécurité à l'intérieur d'un globe bleu doré chatoyant.

Elle m'a prise par une main, sœur Marie-Magdeleine par l'autre ; l'autre main de sœur Marie-Magdeleine s'est jointe à celle de sœur Barbara, qui s'est unie à sœur Drusilla, et Drusilla à sœur Lucinde… Nous étions six cette nuit-là, et je les bénis toutes les six, car sans elles l'Ennemi m'aurait sans doute repérée. Mais là, grâce à l'aide de mes sœurs bienveillantes, je suis restée invisible à ses yeux, inconnue, complètement protégée.

– Pensez à votre Ennemi dans votre cœur, a continué Géraldine, et son image va apparaître lentement…

J'ai repris mon souffle, car le fait même d'y penser me désemparait. Ces femmes étaient sûrement victimes d'une illusion. Et moi aussi, d'oser imaginer que j'étais la Déesse, de penser que j'étais un vaisseau digne de Son pouvoir. J'étais bien trop humaine : faible, anxieuse, apeurée…

Marie-Magdeleine a serré ma main. Je me suis tournée et son profil m'est apparu à la lueur de la lampe. Son front doucement bombé, la courbe détendue de sa paupière close, ses longs cils posés en éventail sur sa joue dorée : le portrait même de la sérénité. J'ai senti une paix égale à la sienne descendre sur moi, senti mes propres cils battre contre mes joues, senti ma crainte s'évanouir.

Et j'ai entendu Noni crier :

Domenico...
Toi la brise traîtresse à la naissance de l'enfant.

Une Vision m'est alors apparue :

La silhouette d'un homme de haute taille, corpulent. Il se tient devant un autel. Sur la surface polie de ce rectangle d'onyx, deux bougies, l'une blanche et l'autre noire ; une colombe blanche dans une cage de bois ; un cercle de sel ; et un encensoir en or. Des spirales de fumée sortent de l'encensoir et derrière ce voile épais embaumant la myrte, des fresques représentent des dieux païens gambadant dans la pénombre vacillante. Ici, une Vénus à la peau nacrée s'accouple avec Mars. Les vagues dorées de sa chevelure cascadent sur leurs deux corps. Là, Léda la mortelle est allongée à l'ombre des grandes ailes déployées par le cygne divin.

Juste au-dessus de la tête de l'homme, des étoiles et des signes astrologiques incrustés font scintiller le plafond en coupole ; devant lui, un cercle magique orne le sol de marbre blanc sur lequel une mosaïque rutilante représente les symboles du feu, de l'eau, de la terre et de l'air.

Une applique dorée, de la même taille que l'homme et à moitié aussi large, en décore chaque quart. Celle de l'est, juste derrière l'autel, a la forme d'un aigle ; celle du sud, la forme d'un lion. L'ouest et le nord sont représentés par un visage d'homme et une tête de taureau. Au-dessus de chaque applique ouvragée vacille la flamme d'un cierge dont la lueur vient s'ajouter à celle diffusée par les bougies sur l'autel.

« Une femme parée de soleil, chuchote le magicien, debout sur la lune, couronnée de douze étoiles. Dans les douleurs de l'enfantement, elle crie... »

Il s'avance vers l'autel et ouvre la petite cage de bois dans laquelle il introduit la main. La colombe se recroqueville. Elle incline abruptement la tête afin de le contempler d'un seul œil, rose et entièrement inexpressif. La main se referme sur son dos. L'oiseau essaie de se redresser et hérisse les plumes, projetant sa hargne et du duvet dans la pénombre brumeuse. Mais dès que le magicien l'attire vers lui et lisse doucement ses plumes, elle cesse de résister et se calme dans sa paume.

Une vie si insignifiante : juste un petit point de chaleur qui ne pèse rien et un cœur qui bat vite, là dans sa main. Il la caresse distraitement, les idées concentrées sur ce que cette petite vie va lui acheter, jusqu'au moment où l'oiseau est assez en confiance pour chercher une plume sous son ventre blanc comme la neige et la lisser par coquetterie.

D'un geste brutal, le magicien saisit alors son cou étroit entre le pouce et l'index. Il le tord jusqu'à sentir et entendre se casser net le délicat os tubulaire ; au même instant, la colombe défèque dans sa paume.

Sans réagir, il fait passer le corps mou de l'oiseau mort dans son autre main et laisse le liquide vert et blanc ruisseler de sa paume au sol de marbre, puis il s'essuie rapidement la main avant de poser l'oiseau à l'intérieur du petit cercle de sel tracé sur l'autel noir luisant.

Il sort la dague de cérémonie de sa ceinture ; éclairée par la lueur des bougies, la lame lance un éclair, puis un second lorsqu'il tranche d'un geste vif la tête de la colombe. Du sang chaud jaillit sur la dague et sur ses doigts, il tache les plumes blanches de rose cramoisi et forme une petite flaque contre la barrière de sel.

Le magicien recule tout de suite d'un pas. En imagination il s'entoure d'un cercle protecteur, excluant la colombe et l'autel. Une fois les barrières bien érigées, il hurle le nom d'un démon – parmi ceux qui l'ont bien servi par le passé mais qui ne remplit aucune tâche pour le moment – et il lui ordonne, au nom de tous les saints, d'apparaître dans le cercle de sel.

Les êtres moins expérimentés, moins doués, pourraient ne pas percevoir les signes plus subtils : cette sensation physique étrange, pareille à celle du satin frais que l'on fait glisser lentement sur la peau, les bougies qui s'embrasent subitement sur l'autel, le spasme de mort de la colombe. L'encensoir déverse un flot de fumée qui se répand sur le cadavre de l'oiseau avant de s'élever en tourbillons et de former une colonne. Elle reste en suspens, elle se resserre, jusqu'à ce que le magicien distingue enfin la forme d'un visage qui se matérialise dans la fumée. Un visage monstrueux. Celui d'un loup aux longs crocs mortels, muni d'une langue qui jaillit comme celle d'un serpent, et de grandes dents acérées…

Le loup veut à tout prix l'effrayer, le forcer à s'enfuir de terreur, le pousser par la ruse à sortir du cercle protecteur. Car il pourrait alors renverser les rôles et devenir son maître. Et la peur est le meilleur moyen à sa disposition pour parvenir à ses fins. Le magicien ne s'autorise donc pas à en ressentir le moindre frémissement. En réalité, s'il éprouve une quelconque réaction, c'est l'envie d'éclater de rire de cette tentative si grossière de l'esprit malin de faire preuve de courage, qui ne sert en fait qu'à lui rappeler qu'il est entièrement en son pouvoir.

Lorsque le démon prend sa forme définitive dans la fumée, le magicien prononce à nouveau son nom et lui ordonne : « Tu détruiras celle que je cherche, celle qui verra plus clairement que moi. Et voici comment cela s'accomplira... »

De sa robe, il sort un long cierge avec l'extrémité duquel il effleure le cierge du quart ouest ; puis, sans quitter le cercle protecteur à l'intérieur du cercle, il en approche le bout enflammé de la cage de bois posée sur l'autel.

Elle prend subitement feu et, deux respirations plus tard, elle est consumée. La structure lumineuse s'effondre sur la colombe dans le cercle de sel, et une odeur de plumes roussies monte dans l'air quand le petit corps s'enflamme.

D'un seul coup, le magicien a disparu de ma Vision, remplacé par la petite chaumière à l'intérieur de laquelle j'étais née. Ma mère y était accroupie sur des ivraies de blé juste moissonné, le ventre gonflé par l'enfant qu'elle attendait : moi. Elle était si jeune alors ; plus jeune que je ne le suis aujourd'hui.

Elle hurlait. Des hurlements provoqués par les douleurs de l'enfantement, ainsi que par la crainte et la colère que lui inspirait Noni, agenouillée près d'elle. Maman a tendu le bras et, avec une énergie qu'elle n'avait jamais possédée et ne posséderait plus jamais, elle a fait tomber ma grand-mère d'une gifle.

Noni s'est effondrée sur le flanc. De l'épaule, elle a heurté la petite lampe posée non loin de là sur le sol jonché de paille. J'ai vu le feu prendre sur l'huile répandue, se propager sur la paille, sur la jupe noire de ma grand-mère, en direction du ballot d'ivraie sur lequel ma mère luttait pour me mettre au monde ; et j'ai pensé à la petite cage réduite en cendres incandescentes sur le corps encore fumant de la colombe.

La mort, ai-je réalisé, *c'est la mort des autres qui est à l'origine de son pouvoir.* Je ne m'étonnai plus que, à la mort de Noni, il eût cru avoir gagné. Que son amertume avait dû être grande, le jour où ce pouvoir était allé, non vers lui, mais vers moi !

Je ne m'étonnai plus qu'il nous eût poursuivis, moi et mon Bien-aimé. Non point tant pour se venger d'Anna-Magdalena que par soif de s'emparer de notre grand pouvoir.

Assez ! a ordonné Géraldine, et je suis redevenue moi-même à l'intérieur du Cercle.

– C'est votre Ennemi tel qu'il était jadis, m'a déclaré l'abbesse. Vous le verrez ainsi jusqu'à ce que vous soyez assez forte pour l'affronter tel qu'il est aujourd'hui.

Je l'ai donc de nouveau affronté, lors d'autres Cercles accomplis au cours d'autres nuits. J'ai vu la main du magicien dans une dizaine d'incidents que je ne vous ai point narrés, par manque de temps ; des incidents qui, sans l'intervention de Noni, auraient pu provoquer ma mort. Je l'ai vu à l'œuvre lorsque maman a arraché le charme du cou de papa, avant qu'il ne succombe à la peste ; je l'ai vu à l'œuvre lorsque ma pauvre maman a découvert mon sceau de Salomon et qu'elle a dénoncé Noni aux gendarmes.

À l'intérieur du Cercle – et dans ma cellule solitaire, mais toujours sous la protection de mes femmes chevaliers – j'ai appris à méditer, non sur la croix ou sur d'autres objets sacrés comme on l'enseigne à celles qui mènent une vie monacale, mais sur la Déesse Elle-même, jusqu'à atteindre une profonde sérénité.

Je me suis accoutumée à diriger Son pouvoir de guérisseuse à volonté ; ce résultat semble peut-être facile à obtenir, mais ce n'est que lentement, et avec moult difficultés, que j'y suis parvenue. Et alors que nombreux étaient les occupants du lazaret désireux de bénéficier de mon Toucher novice, Jacques, à ma vive déception, tout comme plusieurs de ses compagnons de misère, a refusé que je le guérisse encore. « Il doit rester certains lépreux, a-t-il déclaré, sinon les gens parleront et nourriront des soupçons. Et s'il doit y avoir des lépreux, laissez-moi en être un. Je ne vous en servirai pas moins, ma Dame, tant que le Dieu et la Déesse me prêteront vie. »

J'ai cependant appris à en guérir beaucoup d'autres. Toujours de maux bénins : ici, la cicatrisation d'une plaie ouverte ; là, la restauration d'un morceau de chair. Rien d'aussi frappant que ce que j'avais accompli pour Jacques, rien de plus ambitieux. Ceux frappés par la lèpre voyaient leur santé s'améliorer petit à petit, ou alors ils mourraient, avec ou sans mon intervention. Lorsque je me suis plainte de mes échecs à Géraldine, elle m'a simplement déclaré : « Vous devez vous oublier, oublier l'enveloppe corporelle que vous habitez et ne vous souvenir que de la Déesse. »

Les moments où j'étais capable d'atteindre cet état méditatif de sérénité, cette grâce, cette sensation de la Présence vivante, se sont peu à peu prolongés. Je me suis alors lentement mise à regarder mes peurs en face : en effet, ce ne serait que le jour où je les aurais maîtrisées que je serais assez forte pour me protéger et pour protéger les autres, libérant ainsi mes sœurs pour qu'elles puissent faire de même.

« C'est seulement lorsque vous en aurez la force, m'a dit Géraldine, que vous serez autorisée à rencontrer votre Seigneur en chair et en os ; seulement alors que vous pourrez l'initier, lorsque votre cœur sera prêt. »

J'ai donc appris à penser d'abord à l'Ennemi, Domenico, jusqu'au jour où – ayant réussi à concentrer ma Vision et à maîtriser ma terreur – j'ai été capable de le Voir et de ne ressentir à son égard que la compassion de la Déesse. Ainsi aguerrie, je me suis attaquée à toutes sortes de peurs, comme l'aversion que j'éprouvais pour les flammes et la douleur qu'elles infligeaient, dont je gardais le souvenir cuisant. Je survole les choses, mais, en tout, mon apprentissage a duré deux années. Il en a fallu plusieurs pour que je sois capable d'évoquer ces frayeurs sans perdre mon calme lorsque je méditais, baignée dans la Présence. Je ne pouvais permettre à la moindre once de ténèbres de demeurer dans mon âme, car elle pourrait être utilisée contre moi.

Lorsque j'ai appris à regarder mon Ennemi actuel, trouvant même la force de Voir son visage avec sérénité, Géraldine m'a parlé seule à seule, une nuit après le Cercle. Toutes mes compagnes avaient quitté la petite cave humide. Nous sommes restées assises sur les talons, les tibias appuyés contre le sol glacial, éclairées par la faible lueur d'une chandelle. La flamme projetait un cône de lumière vacillante qui se répandait sur la poitrine, le menton et les lèvres de Géraldine mais laissait ses yeux et ses sourcils dans l'ombre.

– Il ne suffit point que vous ayez vu l'Ennemi d'hier et celui d'aujourd'hui. Il vous faut à présent regarder en face celui qui va venir. C'est la dernière des peurs, la plus puissante aussi, qu'il vous faut maîtriser.

J'ai hésité. J'ai même ouvert la bouche pour protester et dire : « Je ne puis » – ne m'en demandez point la raison, je l'ignore –, mais elle ne m'a pas laissée parler.

– Il vous faut comprendre que c'est cette peur ultime qui fait que vos dons de guérisseuse sont limités. Dans ces moments-là, vous oubliez qui vous êtes : vous ne vous souvenez que de la femme, Marie-Sybille, et vous oubliez que vous êtes également la Déesse. Vos limitations sont les Siennes.

J'en étais arrivée à cette époque-là à vivre presque constamment en présence de la Déesse ; sans doute m'en faisais-je même une certaine fierté, car les paroles de l'abbesse m'ont inspiré un sentiment d'humilité, face à l'horreur qui sourdait en moi. Elle évoquait le plus grand des maux à venir, celui que je n'avais point eu le courage de regarder en face le jour de mon initiation, lorsque Jacob m'avait incitée à le faire. Le plus absolu des désespoirs, le plus grand vide qui m'attendait, à l'extérieur du premier et dernier Cercle auquel j'avais pris part avec Noni qui représentait alors la Déesse. Je me suis donc demandée : *Comment vais-je pouvoir le regarder en face avec calme, alors que je ne supporte même pas de l'entendre évoquer ?*

Mais je savais que mon apprentissage était tout entier tourné vers ce but et qu'une fois que j'y serais parvenue, je serais enfin prête à rencontrer mon Bien-aimé. J'ai donc commencé à m'y employer lors du Cercle et quand je méditais. Comme il ne s'agissait que de tentatives, j'ai subi échec sur échec.

Cependant, une menace d'un tout autre ordre pesait sur nos existences.

Aussi loin que remontassent mes souvenirs, nous avions toujours été en guerre avec l'Angleterre – à dire vrai, elle avait même commencé longtemps auparavant – mais je n'en avais jamais été directement souffert. Jusque-là, les rares escarmouches avaient éclaté beaucoup plus au nord. C'est par l'évêque et le père Roland, qui venait tous les jours au couvent afin de nous donner l'Eucharistie, que nous avons appris qu'Édouard, le Prince Noir, avait envahi Bordeaux. À la tête de son armée, il ne s'était point contenté d'en occire les habitants, il avait dévasté la cité et les villages environnants, massacrant cochons et bétail, ravageant récoltes, arbres, vignobles et cuves à vin, incendiant champs et bâtiments. « La terre, nous a raconté un jour le père Roland avant de dire la messe, est noircie et ravinée et les malheureux survivants sont réduits à la famine ; ils n'ont même plus de pain, car Édouard a fait brûler leurs moulins et leurs greniers à blé. Pour la seule raison qu'ils étaient restés loyaux au roi de France. »

La nouvelle que l'armée d'Édouard marchait en direction du sud-est – vers Toulouse, puis Carcassonne – a causé une vive inquiétude à mes sœurs. Le fait de vivre dans une communauté religieuse aurait dû nous protéger, comme cela aurait certainement été le cas un siècle auparavant. Mais en ces temps modernes, le respect manifesté à l'égard des nonnes et des moines s'était tellement amoindri que nous risquions autant d'être violées et assassinées en temps de guerre que le commun des mortels.

À chaque visite du père Roland, nous nous alarmions davantage. « Ils ont pris l'Armagnac » s'est transformé en « Ils sont arrivés en Guyenne », puis en « Ils marchent sur Toulouse ». Pour une raison mystérieuse, Toulouse a néanmoins été épargnée, si bien que le père Roland a décidé de célébrer une messe d'action de grâces. Il se disait que si Édouard ne s'était pas intéressé à Toulouse, prune juteuse et succulente, il passerait à côté du raisin qu'était Carcassonne.

En outre, notre cité était une citadelle, une forteresse. Elle n'était pas protégée par un rempart, mais par deux : un mur intérieur de bois construit par les Wisigoths il y a un millénaire, doublé à l'extérieur d'un autre rempart de pierre, vieux d'un siècle. Il est vrai que notre couvent se dressait juste à l'extérieur de cette enceinte, dont la réputation aurait dû suffire à décourager une attaque anglaise.

Ce point de vue prédominait en tout cas parmi les habitants de la cité, si bien qu'ils n'ont pris aucune précaution et ne se sont préparés à rien.

Marie-Magdeleine me parlait souvent des Anglais. J'ai même cru comprendre qu'elle aimerait bien que je lui dise si nous allions aussi subir l'invasion, au cas où je voyais quelque chose. Je n'en suis pas absolument persuadée, car j'étais trop distraite pour lui prêter vraiment attention. Après avoir suivi l'enseignement de mère Géraldine pendant cinq ans, j'étais consumée non seulement par mon incapacité à regarder mon futur Ennemi en face, mais par la conviction de plus en plus forte que mon Bien-aimé courait un grave danger. Comment pourrais-je l'aider si j'étais encore incapable de le Voir en toute sécurité ? Nous étions en guerre et la menace anglaise m'importait peu. Je n'accordais aucune énergie ni aucune pensée à l'arrivée éventuelle des Anglais.

Un jour, vers la fin de la messe, pendant les magnifiques accent du *Nunc Dimittis*, le claquement de la porte de la chapelle nous a subitement rendues muettes de stupéfaction ; la porte avait en fait heurté si bruyamment la pierre que son bois épais s'était fendu au milieu.

Andrus, l'un des frères laïcs, berger de son état, est entré et s'est avancé jusqu'au centre du sanctuaire où il est tombé à genoux. Non par respect, mais tant son agitation était grande. Et il a hurlé au père Roland, au chœur et aux nonnes qui le contemplaient d'un air abasourdi :

– Les Anglais ! Ils sont ici ! Que Dieu nous aide ! Ils sont ici !

Des murmures se sont propagés en cascade dans l'assemblée. Mère Géraldine est alors sortie du chœur pour nous intimer d'un geste de garder le silence. Puis elle s'est tournée vers le maître de chapelle et lui a fait signe.

Les membres de la chorale ont repris le *Nunc Dimittis,* mais elles chantaient d'une voix plus aiguë et plus tendue qu'avant.

Seigneur... laissez à présent vos servantes repartir en paix...

Cette fois, la liturgie était arrivée à son terme. Après nous avoir accordé sa bénédiction en hâte, le père Roland a quitté la chapelle en trombe sans changer de vêtements, tandis que nous, les nonnes, sortions à la file derrière l'abbesse, comme à l'accoutumée.

Ils descendaient régulièrement des collines, les Anglais. Une armée comptant au total plus de cinq mille hommes : lanciers, fantassins, archers tant redoutés munis de leurs armes aussi hautes qu'un homme. Des essaims de sauterelles noires qui se déversaient pêle-mêle, car comme ils étaient en campagne depuis plusieurs mois, ils ne se souciaient plus de former des lignes droites de bataille rangée. Ils n'en avaient d'ailleurs nullement besoin. Pas davantage qu'ils n'étaient précédés de hérauts sonnant leurs trompettes ou qu'ils ne brandissaient au vent de bannières multicolores.

Ces hommes n'agissaient point en guerriers, mais en fripons.

Carcassonne, comme toutes les autres villes dont ils s'étaient emparées, n'était pas prête à subir leur assaut. Un petit ost avait été constitué, composé des gens du *grand seigneur* et de quelques roturiers, mais il ne dépassait pas les deux cents hommes. Du champ qui s'étendait à l'extérieur du cloître au nord, nous avons regardé, épouvantées, ces quelques hommes s'apprêter à affronter l'ennemi qui approchait.

Une froideur particulière régnait ce jour-là. La nuit précédente, nous avions jeté de la paille sur nos récoltes afin de les protéger du givre et le matin, dans la chapelle balayée de courants d'air, mes ongles avaient viré au bleu.

J'avais oublié ma cape, mais mon corps ne souffrait point du froid. Mes pensées et mes dons s'étaient concentrés ailleurs. Je n'avais accordé que de rares considérations à la guerre, et de brèves Visions me montraient à présent ce qu'elle allait nous apporter. J'ai glissé mes mains sous mes longues manches et frotté le haut de mes bras pour essayer de les réchauffer.

En dépit de sa formation, Marie-Magdeleine était au bord des larmes. Elle s'est accrochée au bras de mère Géraldine et a dit à voix basse :

– Mère, il nous faut fuir, sinon ils vont toutes nous occire, comme ils ont exterminé les pauvres âmes de Bordeaux.

Son haleine formait des volutes blanches dans l'air froid.

À la vue de ses larmes, le visage de mère Géraldine s'est adouci.

– Partez s'il vous faut partir ; restez s'il vous faut rester. Quant à moi, je dois rester.

D'une voix plus forte, elle s'est alors adressée aux autres sœurs :

– Celles d'entre vous qui veulent partir n'ont qu'à prendre la charrette et les chevaux et emporter le plus de vivres et de vin possible.

Pas une âme n'a bougé. Un sourire furtif a fleuri sur les lèvres de l'abbesse.

– Que Voyez-vous ? m'a-t-elle demandé.

J'ai pensé aux moutons et au bétail qui paissaient dans les champs s'étendant sous nos yeux, aux poireaux et aux pois recouverts de paille, aux arbres qui ployaient encore sous les pommes, les poires et les noix et j'ai Vu que, dans quelques heures, il n'en resterait plus rien. J'ai Entendu le claquement des pieds des Anglais sur les marches du cloître.

– Ils viennent ici, au couvent.

– Quoi d'autre ? m'a-t-elle demandé, avec le même détachement et la même brusquerie qu'une commerçante en plein marchandage.

Je suis restée interdite, car en cet instant je ne Voyais rien d'autre. Force m'a donc été de reconnaître avec humilité que maîtriser ses craintes en état de méditation est une chose et que les vaincre dans la réalité représente un tout autre défi. Comme je restais muette, mère Géraldine a continué :

– Barbara, Magdeleine, allez cueillir autant de légumes et de pommes que vous pouvez au jardin, puis hâtez-vous de descendre à la cave. Vous autres, suivez-moi.

Elle a soulevé ses jupes et elle est partie en courant.

Nous lui avons emboîté le pas. Pour commencer, nous sommes passées au lazaret, afin d'emmener à la cave les lépreux en état de marcher. Nous y avons également escorté les autres malades valides. Trois nonnes se sont précipitées à la cuisine pour y prendre autant de vivres et d'eau qu'elles pouvaient en transporter.

Engourdie, j'ai œuvré aux côtés de Géraldine dans le lazaret. Le vieux Jacques ordonnait aux estropiés plus atteints que lui de s'accrocher à son dos et il les descendait à la cave. Nous, les sœurs, entrelaçant nos doigts pour former des sièges de fortune, y avons transporté ceux qui étaient trop faibles pour bouger. Nous nous sommes rendues dans la chambre magique secrète où nous nous sommes tous, lépreux, survivants de la peste, et sœurs, entassés avec nos vivres. Puis nous en avons clos le mur en torchis.

J'avais une confiance absolue en Géraldine. Pas une seconde je n'ai mis ses ordres en question, car elle connaissait la volonté de la Déesse aussi bien que moi, sinon mieux. Lorsque les ténèbres se sont refermées sur nous dans un grondement et un raclement de la pierre contre la pierre (car nous n'avions point osé nous munir d'une source de lumière, de peur qu'elle ne filtrât à travers une fissure ou une crevasse et ne révélât notre présence), j'ai pensé : *Nous voici prises au piège.*

Si nous étions aveugles, nos oreilles entendaient toujours. À travers les interstices laissés dans le mur pour l'aération, nous avons entendu les hurlements des Anglais qui gagnaient du terrain, les cris des fuyards français, les sabots tonitruants des chevaux.

Ensuite, nous sont parvenus les bruits de pas, en apparence, d'une dizaine d'hommes au-dessus de nos têtes, suivis de cliquetis métalliques sur les marches. Pour finir, une seule paire de bottes pesantes a éraflé le sol de la cave, accompagnée d'une respiration bruyante et d'une odeur de nature très humaine et très nauséabonde.

Une voix masculine barbare, rauque et grossière, incapable de prononcer un seul mot correct en français, a hurlé :

– Fort bien, mesdames ! Si vous vous terrez quelque part, vous ne nous échapperez point. Si vous vous rendez maintenant, je vous promets que nul mal ne vous sera fait…

Nous avons gardé un silence absolu, nous pelotonnant si étroitement les uns contre les autres dans l'obscurité que mes épaules et mes genoux étaient pressés contre ceux de Marie-Magdeleine sur ma dextre et ceux de Géraldine sur ma senestre. Jacques était assis devant moi, ses reins tordus appuyés contre mes pieds ; je sentais l'haleine chaude de mes sœurs sur mon visage.

– Sœurs ! a lancé l'Anglais dans son français martyrisé. Si vous êtes ici, nous vous trouverons. Épargnez-vous vous-mêmes en vous rendant dès maintenant… Vous serez récompensées pour votre reddition.

Sans doute s'agissait-il d'un individu de forte stature, car nous entendions distinctement le bruit de ses semelles qui foulaient le sol de la cave.

Subitement, des dizaines d'autres bruits de pas ont fait résonner les marches de l'escalier menant à la cave. Des voix mystérieuses, basses, ont hurlé des questions dans une langue étrangère, auxquelles notre

Anglais a répondu. Le silence est tombé, suivi du bruit que faisaient d'autres hommes à leur entrée dans la cave.

Quelques-unes de nos compagnes qui n'appartenaient point à la Race ont poussé de faibles gémissements de terreur.

Des heures durant, nous sommes restés serrés les uns contre les autres dans notre cachette, tandis que les soldats allaient et venaient. Nous les entendions arpenter la cave, les cellules, et même le jardin. Pour finir, les bruits nous ont fait comprendre que l'armée s'installait dans la cave pour la nuit : des hommes tiraient des paillasses et des vivres ; j'ai cru humer des relents de poulet rôti et de vin de messe. Ils ont parlé et se sont ébaudis jusqu'à une heure avancée de la nuit ; alors que je commençais à me dire qu'ils n'en feraient rien, ils se sont tus et nous avons entendu des ronflements.

La bona Dea, ai-je prié, utilisant les mots si chers au cœur de ma grand-mère. *Bonne Déesse, je suis entre vos mains ; montrez-moi quoi faire.*

Je sentais en effet qu'en cet instant la survie de notre communauté reposait sur mes épaules. La conviction – que je *devais* invoquer tout de suite la Vision ou que nous le paierions de nos vies – m'a empoignée avec une telle violence que j'ai tourné la joue vers mère Géraldine et que je lui ai chuchoté, d'une voix plus basse qu'un murmure :

– Cercle.

Elle a compris sur-le-champ, a saisi ma main et l'a serrée ; de l'autre côté, Marie-Magdeleine, qui ne pouvait m'avoir entendue, a fait de même. Un soupir étouffé s'est propagé dans la cachette. Celles qui appartenaient à la Race se sont avancées avec prudence et détermination vers le pourtour du cercle et ont uni leurs mains, pendant que les autres se rassemblaient à l'abri, au centre du cercle.

Celles de nos sœurs qui en étaient capables ont invoqué un cercle protecteur. M'abandonnant et abandonnant mes craintes, j'ai senti une paix puissante – une immense joie, à dire vrai – descendre enfin sur moi. En l'espace d'un instant, j'ai Vu, avec clarté :

Les Anglais, trouvant confort et abri au couvent, y installer une partie de leur légion et incendier les lieux avant de repartir. J'ai senti la fumée qui les emplirait d'ici trois jours. J'ai entendu les hurlements des lépreux impuissants et ceux de mes sœurs ; j'ai senti la chaleur des flammes et celle des murs de pierres brûlés au rouge qui nous entouraient.

Et j'ai Vu la cité de Carcassonne, ses tourelles, ses tours de gué nichées derrière les remparts de bois et, au-delà de ces murs, l'enceinte de pierre. Et les gens disaient : « Ils n'entreront jamais ; nous sommes bien protégés. Ces murs ont tenu plus de mille ans… »

La flamme se propageant dans les airs, au bout de la flèche d'un archer anglais. Objet mortel, propulsé par la force sans pareil du *longbow*[1] anglais. Les remparts de bois s'embrasant ; les portails de bois cédant sous les coups du bélier.

À l'intérieur de la cité, la mort, la mort et encore la mort, suivie de l'incendie.

J'ai aussi Vu l'image bouleversante d'une grande épée brandie dans les airs, sous laquelle se tenaient Géraldine et Marie-Magdeleine. Toutes les deux hurlaient, les mains dressées pour se protéger du coup qui allait leur être porté.

Tout cela, je l'ai véritablement Vu, et pourtant j'ai maîtrisé ma peur. Car je Voyais aussi ce qu'il me fallait faire. Et dans le même souffle, j'ai senti de nouveau la chaleur – non plus celle des flammes, mais celle du pouvoir. Celui que me donnait le sceau de Salomon posé sur ma poitrine et qui se transmettait à mon cœur.

En toute logique, il était imprudent de nous aventurer hors de notre cachette, car le simple bruit de la pierre raclant contre le sol réveillerait en sursaut les soldats. Je savais également que des sentinelles surveille-raient le couvent et que, ne disposant d'aucune arme, nous n'étions pas de taille à leur résister.

Mais en cet instant, je n'œuvrais plus dans le cadre de la logique : j'étais submergée d'une joie qui transcendait toute raison, toute peur et tous doutes ; je débordais d'une compassion qui englobait à la fois le guerrier fatigué et le civil terrifié, l'assassin et la victime, et déversait sur eux un amour sans pareil.

La Déesse m'a sur-le-champ donné la solution qui les épargnerait tous les deux, et j'ai émis un petit rire.

– Vous la sentez ? ai-je chuchoté à Géraldine, et dans l'obscurité j'ai su qu'elle hochait la tête en souriant.

Une chaleur s'était emparée de nous, une ébullition qui donnait des picotements. Autour de notre groupe d'une centaine d'âmes, de minus-cules étincelles dorées ont fait miroiter l'obscurité, comme une nuit incrustée d'étoiles. En esprit, j'ai fait en sorte que cette obscurité enve-loppe notre assemblée, comme une coquille délicate recouvre un œuf. Lorsqu'elle a été bien en place, j'ai annoncé d'une voix normale :

_____
1. Arc très long (NdT).

– Ainsi protégés, personne ne peut nous voir ni nous entendre ; nous allons ouvrir la porte et sortir. Chers lépreux, ne bougez point. Mes sœurs, venez avec moi. Prions toutes la Déesse, et nous serons épargnées.

Ensemble, mère Géraldine et moi avons trouvé à tâtons les crevasses dans le mur et avons tiré de toutes nos forces : dans un grand fracas, la porte – de la même forme, j'imagine, que la grosse pierre qui bloquait l'entrée du tombeau du Christ – s'est ouverte.

Je ne saurais dire si nous étions ou non enveloppées d'une sphère dorée, ou si une poussière d'or illuminait le monde entier ; du lieu où je me trouvais, l'effet était en tout cas le même.

Géraldine et moi sommes sorties les premières, Marie-Magdeleine sur les talons. Nous nous sommes tout de suite pétrifiées toutes les trois. Car sur le sol, à moins de quelques centimètres de la pierre que nous venions de pousser – à nos pieds mêmes –, reposait la tête dégarnie et parsemée de taches de son d'un soldat anglais bien nourri. Des poux sautaient dans ses rares cheveux roux graisseux. Son casque était posé à côté de lui ; non point le dôme légèrement pointu et muni d'une visière de nos chevaliers (qui rappelle le pétale central d'une fleur de lis) mais un couvre-chef ressemblant à un bol à l'envers, au bord large et plat, d'une couleur brune ternie.

Les yeux écarquillés d'épouvante, Marie-Magdeleine m'a jeté un regard rapide. Un instant, l'or chatoyant qui nous entourait a vacillé. J'ai serré sa main.

– Ne craignez rien, lui ai-je dit. Vous voyez ? Nous avons ouvert la porte, mais cela ne les a point réveillés.

À l'instant même où je prenais la parole, le soldat a poussé un grognement digne de celui d'un cochon et a expulsé une rafale d'air qui a fait trembloter ses lèvres et sa moustache rousse.

Je me suis tenue le flanc de ma main libre pour étouffer un rire ; Géraldine, Marie-Magdeleine et quelques-unes de nos sœurs, le visage empourpré, se sont aussi pliées en deux pour retenir leur hilarité. Nous nous sommes toutes ressaisies et avons commencé à avancer avec le sourire, sans être embarrassées d'avoir à relever nos jupes pour nous frayer un chemin autour des soldats endormis, tant ils étaient entassés les uns contre les autres.

Deux sentinelles étaient assises à l'entrée de la cave. Ils jouaient aux dés en se querellant à voix basse. Notre petit groupe était aussi invisible à leurs yeux que des fantômes. Nous avons compté une quarantaine d'hommes allongés dans la cave. Ils s'étaient enveloppés dans les couvertures de laine que nous utilisions pour nos malades et pour les pauvres, car il faisait beaucoup plus froid ici qu'en haut. Parmi eux, une vingtaine était des roturiers anglais ; puis nous avons traversé un groupe composé d'hommes très différents.

Je me suis tout de suite aperçue d'une agitation à l'intérieur de notre Cercle protecteur. C'était Marie-Magdeleine qui venait d'en franchir les limites invisibles, en proie à un accès de rage qu'elle ne pouvait contenir.

– Des Français ! a-t-elle crié, désignant du doigt leurs casques, leurs épées et leurs étendards. Tous des Français ! Tous des traîtres !

– Chut ! a dit Géraldine en essayant de la retenir.

Mais il était trop tard : Marie-Magdeleine était à présent visible. L'abbesse s'est alors intimée d'apparaître aussi. Quant à moi, fermement enracinée dans la Présence, je suis restée en compagnie de mon troupeau à l'intérieur du voile scintillant.

Près de nous, un soldat a remué. Puis un second.

– Fichtre ! a lancé le premier, un individu dégingandé à la longue barbe blonde, dont l'accent témoignait qu'il était normand et de sang noble. Vous m'en direz tant ! Deux de ces dames ont décidé de se dévoiler.

Il s'exprimait de la voix lasse et hachée d'un homme qu'on a contraint depuis bien trop longtemps à dépasser ses limites physiques. La voix d'un homme qui avait vu et commis trop d'actes de cruauté.

– Et là où il y a deux dames… il y en a forcément trois ou quatre… et qui sait, même davantage ? Plaît-il, où se cachent donc les autres ? Ne soyez pas timides. C'est moi qui commande ici ; c'est moi qui décide de votre sort.

Le temps de conclure son admonestation, il a déroulé les trois couvertures dans lesquelles il s'était emmitouflé et il a saisi une épée au manche doré délicatement ouvragé. Les hommes qui l'entouraient ont fait de même : tous portaient de belles épées gravées et tous arboraient la même esquisse de sourire ironique que leur commandant. Il ne s'agissait point de fantassins, mais d'individus appartenant à l'élite entraînée, des chevaliers.

Et tous étaient des Français du Nord.

La fureur a éclipsé toute velléité de peur dans le cœur de Marie-Magdeleine. Elle s'est avancée audacieusement d'un pas et a apostrophé le blond Normand :

– Regardez-vous donc ! Des Français qui assassinent leur propre peuple ! Aucun chevalier digne de ce nom ne ferait chose pareille.

– Prenez ma main, lui ai-je dit, convaincue que les soldats ne pouvaient ni me voir ni m'entendre.

Pourtant, je savais qu'elle n'en ferait rien ; et sachant qu'elle n'en ferait rien, je n'ai éprouvé nulle peur. J'observais ce drame d'un lieu de repos, à distance paisible, tout en éprouvant une intense compassion.

Le Normand s'est tout de suite avancé vers elle. Jusque-là, il avait laissé son épée pendre dans sa dextre ; subitement il a resserré sa poigne et les muscles de son bras se sont tendus. D'un mouvement d'une rapidité aveuglante, il a plié le coude pour ramener en arrière son avant-bras sur son torse, et son poing dextre s'est brièvement posé sur son épaule senestre.

– Non, a dit mère Géraldine d'une voix qui ne contenait ni indignation ni terreur, mais une insistance à la fois douce et ferme.

Sous le regard horrifié de nos sœurs, elle s'est intercalée entre Marie-Magdeleine et son attaquant. Le Normand l'a frappée de son glaive comme s'il lui donnait une gifle du dos de la main.

Le silence était tel que nous avons entendu le tissu de l'habit de laine de mère Géraldine se déchirer lorsque l'épée l'a fendu – aussi aisément qu'elle perçait la chair, au-dessus de sa poitrine. Elle a perdu l'équilibre et basculé en avant et il a enfoncé l'arme davantage.

Il s'est alors reculé pour laisser tomber sa victime – en avant, jusqu'à la garde de l'épée, si bien que la plus grande partie de la lame est ressortie dans son dos, juste sous son omoplate senestre.

– À qui le tour ? a demandé gaillardement le Normand.

Marie-Magdeleine a éclaté en sanglots et pressé la paume inerte de Géraldine contre ses lèvres. À mes côtés, protégées par le voile qui les rendait invisibles, les autres pleuraient sans bruit.

Mais le commandant ne s'est pas laissé attendrir. Il a rengainé son épée, puis il a saisi Marie-Magdeleine par le coude et l'a obligée d'une torsion à se relever. Elle s'est débattue, mais il a réussi à lui arracher son voile et sa guimpe qui dissimulaient ses courts friselis blonds.

– Votre beauté fait votre fortune, car vous aurez la vie sauve une journée de plus afin de me fournir une compagnie… *si* vous me dites où se cachent les autres femmes. Si vous refusez, vous mourrez, comme votre peu avenante sœur ici présente.

D'un signe de tête dédaigneux, il a indiqué le corps de mère Géraldine.

Au cours de ma vie, il m'est arrivé de sentir le temps se ralentir. C'est exactement ce qui s'est passé alors. Bien sûr, le spectacle du corps de Géraldine m'inspirait compassion et chagrin ; mais, bizarrement, j'avais également le sentiment que les choses étaient *bien* ainsi. C'était la volonté de la Déesse. Emplie d'une joie qui ne cessait de s'amplifier, j'ai donc apostrophé le Normand avec une autorité de loin supérieure à la mienne.

– Lâchez-la !

Mon ordre ne contenait ni colère, ni chagrin, ni haine. Il n'était inspiré que par un sentiment de justice.

Une chose étrange s'est alors passée : le Normand a bien entendu dégainé son épée, sans desserrer les griffes de son autre main qui retenait Marie-Magdeleine prisonnière, et il s'est tourné vers moi... Mais au lieu de frapper, il s'est arrêté, le regard flou et perplexe.

– Lâchez-la ! ai-je répété.

Il a incliné davantage la tête, complètement mystifié. Quant à ses hommes, ils ont cessé de jeter des regards concupiscents et ironiques pour se tourner vers moi, l'air tout aussi indécis que lui.

J'ai ri tout haut en comprenant ce qui se passait : ils ne me voyaient toujours pas. J'ai fermé les yeux pour dissoudre en pensée le voile protecteur et j'ai fait un pas en avant, comme si j'émergeais d'une porte secrète. Il n'était nullement nécessaire de continuer à cacher les autres ; j'avais la certitude qu'il ne leur arriverait rien.

Les yeux du commandant se sont écarquillés ; sa peau est devenue plus pâle que sa barbe hirsute. Sans réfléchir, il a lâché Marie-Magdeleine qui me fixait, bouche bée, et qui est tombée à genoux avec respect.

– Sainte Mère de Dieu, a soupiré le Normand en faisant comme elle.

Les uns derrière les autres, les nonnes et les soldats se sont signés et se sont mis à genoux.

Ce qu'ils ont cru voir m'importait peu. Ne comptait que l'acte que je devais accomplir. Refoulant mon chagrin, je me suis agenouillée près de Géraldine pour la tourner sur le flanc et j'ai retiré l'épée, non sans mal. Elle a gémi quand la lame est sortie, car elle était toujours vivante. Vivante, mais le sang se déversait de sa triste blessure ; il trempait le sol, formait une tache plus sombre que son habit noir et maculait mes manches. Elle allait vite saigner à mort.

Je me suis assise sur le sol glacial et je l'ai prise dans mes bras.

Son destin était d'être celle qui m'enseignait, non de mourir. Je savais que je me trouvais en équilibre au bord d'un précipice : je pouvais avoir une réaction d'amertume. Je pouvais renoncer à la Déesse et maudire mon destin. Je pouvais fuir ce qui devait être.

Mais je ne l'ai point fait.

Les yeux clos, j'ai pressé la main de toutes mes forces contre sa blessure ; son sang alourdissait déjà mes jupes. Elle se mourait, elle suffoquait dans mes bras.

L'illogisme de tous ces événements m'a fait sourire. Je me suis dissoute.

Union. Rayonnement. Félicité.

Un murmure a parcouru la foule comme le frémissement des ailes d'un oiseau.

J'ai rouvert les yeux. Ils regardaient droit dans les prunelles brunes de Géraldine, non plus ternes et lointaines, mais brillantes et vivantes. Et elles me regardaient *de haut,* car l'abbesse était assise.

Ma main se pressait toujours contre sa blessure. D'un geste lent et doux, elle l'a repoussée. La laine noire, sans déchirure, sans tache, est apparue.

L'abbesse s'est levée, le visage rayonnant, et m'a tendu la main pour m'aider à faire de même. J'étais stupéfaite.

— Vous venez d'assister à un vrai miracle de Dieu, a-t-elle déclaré à l'assemblée agenouillée, et le commandant normand a fondu en larmes.

XV

Je n'ai appris que plus tard la raison pour laquelle les Normands et mes sœurs s'étaient agenouillés : non seulement parce que j'avais surgi de nulle part, mais parce que je leur étais apparue sous le déguisement de la Vierge, coiffée du voile bleu et de la couronne dorée de son costume de Reine des Cieux. Je n'étais redevenue moi-même que lorsque mère Géraldine m'avait aidée à me relever.

Les autres nous ont d'abord contemplées sans rien dire ; puis, lentement, les nonnes et les soldats se sont levés. La peau de Géraldine irradiait vraiment, tel un parchemin porté devant une flamme.

— J'ai vu le visage de la Mère de Dieu, a-t-elle murmuré à mon oreille. Elle est ici, parmi nous.

Le Normand s'est approché de nous. Le trouble se lisait dans ses yeux pâles et dans son attitude de pénitent timide, les mains jointes comme s'il était en prière.

— Ma sœur, a-t-il dit, dites-moi ce que je dois faire. Je ne suis point un bon chrétien. Cela fait des mois que je n'ai pas assisté à la messe, plus d'une année que je ne me suis pas confessé. Mais je ne peux nier ce dont je viens d'être témoin.

— Priez la Sainte Mère, lui ai-je déclaré d'un ton péremptoire qui m'a surprise.

Si je n'avais parlé qu'en mon propre nom, j'aurais certainement ajouté qu'il devait repartir sans nous faire de mal et devenir un fervent disciple du bon roi Jean.

— Écoutez bien ce qu'Elle dit à votre cœur et ne prêtez aucune attention à tout homme qui La contredit.

— Mais quelle va être ma pénitence ?

— Demandez-le-Lui, ai-je répondu.

Les Anglais et les Normands ont commencé par être horrifiés, puis furieux de découvrir que nous cachions parmi nous des lépreux et des survivants de la peste. Ils en ont conclu que nous avions voulu leur transmettre l'infection. Mère Géraldine s'est contentée de désigner toutes les sœurs d'un geste et de dire :

– Regardez nos visages. Sont-ils défigurés par des bubons ? Montrons-nous des symptômes de la lèpre ? Pourtant, cela fait des années que nous soignons certains de ces malades. Dieu et saint François – ainsi que la Sainte Mère – nous protègent, et ils vous protégeront, si vous croyez.

– Je ne tolérerai aucun propos déplacé sur les sœurs, a lancé directement le commandant à ses hommes.

Il leur a ensuite donné l'ordre de nous laisser regagner nos quartiers avec nos malades et de nous fournir couvertures, vivres et vin. En dépit de ce miracle, ils ne nous faisaient manifestement point complètement confiance, car des sentinelles armées de lanternes emplissaient les couloirs ; l'une d'elles était postée juste devant ma cellule.

Dès que j'ai pu me restaurer, boire et me réchauffer, je me suis endormie. Les événements de cette journée m'avaient épuisée. Au bout d'un certain temps pourtant, à travers le voile du sommeil, j'ai senti quelque chose bouger près de moi et entendu un léger bruissement. Il y avait quelqu'un. J'ai ouvert les yeux et entrevu les contours de silhouettes agenouillées, que la lampe de la sentinelle éclairait par-derrière. Leurs traits restaient dans l'ombre, invisibles.

Des soldats anglais : une vingtaine au moins, derrière ceux qui s'étaient le plus approchés de moi. Dès que j'ai ouvert les yeux, ils se sont signés comme si je venais de prononcer une prière.

Je me suis assise. Toutes mes années d'apprentissage de maîtrise de l'esprit et des émotions m'ont alors été bien utiles pour réprimer un sourire et leur adresser à la place un regard renfrogné.

– Partez ! leur ai-je ordonné. La Sainte Mère dort.

Ces soldats ne parlaient point le français, car ma petite plaisanterie les a manifestement déconcertés.

– Partez ! ai-je répété, accompagnant mon ordre du même geste de balayage que j'aurais utilisé pour écarter un mouton. Rentrez en Angleterre !

Tandis que mes adorateurs qui n'y comprenaient goutte se levaient, j'ai ajouté :

– Et dites à vos amis que vous avez vu la Sainte Mère, et qu'elle est française !

Le lendemain, les Anglais nous ont secrètement abritées par bonté, nous intimant de n'en jamais rien dire, car cela leur vaudrait certainement d'être tués par leurs camarades. Mais le surlendemain, ce fatal troisième jour que la Vision m'avait montré, ils nous ont entassés dans des charrettes avant l'aurore et transportés jusqu'à la forêt qui s'étendait à l'ouest de la cité ; les Normands, pour leur part, nous ont dit qu'ils allaient poursuivre leur marche en direction du sud et de l'est. De là, nous avons grimpé dans les collines (laissant les lépreux dans les bois, puisqu'ils avaient davantage de chances de ne point être agressés par des traînards, qui préféreraient même les éviter).

Nous avons trouvé une caverne d'où nous jouissions d'une excellente vue et c'est de là que nous avons observé la destruction.

Depuis le miracle, nos ravisseurs s'étaient montrés courtois, respectueux même ; mais le commandant nous avait prévenues qu'ils allaient devoir commettre des actes répréhensibles afin de ne pas être exécutés pour trahison.

Après le coucher du soleil, nous avons vu la cité, large rassemblement de bâtiments de bois et de pierres de forme ovale, se consumer lentement dans les flammes. De loin, nous avons cru voir un silex dégager ici une étincelle, une bougie s'allumer là, une lampe plus loin. Jusqu'au moment où la ville entière n'a plus ressemblé à une collection de cierges éparses brûlant sur l'autel de la mort, mais à une immense conflagration rouge orangé, illuminant le ciel plombé de nuages de fumée qui se détachaient sur le noir plus ténébreux de la nuit. Les remparts de pierres n'ont pas brûlé, mais les vestiges rouges incandescents de l'enceinte de bois extérieure luisaient en un cercle de rubis sertissant le bijou embrasé qu'était Carcassonne.

Puis des incendies ont jailli hors des limites de la cité, dévorant champs, arbres, fleurs, tout ce qui vivait, tout ce qui verdoyait. Nous avons vu les toits de chaume des masures des villageois se consumer en gerbes cramoisies et des langues de flammes ondulantes sortir des fenêtres de notre couvent bien-aimé. Comme il était bâti en pierres, une grande partie pourrait en être reconstruite. Mais tous les volets, les lambris, l'autel et les vêtements sacerdotaux, les statues de Marie, de Jésus et de saint François, les remèdes, les pansements et le jardin d'herbes médicinales que nous cultivions avec tant d'amour, tout cela allait être anéanti.

Le vent d'est soufflait de la fumée et des cendres dans notre direction. Elles nous brûlaient les yeux et la gorge et nous arrachaient des larmes qui coulaient sur nos joues.

J'ai pleuré, non point sur la destruction de ces choses matérielles, ni même sur les morts d'innocents, car tout est passager, vie et souffrance comprises. Tout ce qui était détruit allait se transformer et renaître.

J'ai pleuré parce qu'enfin, dans les flammes qui engouffraient Carcassonne, j'ai Vu mon Bien-aimé. De simple ombre au début, il s'est peu à peu précisé, jeune homme sincère et tourmenté, comme je l'étais, par la distance qui nous séparait.

Mes larmes n'étaient provoquées que par un désir tout humain et par la déception de n'être point encore parvenue à surmonter la peur qui nous empêchait de nous rejoindre.

J'ai Vu tout cela dans l'incendie qui faisait rage, jusqu'au moment où j'ai senti quelqu'un effleurer mon bras d'un geste doux et affectueux ; une caresse destinée à apaiser mon cœur et à dissoudre ma souffrance.

J'ai séché mes larmes et je me suis tournée vers mère Géraldine. Elle m'a adressé un tendre sourire de réconfort.

Pourtant je n'ai pas eu la force de lui retourner son sourire. Car le moment n'en était point venu. Nos cœurs n'étaient pas encore prêts et nous ne pouvions rien faire d'autre qu'attendre.

Les jours qui ont suivi la marche des Anglais sur le sud ont été difficiles. Ceux qui avaient survécu au siège vagabondaient dans les rues de la cité et les champs alentour, mais partout où se portaient leurs regards, la terre était carbonisée. De vergers et de vignobles vieux de centaines d'années ne restaient plus que des souches noircies. L'eau elle-même avait été souillée : les Anglais avaient jeté les corps des victimes dans les rivières, les cours d'eau et les puits.

Le puits du couvent avait cependant été épargné. Nous disposions d'eau potable et de quelques vivres. Les Normands avaient enfoui à notre intention de la farine, des fruits et des légumes dans un champ non incendié derrière le couvent, pour nous permettre de ne pas mourir de faim. Les premiers jours après l'incendie de la cité, nous sommes restées seules et nous avons cru être les uniques survivantes. Du village où habitaient les paysans qui cultivaient nos champs et les bergers qui veillaient sur notre troupeau ne restaient plus qu'un sol mutilé et des décombres.

Notre abbaye n'avait été qu'en partie détruite : le dortoir avait été incendié, et tous nos vêtements s'en étaient allés en fumée. Quant au reste du bâtiment, si ses pièces étaient pleines de cendres et de gravats, ses solides murs de pierres tenaient encore debout. Durant ces heures de paix toute relative, nous avons nettoyé les débris calcinés qui jonchaient la grande salle servant d'hôpital, car c'était celle qui demeurait en meilleur état. C'est là que tous, religieuses, lépreux et non-initiés confondus, nous avons dormi et vécu. Les hommes encore valides se sont employés à réparer notre demeure.

Cependant, les habitants de Carcassonne qui avaient réussi à fuir les Anglais sont revenus et ont trouvé leurs maisons réduites en cendres ; ceux qui étaient restés à l'intérieur de ses murs et qui avaient miraculeusement survécu à l'envahisseur et à l'incendie erraient à présent alentour, en quête d'une maigre subsistance. Il n'a guère fallu longtemps aux uns et aux autres pour nous découvrir, ainsi que les vivres que nous avait laissés le commandant normand. Bientôt, le couvent, qui des années durant n'avait été occupé qu'au tiers de ses capacités, a débordé d'âmes. Outre les malheureux qui se mouraient de faim et de soif, nombreuses étaient les victimes souffrant de blessures occasionnées par le feu ou le fer, sans parler de ceux contaminés par les eaux empoisonnées. Nous hébergions plus de malades que nous ne pouvions en soigner et nous n'avions pas de quoi les nourrir tous. J'en ai guéri beaucoup grâce au pouvoir de la Déesse, et je les ai renvoyés. Comme cela ne suffisait point, les sœurs ont cédé leurs propres portions et se sont retrouvées affamées. Les vivres continuaient à nous manquer et nous avons demandé de l'aide dans nos prières.

Elle nous est parvenue sous la forme de l'évêque. Sans s'être fait annoncer, sans être accompagné de quiconque, revêtu de la simple soutane d'un pauvre prêtre de village, il est arrivé par un matin glacial, aux rênes d'une charrette tirée par deux mules. Nous avons découvert avec ravissement que l'attelage débordait de trésors venus de Toulouse : fromage, vin, pommes, volée de poulets et coq aux pattes ligotées, farine et huile d'olive, ainsi qu'un bélier et deux brebis attachés au flanc de l'attelage.

Ces présents nous ont toutes réjouies. Puis l'évêque nous a convoquées, mère Géraldine et moi, en privé. Une nouvelle fois, nous nous sommes rendues chez l'abbesse et avons refermé la lourde porte.

L'évêque a baissé la capuche de sa cape noire élimée. Ses lèvres et ses sourcils étaient pincés, son regard intense et perçant comme celui d'un faucon.

Ses paroles sont montées vers les cieux comme de la vapeur dans l'air froid.

– Ma présence en ces lieux n'a rien d'officiel, nous a-t-il annoncé d'une voix sombre. Mais je dois vous dire que l'Église a eu vent du miracle survenu à Jacques le lépreux. Elle a procédé à un vote, afin de déterminer si cette guérison inouïe était l'œuvre de Dieu ou du diable. Les voix étant égales, c'est la mienne qui a fait pencher la balance : la position officielle est à présent que cette guérison est un miracle de Dieu, mais qu'il ne faut point accorder de considération spéciale à sœur Marie-Françoise. Étant femme et de sang modeste, elle n'a servi que de véhicule grossier à la grâce divine. Telle est en tout cas la position de l'archevêque.

Géraldine et moi avons tout d'abord réfléchi calmement à cette nouvelle. Puis l'abbesse s'est exprimée :

– Vous devriez savoir, Monseigneur, que les Anglais et les Normands ont envahi notre couvent et que leur commandant m'a porté une blessure mortelle. Sœur Marie-Françoise m'a ressuscitée en leur présence, si bien que personne ne pourra douter de ce miracle. La nouvelle va vite se répandre parmi les roturiers. Les choses sont telles qu'elles devaient être.

Il l'a écoutée avec attention, puis il a hoché la tête avec grand respect.

– Je lui ai enseigné tout ce que je sais, Bernard, a-t-elle alors déclaré. Et elle a bien appris. Elle n'a plus besoin de mes leçons. Avec votre bénédiction, je vais abandonner ma position d'abbesse. Sœur Marie-Françoise me remplacera. Il doit en être ainsi ; je l'ai Rêvé.

Une semaine plus tard, j'ai été proclamée officiellement abbesse et notre petit troupeau a été baptisé sœurs de saint François de la Reine du Ciel. La vie a lentement repris à Carcassonne, notre abbaye a prospéré, tout comme ma réputation de faiseuse de miracles. Un flot incessant de malades et d'estropiés, d'aveugles et de défigurés venait me demander de les Toucher ; j'en ai guéri certains, lorsque la Déesse me l'ordonnait. Des croyants fortunés ont déversé sur nous des cadeaux sous forme d'or, de chevaux, de vignobles et de terres. (J'ignore comment j'aurais pu m'en sortir sans l'aide de Marie-Ursule, une sœur novice, fille de marchand, habile à compter la monnaie et à tenir des registres.) Un si grand nombre de frères et de sœurs laïcs s'est porté bénévolement à notre aide, pour s'occuper de nos récoltes et veiller sur notre cheptel que nous, les sœurs, avons bénéficié de davantage de temps pour étudier et prier.

Quant à moi, mon impatience l'emportait sur mon raisonnement. J'ai passé moins de temps à méditer sur la manière dont je parviendrais à vaincre ma peur, réfléchissant plutôt au moment où il me faudrait partir en quête de mon Bien-aimé. Au bout d'un an, sachant que le temps se faisait court, j'ai utilisé la magie que m'avait enseignée Géraldine pour Rêver de lui.

Comme il était beau, avec ses traits classiques et si bien dessinés qu'on aurait pu les croire gravés au burin par un artiste de la Rome ancienne ! Comme il était courageux, comme il était bon ! J'ai dû faire un effort surhumain pour ne point pleurer de joie à sa vue.

Il se tenait à la croisée de deux chemins, face à deux hommes que j'avais vus la nuit de mon initiation. L'un était le magicien voilé dans l'ombre, sa grande main épaisse dressée pour interrompre, pour arrêter. L'autre était un chevalier au teint pâle et aux cheveux semblables à ceux de mon Bien-aimé. Il avait la main tendue pour aider, pour guider. « Édouard », l'ai-je appelé. Car je savais qu'il servait mon Bien-aimé comme mère Géraldine me servait.

« Aidez-le, ma Dame, m'a répondu Édouard. Je ne suis qu'un maître ; je ne possède point comme vous le pouvoir de venir à son secours. Regardez, il flanche sur la Voie… »

Je me suis tournée vers celui que j'aimais. Je l'ai appelé par son nom et il s'est tourné vers moi avec une expression empreinte d'un tel dévouement, d'une telle détermination, que j'en ai presque perdu la parole. Mais, pour son bien, je me suis ressaisie et j'ai retrouvé ma voix.

« Le destin est une toile d'araignée. À notre naissance, nous nous trouvons en son centre, face à des centaines de chemins qui en rayonnent. Notre destin le plus pur nous attend au bout de l'un de ces chemins, et de l'un uniquement. Il arrive que nous ne choisissions pas au départ la bonne voie ou que d'autres interviennent pour nous en détourner. Mais possibilité nous est toujours offerte de nous arrêter et d'emprunter alors l'une des traverses qui mènent au vrai Chemin. Il est même possible de cheminer sur une centaine de voies qui ne sont pas la nôtre, jusqu'à la fin de notre vie où nous empruntons des chemins de traverse, de fil en fil, jusqu'au fil de soie qui nous permettra d'atteindre notre destin. »

M'a-t-il entendue ? Je ne saurais le dire. Je suis revenue à moi pleine d'un pressentiment. Quelque chose de douloureux menaçait : l'Ennemi avait passé des années à préparer un piège dans lequel mon Bien-aimé était sur le point de tomber.

J'ai sur-le-champ dirigé ma Vision vers la source de danger.

L'Ennemi dans sa splendide salle, embrumée d'encens, sous le regard des dieux. Dans une main, il tient un beau et jeune rat au pelage neigeux et à la longue queue rose dénudée. La bête ne bouge pas, elle respire profondément, langoureusement. Les pupilles noires de ses yeux minuscules, enchâssées dans le fin cercle rose de leurs iris, se dilatent, comme s'il avait été charmé par un serpent.

Avec la rapidité d'une vipère, Domenico frappe. Il saisit la queue du rat entre l'index et le pouce, le soulève au-dessus de l'autel d'onyx et du cercle de sel. Réveillé de sa torpeur, le rat se débat vaillamment, il contorsionne sa tête et son ventre, tout en essayant de faire remonter le bas de son corps, pour atteindre ses pattes, sa queue et la main qui le serre. En quête d'une issue impossible, ses petits pieds roses s'agitent frénétiquement, ses minuscules griffes translucides battent l'air.

Le magicien sort un rasoir fraîchement aiguisé. Dès que le petit animal se déroule et s'étire en arrière, cherchant à s'échapper de ce côté-là, il lui tranche fermement la poitrine, n'indiquant que par un faible frémissement des lèvres que les os délicats lui ont opposé une légère résistance.

Le sang jaillit et se déverse à l'intérieur du cercle de sel. Le rat est secoué de spasmes convulsifs qui élargissent la coupure. Une plaie profonde, très profonde : les côtes ont été percées, et je vois son cœur qui palpite encore.

Je Vois son cœur encore palpitant.

Sous mes yeux, l'organe minuscule rouge bat de plus en plus lentement. Un dernier frémissement et il ne bouge plus…

Je me suis assise, complètement éveillée, et j'ai pressé la main contre mon propre cœur qui palpitait douloureusement.

– Luc…

Nous étions à l'époque où le Prince Noir, ses vandales et ses brigands progressaient vers le sud et l'est (comme nous en avaient prévenu les Normands) jusqu'à Narbonne et à la mer. Ensuite, ils sont remontés vers Bordeaux, chargés de leur butin composé de l'or, des bijoux, tapisseries et autres richesses volés aux Français fortunés. Au cours des mois suivants, escarmouches sur escarmouches se sont poursuivies vers le nord, et le père du Prince Noir, Édouard III, a débarqué à Calais avec une armée d'invasion. Mais le roi Jean le Bon les a repoussés en Angleterre avec son armée loyale.

Ces événements se sont déroulés avant que Jean n'emprisonnât imprudemment Charles de Navarre qui appartenait à la noblesse normande, l'accusant d'avoir conspiré avec Édouard. Jean a fait main basse sur les terres de Charles qui, indigné, a de nouveau fait appel au roi d'Angleterre. En dépit de l'imprudence de ses actes, Jean a été assez perspicace pour entrevoir leurs conséquences. Au printemps de l'année suivante, l'an de grâce 1356, il a convoqué *l'arrière-ban**, par lequel il demandait à tous ses vassaux français loyaux de prendre les armes.

Le roi avait vu juste : en plein cœur de l'été, une seconde armée anglaise, avec à sa tête le duc de Lancastre, a débarqué à Cherbourg et a marché sur la Bretagne, en même temps que le Prince Noir et ses huit mille fantassins quittaient Bordeaux pour se lancer dans un autre raid sur le Nord.

Le roi Jean le Bon, entre-temps, avait rassemblé une armée deux fois supérieure en nombre. À la fin de l'été, accompagné de ses quatre fils, il a mené ses hommes à la poursuite d'Édouard.

Ces nouvelles, je les ai apprises de maintes façons : de voyageurs, de gens de la cité et par la Vision.

Cette vision affreuse du magicien m'avait laissée au bord de l'étouffement. J'ai alors compris que la Déesse venait de me parler avec une immense clarté : la guerre qui s'annonçait ne menaçait pas seulement le destin de la France, mais la survie même de la Race. La vie de mon Bien-aimé, son avenir étaient en danger.

Lèvres entrouvertes, la tête posée sur une pierre, mère Géraldine sommeillait paisiblement, allongée près de moi sur le sol de l'hôpital. L'aube n'était point près de poindre, mais la lune brillait de tous ses feux. Je me suis accroupie près de l'ancienne abbesse.

Les autres sœurs dormaient profondément de chaque côté de nous.

J'aurais dû la réveiller, ma maîtresse ; je ne savais pas exactement quel danger menaçait mon Bien-aimé, ma Vision manquait de clarté. Mais mon cœur sonnait comme les cloches d'une cathédrale à la veille de la guerre : la catastrophe arrive, le destin funeste, la fin de la Race. Je ne pouvais pas rester et laisser Luc les affronter seul.

---

* En français dans le texte.

Je savais bien que je n'étais pas encore prête à cette confrontation ; je n'avais pas regardé en face ma plus grande peur. Et c'est tel Achille que je me suis lancée dans la bataille.

Sans bruit, je me suis écartée de mes compagnes endormies. Je me suis munie de quelques réserves de nourriture et d'eau, ainsi que d'une couverture, et j'ai enfourché un cheval solide.

Pour ceux qui ne Voyaient point, qui ne pratiquaient point la magie, mon geste était sûrement pure folie. Une femme désarmée approchant de deux armées en pleine nuit, à la veille d'une bataille. Comment allais-je me débrouiller pour ne pas être prise pour une ennemie, une espionne ? Comment allais-je m'y prendre pour ne point être tuée ? Et comment allais-je faire, à tout le moins, pour empêcher ma monture de trébucher dans le noir et de se blesser ?

Je n'avais nullement le temps de m'attarder sur des détails d'une telle trivialité.

J'étais en retard.

Peut-être même était-il déjà trop tard. Mais la magicienne, en moi, n'avait point encore acquis la maîtrise nécessaire à cette entreprise.

XVI

Deux jours durant, j'ai cheminé sur mon brave et infatigable coursier ; me méfiant des soldats anglais, j'ai évité l'Aquitaine et la Garonne et choisi de longer la chaîne montagneuse en direction de l'est. De là, je me suis dirigée vers le nord au-delà de la ville de Limoges. Le troisième jour, j'ai atteint Poitiers une heure avant le point du jour.

Des portes de la cité, j'ai chevauché en direction d'une prairie et de l'armée. Je n'avais pas grande distance à parcourir, mais j'avais l'impression qu'à chaque foulée la noirceur de la nuit se muait en gris de plus en plus laiteux. Une brume épaisse est montée, enveloppant la campagne d'un suaire. La condensation la transformait en gouttelettes glaciales sur mon habit et mon visage. Il n'existe point minutes plus paisibles que celles précédant l'aurore, lorsque la nature entière n'a pas encore repris vie. Mais ce jour-là, alors que je m'éloignais de la ville de Poitiers, j'avais l'impression que l'air lui-même vibrait. Les deux armées ne s'étaient pas cachées. Le brouillard assourdissait bien des bruits, mais, de part et d'autre, j'entendais des destriers hennir et piétiner d'anticipation innocente, des voix d'hommes, impatients de se glorifier et trop arrogants pour imaginer qu'ils allaient affronter leur propre mort, des cliquètements de cuirasses et d'armes qu'on fourbissait pour le combat.

Une odeur humaine flottait également dans l'air, car ils avaient établi là leur campement depuis trois jours, pendant que les légats du pape essayaient vainement d'obtenir une trêve ; cette odeur s'est faite plus nauséabonde lorsque je me suis approchée des latrines. Et j'ai aussi senti la puanteur moins repoussante du fumier.

Vingt-cinq mille hommes s'étaient rassemblés dans le but de s'entretuer, sur un terrain moins vaste que celui où mon père faisait pousser

275

son froment. Mais ce jour-là, la bataille qui faisait rage était celle qui m'opposait au magicien. L'un de nous seulement en sortirait vainqueur.

Je n'étais point seule ; il me surveillait. Je savais qu'il me surveillait.

Et tout comme moi, il savait que mon armure comportait une faille. La peur que j'éprouvais pour mon Bien-aimé m'avait compromise, distraite, lorsqu'elle ne me submergeait pas totalement. J'oubliais la Déesse et ne pensais qu'à lui.

Guidée par les bruits et les odeurs, je me suis frayée un chemin dans un verger de pommiers. Les arbres ressemblaient à des spectres difformes dans le brouillard de plus en plus épais.

Au-delà des arbres s'étendait une prairie dégagée ; et au-delà encore, dissimulées par les nuages à la dérive collés au sol, des silhouettes fantomatiques : des profils d'hommes à cheval. Au début, j'ai cru en voir seulement une dizaine à la file, mais en m'approchant j'ai compris que le brouillard m'avait induite en erreur : cette ligne humaine s'étendait en effet sur ma dextre et ma senestre à perte de vue. Derrière chaque cavalier, ses compagnons se suivaient à l'infini.

Ils faisaient face à ma senestre, là où était tapi leur ennemi.

Habitée par le visage de mon Bien-aimé, je me suis avancée dans la prairie, en direction des soldats. Je savais ce que je devais tenter de faire ce jour-là ; mais l'Ennemi était proche, très proche. Ma Vision était embrumée, sporadique ; mon cœur seul était empli de certitude.

Le premier rayon de soleil a filtré à travers le brouillard, tachetant la grisaille de minuscules arcs-en-ciel furtifs. Comme j'approchais des soldats montés par leur flanc, les couleurs se sont peu à peu précisées. Le noir a viré à l'écarlate, le gris au bleu, le blanc au jaune pâle : telles étaient les teintes éclatantes des étendards qui volaient au vent. Les nobles revêtus de splendides cuirasses, coiffés de casques emplumés, chasubles et bannières ornées de leurs armoiries familiales me sont apparus sur leurs destriers. Des lions dorés et des faucons argentés, des lis blancs sur des fonds bleus, des dragons rouges et verts, des châteaux jaunes, des croix dorées, des cerfs et des ours bruns. Jamais je n'ai vu plus magnifiques montures que celles de ces aristocrates, dont les têtes et les poitrails étaient également équipés d'armures et drapés de chasubles assorties à celles de leurs cavaliers. Il ne m'avait point été donné de voir pareil rassemblement d'atours depuis mon enfance, lors des lices auxquelles j'assistais dans la cité de Toulouse. Leur splendeur dépassait même celle de ceux que j'avais admirés jadis.

Le cavalier le plus proche, dans la position la plus extérieure, m'a aperçue au bord de son champ de vision et a tourné la tête vers moi. De sa main gantée de mailles, il a retenu son cheval qui se cabrait. Il était âgé ; son casque à visière n'étais pas assez grand pour contenir tous ses sourcils blancs broussailleux.

– Qui va là ? Une femme ! Que faites-vous ici, ma sœur ? Ignorez-vous que le combat va s'engager ? Allez vous mettre à l'abri dans la cité !

Il était complètement, irréprochablement français, jusqu'au plus infime détail de ses vêtements et de son armure. Tout comme ses compagnons qui se sont retournés et m'ont jeté un regard renfrogné. Les chevaux piétinaient d'impatience.

– Une nonne ? Elle est folle ! Ouste !

– Bientôt il sera trop tard, a insisté le vieux guerrier. Vous entendez ? Notre fer de lance va charger.

Les trompettes se sont juxtaposées à sa voix : l'aube s'était enfin levée, accompagnée du piétinement tonitruant de milliers de sabots, de hennissements et de cris de guerre lancés par les hommes.

– Que Dieu les accompagne, a prié le vieux chevalier, en fermant un instant les yeux.

Puis, alors que l'armée se mettait lentement en marche, une foulée à la fois, il m'a jeté un regard.

– Vous, *partez !*

Je me suis exécutée. Non point dans la direction qu'il m'indiquait, vers la cité, mais vers le cœur de l'armée, me faufilant entre les destriers qui avançaient au pas. Leurs cavaliers, furieux, ont pour certains fait semblant de me viser de leurs lances.

– *Une femme !* les ai-je entendu s'écrier sur mon passage, à la fois émerveillés et agacés.

Je cherchais une bannière portant trois roses et un faucon ; je cherchais un oncle, un père et son fils.

Je savais que ces trois hommes chevauchaient quelque part devant nous et j'ai éperonné ma monture fatiguée – en vain, car à présent que les chevaliers s'étaient mis lentement en route et que des milliers d'hommes progressaient devant nous, il m'était impossible d'aller vite. Avec de plus en plus de difficultés, je me suis approchée du cœur du bataillon. M'y attendait un spectacle déconcertant : vingt hommes revêtus d'un costume absolument identique, composé d'une armure noire sous une chasuble blanche brodée de fleurs de lis noires. En leur centre, un homme brandissait une oriflamme écarlate, l'étendard fourchu des rois de France. Celui du roi Jean, qui était vêtu exactement comme les autres, de manière à confondre l'ennemi, au cas où ce dernier tenterait de le capturer ou de l'assassiner.

J'ai pressé ma monture d'avancer dans ce lent courant de destriers ; j'ai essayé d'écouter, mais je n'ai entendu aucun bruit de combat. J'ai regardé au loin. Le bataillon qui me précédait était constitué de fantassins – même s'ils portaient aussi l'armure des chevaliers – mais je ne parvenais pas à voir les combattants qui s'affrontaient encore plus loin. Mon œil a cependant été attiré par quelque chose au-dessus du champ de bataille : un grand essaim d'oiseaux noirs, si nombreux qu'ils obscurcissaient le ciel. Ils ont tracé une courbe remontante, puis ils ont piqué brusquement vers le sol : c'étaient des flèches, propulsées avec une telle force par les arcs des Anglais qu'elles étaient capables de percer une armure française.

Des bruits de sabots, d'épées et de haches de combat qui s'entrechoquaient, des cris de guerre me sont alors parvenus. Et pour compléter cette cacophonie, des hurlements de mort poussés par les chevaux et par les hommes.

La Vision m'a ordonné d'abandonner mon brave cheval. J'ai mis pied à terre et je l'ai laissé libre de s'éloigner. Il est parti heureusement au trot, vers la prairie à présent lointaine. Quant à moi, j'ai dépassé au pas de course des chevaux ombrageux, jusqu'à la division suivante de soldats. Les fantassins également étaient tous de noble souche, tous portaient de belles armures et des chasubles, des bannières, et disposaient de soudoyers et d'écuyers. J'ai ignoré les cris d'indignation qu'ils poussaient sur mon passage. « Folle catin ! Reviens ce soir quand nous aurons gagné la guerre ! » J'ai poursuivi ma course jusqu'au moment où il m'a été impossible d'aller plus loin, non à cause de la fatigue ou par manque de courage, mais parce que la marée de soldats contre lesquels j'étais ballottée a rencontré une autre marée d'hommes qui émergeait du brouillard dans leur direction.

Le champ de bataille, ai-je pensé, *les Anglais !*

Mais non, ces hommes étaient français. Leur nombre s'élevait peut-être à deux ou trois cents. Ils couraient vers nous, certains perdant leur sang, d'autres éclaboussés de sang, d'autres encore leurs cuirasses percées d'une flèche. Ils hurlaient : « Retraite ! » Leurs visières relevées dévoilaient leurs visages tordus par un rictus d'horreur. « Nous sommes des hommes morts – ils nous massacrent tous ! Nous sommes les seuls survivants. »

Ce cri s'est propagé devant nous, et derrière aussi, faible au début puis de plus en plus fort : « Retraite ! Retraite ! » Près de moi, les soldats se sont arrêtés et ont regardé leurs compagnons du premier bataillon courir en sens inverse. Ils ont hésité un instant, ne sachant que faire, car ils brûlaient de se battre. Mais la terreur inscrite sur les visages de leurs frères d'armes était irrésistible. En quelques secondes, avant même que l'ordre ne leur en ait été officiellement donné, ils ont rebroussé chemin pour repartir ventre à terre vers les remparts de la cité.

Quant à moi, je ne pouvais battre en retraite ; ma bataille n'avait point encore commencé.

Il m'a presque été impossible de rester debout, face à cette vague de chair vivante. Mais il y avait un soldat devant moi, le visage encore tourné, comme le mien, en direction du champ de bataille. Un homme grand et fort, aux jambes aussi solides que des troncs d'arbre, aux bras pareils à des branches puissantes. Je me suis pressée contre son corps pour m'abriter de ce reflux. Lorsqu'il s'est retourné afin de voir qui se cachait derrière lui, me révélant son large visage replet, il a souri et a dit :

– Tiens donc, une femme plus courageuse que tous ces couards ! Priez pour moi quand je serai mort, ma sœur.

Nous avons tenu bon jusqu'à ce que soit passée la houle de ceux qui battaient en retraite, puis nous nous sommes avancés lentement. La lourde armure et la hache de combat de mon protecteur entravaient sa démarche, sans l'empêcher néanmoins de brandir son écu. Trois flèches sont venues se ficher dedans et je me suis recroquevillée derrière. À trois reprises, le bruit sourd de la flèche heurtant le bouclier et la réverbération métallique qui s'est ensuivie m'ont fait sursauter, même si je n'éprouvais point de peur consciente.

Le soleil diluait peu à peu le brouillard. J'ai scruté l'horizon sur le flanc senestre de mon chevalier et j'ai aperçu au premier plan tout ce qui restait de notre armée : quelques groupes de soldats français – appartenant tous à la noblesse – et quelques mercenaires germains étaient encore debout, mais les fugitifs du premier bataillon n'avaient pas menti. Des tous côtés, des Anglais noirs, éclaboussés de boue, retiraient leurs épées de cadavres français. Devant ce spectacle, mon chevalier a levé sa hache de guerre et il s'est rué à l'assaut...

Il n'est pas allé loin, car il a trébuché et basculé sur un obstacle étalé à nos pieds : un beau jeune homme de noble naissance en cuirasse étendu sur le dos, les yeux écarquillés et les lèvres légèrement écartées de surprise.

Quelques pas plus loin, son cheval gémissant s'efforçait de se relever sur ses jambes arrières mais n'y parvenait point : une flèche qui s'était profondément fichée dans sa croupe sans armure les avait paralysées. Sa chasuble, brodée de fils or et bleu, était ensanglantée. Inconsolable, il dénudait ses dents et levait sa tête et ses grands yeux vers le ciel.

— Voyons, voyons, a dit d'une voix douce mon chevalier au jeune cavalier tombé à terre, tout en parvenant à se rattraper avant d'avoir chu lui aussi.

Poussant d'un bras contre le cheval et de l'autre contre moi, il s'est remis debout en émettant moult grognements et avec moult grincements de son armure.

— Nous allons vous relever, *seigneur*, a-t-il dit au jeune noble.

Avec une énergie étonnante, il s'est penché en avant pour soulever l'homme blessé.

Mais l'expression du beau jeune homme n'a point changé : ses yeux fixaient quelque chose au loin, et son corps est resté mou dans les bras du chevalier. Sa tête est même retombée en arrière et nous avons alors remarqué qu'elle s'inclinait bizarrement.

Le vieux chevalier l'a reposé avec douceur sur le sol.

— Enfer et damnation ! s'est-il écrié. Enfer et damnation, son cou est brisé !

D'un mouvement preste qui m'a surprise, il a alors balancé sa hache de bas en haut pour frapper la gorge de l'animal d'où montait une triste mélopée. Le sang a jailli comme d'une source et la pauvre bête s'est écroulée, ses souffrances enfin terminées.

À cet instant seulement, j'ai constaté que nous étions entourés d'une mer de cadavres. Des chevaux morts ou mourants dont quelques-uns erraient à la recherche de leur cavalier ; des chevaliers tombés à terre, certains écrasés par leur destrier, d'autres abattus par l'épée et la hache de guerre. Et partout, jaillissant des corps humains et animaux, protégés ou non par une armure, la hampe des flèches anglaises : d'une telle longueur que si l'on en avait enfoncé une dans mon crâne en n'en laissant dépasser que la pointe, elle serait descendue jusque sous mes genoux.

La lumière du soleil est devenue trop étincelante, ma vision trop crue. Devant nous, le chemin était tellement jonché de sang et de cadavres que nous avions du mal à avancer.

Une flèche a sifflé entre nous. Un sifflement si proche, si aigu que je suis devenue sourde quelques instants. Quant au chevalier, il a soulevé son écu pour nous protéger.

Immédiatement, une silhouette sombre a bondi sur nous du haut d'un cadavre de cheval. Je me suis recroquevillée et j'ai regardé, pantelante, l'ennemi attaquer mon protecteur. C'était un roturier anglais, coiffé d'un bol en étain terni et portant un plastron méchamment bosselé. Il balançait une hache de guerre ensanglantée de ses deux bras dont les muscles saillaient comme des cordes.

Une arme de qualité inférieure, maniée, certains diraient, par un homme de qualité inférieure. Mais il a poussé un rugissement avec un regard de dément, et le sort de mon Français a été scellé.

Son bouclier a reçu toute la violence du premier coup. Il a tenté, mon chevalier, de riposter avec sa propre hache de combat bien vernie ; mais l'élan imprimé au coup l'a forcé à poser un genou à terre. Encore une fois, il a essayé de balancer son arme, mais il n'avait pas la place de le faire correctement, et le coup suivant de son adversaire l'a fait basculer en arrière. Son armure était trop lourde pour qu'il puisse se relever sans aide.

Il y avait un lieu et une heure pour les miracles, mais il ne me revenait point d'en décider. Malgré mon désir désespéré d'intervenir, l'heure du Français avait sonné.

Lorsqu'il a reçu le coup fatal, je me suis agenouillée près de lui, j'ai fermé les yeux et j'ai prié – tout haut, pour qu'il puisse m'entendre lorsqu'il exhalerait son dernier souffle.

Des gouttelettes de sang ont éclaboussé mon visage, aussi fines et douces que la rosée matinale. Lorsque j'ai rouvert les yeux, le soldat anglais avait de nouveau levé son arme et s'apprêtait à frapper.

J'ai gardé les mains jointes et le visage calme et j'ai Vu que le soldat ignorant était entièrement sous mon autorité.

– Frappez si tel est votre désir, lui ai-je dit sereinement. Frappez ; je ne crains rien. Mais il vous faut d'abord savoir que la Sainte Mère vous aime.

Une expression étrange, stupéfaite à dire vrai, s'est furtivement inscrite sur le visage souillé de poussière de l'Anglais. Lentement, il a abaissé son arme ; puis comme s'il recevait un coup de fouet, il a pris ses jambes à son cou.

Je me suis relevée. À hauteur des genoux, mon habit noir d'hiver était trempé de sang et de terre humide. Je me suis frayée un chemin entre les cadavres. Des milliers et des milliers de cadavres, à perte de vue, dans toutes les directions, une telle omniprésence de la mort qu'un seul cœur ne pouvait l'englober. Je n'ai pu qu'endurcir le mien, car sur ma dextre un homme hurlait, le bras tranché, et j'ai été obligée de m'agripper à lui pour ne pas perdre l'équilibre et glisser sur les entrailles luisantes d'un autre tombé à terre qui gémissait. Et ils ne représentaient que deux âmes, au cœur d'un tableau gigantesque offrant les plus atroces souffrances concevables : je n'ai pu m'empêcher de songer que seuls ceux qui n'ont jamais fait l'expérience de la guerre peuvent prononcer le mot *gloire* à son propos.

Autour de moi, des archers anglais avaient surgi de leurs cachettes derrière des haies et construit en hâte des palissades afin d'arracher leurs flèches aux cadavres, se hissant dessus et se servant de leurs pieds pour faire contrepoids. Les fantassins anglais, ces mêmes soldats qui avaient envahi Carcassonne et fait table rase de la cité, poursuivaient les fuyards ou se battaient contre les petites poches de Français survivants. Ils ne me prêtaient aucune attention, comme si je n'étais qu'un simple incident, un chien inoffensif qui s'était aventuré aveuglément au beau milieu d'une bataille.

Derrière moi, des trompettes ont de nouveau retenti. Il s'agissait cette fois de la piétaille, car j'ai entendu le bruit de pas des soldats. Au loin, près de la cité, des centaines de chevaux paissaient dans les prairies en pente douce.

Les trompettes et les pas ont incité les archers à lever la tête et à repartir s'abriter en hâte derrière leurs palissades. Les fantassins anglais ont de nouveau entonné leur cri de guerre et se sont précipités vers les Français qui approchaient.

Il s'agissait du dernier bataillon, mené par le roi Jean le Bon, et j'ai eu un pressentiment : je n'avais vu ni un seul paysan ni un seul membre de la bourgeoisie. Tous nos morts appartenaient à la noblesse, c'étaient les meilleurs hommes de France, plus nombreux que je n'avais jamais imaginé le royaume en contenir. Le roi – trop courageux pour battre en retraite avec les autres – avait compris que c'était pure folie, dans une guerre contre les arcs anglais, de monter des chevaux sans protéger leurs croupes. Il avait donné l'ordre à ses hommes de raccourcir leurs glaives et de couper les longues extrémités de leurs *poulaines*, conçues non point pour marcher mais pour maintenir les pieds dans les étriers. Les destriers paissaient à présent sereinement à quelque distance, indifférents au destin de leurs cavaliers.

Une fois encore, je me suis retrouvée en plein chaos, prisonnière d'un fleuve de corps se déplaçant dans des directions opposées, qui s'entrechoquaient dans un vacarme métallique. J'ai avancé en trébuchant dans la mêlée, car j'avais à présent la sensation qu'il me fallait à tout prix *le* trouver sans plus tarder.

Je ne suis parvenue à mes fins que lentement, me baissant prestement pour éviter les armes lancées les unes contre les autres, à quatre pattes parfois sur le sol brisé et ensanglanté. J'ai cessé d'humecter mes lèvres car elles avaient un goût de fer par trop amer. J'ai rampé sur des pierres et des armes, sur des éperons dorés immobiles, jusqu'à ce que mon propre sang jaillisse et vienne se mêler à celui des autres pour nourrir la terre. Mes paumes, mes mains, le tissu qui me recouvrait, tout était en lambeaux.

Subitement, j'ai entendu des claquements de sabots s'approcher et je me suis dit que c'était peut-être le Prince Noir, Édouard, qui lançait un dernier assaut contre notre roi. Mais non, il n'y avait qu'un seul cheval. Et à l'instant où je l'ai compris, j'ai compris aussi que le son s'était tu et que les sabots que je venais d'entendre s'étaient immobilisés juste à côté de moi.

– *Ma Dame.*

Je l'ai d'abord entendu tout bas dans ma tête, et j'ai levé les yeux. Le cheval portait un panache écarlate et une chasuble blanche au-dessus de son armure assortie à celle de son cavalier : une cuirasse noire, comme celle du roi, et un surplis brodé d'un faucon pèlerin perché sur un triangle inversé de trois roses écarlates.

Le chevalier a relevé sa visière.

– Ma Dame.

Je me suis levée pour scruter son visage. Je le connaissais bien : je l'avais vu la nuit de mon Initiation. Il possédait des traits beaux et équilibrés, un nez aquilin, indubitablement noble. Sous la visière de son casque, ses yeux étaient de la couleur d'une mer pâle, sa barbe teintée de roux. Lui aussi était éclaboussé de sang et semblait éreinté. Il avait réussi à casser la hampe d'une flèche qui avait percé l'épaule de son armure sans le blesser.

– Ma Dame, a-t-il répété.

Je lui ai tendu la main et il l'a baisée. Au milieu du vaste océan qu'était le champ de bataille, nous seuls étions indemnes.

– Édouard, ai-je dit. Dieu merci. Il vous faut me mener sur-le-champ à Luc.

Il m'a tout de suite hissée sur son cheval. Nous baissant derrière son écu, nous nous sommes éloignés du front, en compagnie des fuyards.

– Attendez ! me suis-je écriée. Attendez, je le sens ! Il est derrière nous. Nous devons tout de suite rebrousser chemin.

– Quelle folie d'être venue, ma Dame ! a-t-il alors aboyé par-dessus son épaule. Ne voyez-vous donc point qu'il s'agit d'un piège ? Luc aussi a été entraîné ici par une ruse de l'Ennemi. C'est ma Vision qui me l'a dit. Il a disparu dans la mêlée et j'ignore ce qu'il est advenu de lui. Nous ne pouvons vous perdre aussi !

– Non ! ai-je hurlé comme une vraie démente, me levant presque derrière lui. C'est *vous* qui ne comprenez point ! C'est un piège, il est vrai, mais c'est lui qui mourra, Édouard ! Il *mourra* si je ne le trouve pas. Il nous faut entrer dans ce piège, et trouver un moyen d'en ressortir.

Édouard n'a pourtant ni ralenti ni fait repartir sa monture en sens inverse. Désespérée, je me suis à moitié laissée glisser en bas du surplis du cheval mouillé de sueur et de sang, puis je me suis jetée à terre et j'ai atterri sur les paumes et les genoux sur le sol torturé.

Je me suis relevée et j'ai couru. Couru de telle sorte que je ne distinguais rien du chaos environnant ; couru sans penser au danger, à la guerre, à l'Ennemi. Je n'avais en tête que mon Bien-aimé et ma Vision, embrumée par l'émotion et incertaine, mais suffisamment forte pour me mener à lui.

Au bout d'un certain temps – une éternité, un battement de cœur –, je me suis retrouvée sur le terrain qui avait vu le début de la bataille, où la fleur de la noblesse française, les *grands seigneurs*, les plus nobles des chevaliers, avaient été abattus. Le champ se terminait non loin de là, cédant la place à un marécage, puis à un vignoble aux fruits mûrs, suivi de haies et de pentes qui offraient une cachette idéale à des archers. Les fantassins anglais avançaient encore péniblement sur la terre marécageuse, enfoncés dans le bourbier jusqu'aux chevilles ; je ne m'étonnais plus qu'ils fussent tellement sales.

Près de moi, un chevalier anonyme était étendu de profil, son armure à jamais liée à lui par une dizaine de flèches qui avaient percé son plastron, ses bras sans protection, ses jambes et même la visière destinée à cacher son visage. Il agrippait encore les rênes de son cheval tombé à terre. Cette pauvre créature était également étendue, morte, sur le côté, le flanc et la croupe percés d'une volée entière de flèches. Leurs chasubles écarlates étaient piquées de taches blanches.

Déchirée de ne pouvoir me porter au secours de tous ces blessés, j'allais passer à côté de ce spectacle pitoyable, lorsque je me suis arrêtée et que j'ai laissé échapper un sanglot éraillé. Les chasubles n'étaient point écarlates, mais ensanglantées ; les taches cramoisies avaient presque caché le faucon noir sous les roses. De cette scène émanait un atroce sentiment de finalité ; il s'agissait d'une mort que je ne pouvais empêcher, d'un homme que je ne pouvais aider.

Cet homme était le *grand seigneur* de Toulouse, Paul de la Rose.

Le métal a sifflé dans l'air à moins d'une main de mon oreille dextre, si bruyamment que j'ai poussé un cri et que j'ai porté la paume à ma tête et trébuché sur un cadavre anglais. Je me suis rattrapée et j'ai pivoté sur place pour affronter l'arme.

La hache de guerre anglaise était sombre : du sang coagulé en recouvrait le fer noir. Le soldat qui la balançait par-dessus son épaule pour me fendre le crâne était blond et impassible. Un mercenaire, protégé par un casque cabossé et un écu de cuir couturé.

Je suis tombée à genoux.

Le hurlement du métal contre le métal : une épée s'est écrasée contre la hache, envoyant une gerbe d'étincelles bleu or qui ont projeté une lumière éblouissante en direction du soleil. Splendeur éternelle, rayonnement chauffé à blanc.

Le corps qui tenait l'épée me tournait le dos : un chevalier français, dont la chasuble salie portait l'image d'un faucon sur un trio de roses.

Édouard, ai-je songé. Mais ses jambes étaient plus longues, ses épaules plus larges.

À cet instant même, j'ai réalisé mon erreur et compris qui était l'homme que je regardais. Le voir en chair et en os m'a arraché un faible cri.

Il a marqué une légère hésitation en bougeant le bras et le dos pour balancer son épée contre la hache. Les deux armes sont entrées en collision avec une telle force que des étincelles bleu or ont de nouveau jailli dans l'air. Il a tourné la tête par-dessus son épaule dans une brève tentative de me jeter un regard, de voir si un autre soldat le menaçait...

... Mais son geste l'a ralenti et a permis à son ennemi de lui porter un coup fatal. Le soldat anglais a fait remonter la lourde hache par-dessus son épaule dextre, puis, mettant toute le poids de son corps dans son geste, il a allongé les bras.

Au même instant, Édouard a surgi derrière lui à cheval et a jeté sa lance vers le bas. La pointe du glaive est ressortie du ventre de l'Anglais, son fer terni par du sang brun violacé.

L'homme est tombé en avant, mais son poids n'a fait qu'augmenter l'élan de la lourde hache qui a tracé un arc dans l'air avant de retomber implacablement sur mon jeune paladin. Je ne l'ai point vue l'atteindre ; mais j'ai entendu le crissement de la lame qui fendait le métal, suivi d'un claquement, plus sourd et étouffé, quand elle s'est enfoncée dans sa chair et ses os.

Mon Bien-aimé a lâché son épée et il a vacillé en arrière, agitant en vain les bras pour retrouver l'équilibre. Il est tombé sur le sol mouillé dans un cliquetis de métal, le visage tourné vers le ciel. Sur son torse gisait l'Anglais.

Édouard a bondi à bas de son destrier et il a écarté le cadavre du soldat anglais.

J'ai vu la hache enfoncée presque entièrement dans la poitrine de mon Bien-aimé.

Édouard a plié les genoux et il s'est courbé pour tirer sur le manche de bois. La lame est ressortie dans un grand bruit de succion et une gerbe de sang. Des pleurs silencieux avaient accompagné son geste. Il a détaché et enlevé le plastron fendu, aux bords dangereusement aigus, puis il s'est agenouillé en hâte sur le côté, aux aguets.

Le moment n'était point aux apitoiements. La raison de ma venue se trouvait là. J'ai ravalé mon chagrin et tiré le lourd casque afin de voir le visage de mon Bien-aimé. Ses yeux écarquillés regardaient vers le haut. J'ai placé mon visage entre eux et le ciel éclaboussé de soleil. Un instant, ils ne m'ont point vue. Le voile de la mort se refermait lentement sur eux. Puis, alors qu'il expirait son dernier souffle, ils se sont fixés sur moi.

Mes propres yeux se sont remplis de larmes, non point de chagrin, mais de joie devant l'exquise expression d'amour et de reconnaissance que j'ai lue sur son visage.

Il m'avait vue, il m'avait reconnue.

Cette certitude a suffi à étancher toutes mes peurs, tous mes doutes. Toujours à genoux, j'ai pressé la paume contre sa blessure. Trop fort, car la fente était large et profonde. Elle s'est ouverte et mes mains se sont glissées un instant à l'intérieur de sa poitrine, plus loin que sa clavicule et ses côtes.

J'ai touché son cœur.

Son cœur qui battait encore.

L'image du magicien et du rat a surgi inopinément à mes yeux. Tandis que je tenais le cœur de mon Bien-aimé entre mes mains, il a été parcouru de spasmes – une fois, deux fois puis une troisième… et il s'est arrêté de battre.

Il était mort, mon Bien-aimé.

Luc de la Rose était mort.

Un instant, pas davantage, la grâce de la Déesse m'a encore habitée. Puis l'Ennemi, dominateur, a frappé. Un torrent de soldats anglais montés, la dernière charge, nous a balayés. J'ai été projetée à terre, entraînée. J'ai hurlé sous les dizaines de sabots qui écrasaient mes jambes. Mais ce n'était pas des hurlements de douleur. J'étais séparée de mon Bien-aimé, arrachée à son corps. J'ai levé mes mains maculées de sang vers le ciel obscurci par la guerre, mais je n'ai point été capable de Voir ce qu'il était advenu de lui.

J'ai encore crié, et j'ai de nouveau était foulée aux pieds. Puis de froides mains métalliques m'ont saisie, soulevée, jetée sur le dos d'un cheval et emportée.

QUATRIÈME PARTIE

MICHEL

Carcassonne

1357

XVII

Les yeux et les pensées de l'abbesse étaient concentrés sur un lieu et une époque différents. Michel l'observa émerger lentement de ce moment tragique de son passé. Elle avait regardé au-delà de lui ; mais, à présent, sa vue se recentrait, jusqu'au moment où elle le contempla, dans son cadre actuel. Après l'avoir fixé douloureusement un instant, elle baissa le visage entre ses mains et laissa échapper un cri de tendresse et d'amertume.

Empli de désarroi, Michel se pencha vers elle et murmura :

– Chut, ma mère, ne pleurez point… ne pleurez point…

Mais son désespoir était profond. Sans réfléchir, il posa alors une main sur son avant-bras pour la réconforter, mais la retira vite, stupéfait par les étincelles que faisait jaillir ce contact.

Elle leva ses yeux noirs luisants de larmes, mais que les mêmes étincelles faisaient briller.

Si seulement elle était chrétienne ! songea-t-il. Elle serait non seulement la personne la plus sainte qu'il eût rencontrée, mais la plus aimante. La bonté dont elle avait fait preuve à l'égard des lépreux, le profond amour qu'elle éprouvait pour sa grand-mère et pour l'abbesse. Elle était fidèle à ses convictions – tristement hérétiques – et elle faisait preuve de courage et de compassion dans ses actes. Pénétrer seule au cœur d'une bataille, et sans armes…

Quelle femme étonnante ! songea Michel. Mais il se recroquevilla sur-le-champ, s'avisant du sentiment qui l'habitait. Il ne s'agissait point d'une prisonnière qu'il pouvait tout bonnement remettre avec tristesse aux autorités pour qu'elle soit exécutée, d'une hérétique dont il observerait la mort sur le bûcher avec chagrin et pitié, et dont il pleurerait la damnation. Ses paroles, sa force, sa présence même l'avaient convaincu.

293

Il comprit alors, sans le moindre doute possible, qu'il avait complètement perdu son cœur, car il n'éprouvait pas davantage à son égard de la lubricité qu'un penchant né de la solitude désespérée d'un moine, amené par sa vocation à fréquenter les femmes de près. Il les connaissait bien et il en avait même fait l'expérience une fois, lorsqu'il était jeune et sot. Ce nouvel amour était beaucoup plus profond. Jusqu'à la fin de son existence mortelle, il y aurait un avant et un après, datant du jour où il avait rencontré cette femme.

– Luc est donc mort ? Vos efforts n'ont servi à rien ? s'enquit Michel avec douceur. Est-ce pour cela que vous pleurez, ma mère ?

Elle hocha la tête et parvint, non sans mal, à se ressaisir.

– Je ne puis en parler, même maintenant. Je suis lasse. J'ai besoin de repos.

Avec précaution, elle se laissa retomber en arrière en position allongée sur la planche de bois.

– Ma mère, insista Michel sincèrement inquiet, il vous *faut* trouver la force de continuer. Le cardinal Chrétien arrive demain matin. Pour vous déclarer innocente, il exigera bien autre chose que ce témoignage. Tournez votre cœur vers le Christ ; reconnaissez votre crime et nous parviendrons peut-être à vous faire sortir de cette geôle.

– Chrétien veut mon sang, répliqua-t-elle d'une voix que l'épuisement rendait sans timbre, lasse au-delà de toute émotion, mais ni repentante ni craintive. Et il l'obtiendra, quoi que je dise.

Michel laissa échapper un soupir d'indignation.

– Comment pouvez-vous affirmer chose pareille, ma mère ? Vous ne le connaissez même pas…

– Mais si, mon pauvre frère ! répliqua-t-elle, le contemplant avec une infinie compassion. Et vous n'êtes pas si sensible aux rêves de Luc sans raison. Ne vous semblent-ils point réels ?

Cette question inattendue le déconcerta, malgré son indignation. Dans son cœur, il croyait en son histoire et pensait que ces rêves étaient véritablement les souvenirs de Luc ; d'un autre côté, sa foi en Dieu et en l'Église lui dictait que les propos de l'abbesse étaient pure hérésie et qu'il était sur le point de perdre son âme.

Il baissa le visage et hocha la tête pour exprimer son désarroi.

– Je… les rêves de Luc me troublent. Ils ne me quittent point une seconde quand je suis éveillé…

Il s'interrompit car il venait de l'admettre contre sa volonté.

– Savez-vous pourquoi vous y êtes sensible, frère ? Vous êtes l'un de nous. Un de la Race.

Il en resta bouche bée. Un moment lui fut nécessaire pour retrouver la voix.

– Comment ?

Il l'avait bien entendue, mais ses oreilles et sa raison ne parvenaient pas à comprendre le sens de cette révélation stupéfiante.

– C'est pour cela que vous rêvez facilement, pour cela que vous êtes attiré par moi, pour cela qu'une partie de votre être croit mon histoire. Ces choses sont arrivées non parce qu'on vous a jeté un sort ou par simple coïncidence, mais à cause de ce que vous êtes. Il est vrai que vous êtes ensorcelé, frère, mais pas par moi. Il ne s'agit point de sauver mon âme… mais la vôtre.

Avant même qu'elle en ait terminé, Michel avait replacé son parchemin, sa tablette de cire et son style dans son baluchon.

– Je… si vous ne poursuivez pas votre déclaration, je dois aller prier. Le père Charles et le cardinal Chrétien avaient entièrement raison : vous êtes une femme extrêmement dangereuse.

Alors qu'il se tournait pour héler le geôlier, il entrevit son visage une fraction de seconde. Dans ses yeux noirs et sur ses lèvres encore enflées se lisaient un amour et un chagrin si forts que son cœur en frémit, mais il se ressaisit et sortit de la prison.

L'état du père Charles ne paraissait pas s'être amélioré. Frère André, qui le veillait, n'avait rien de nouveau à apprendre à Michel. Il se contenta de se lever, de lui adresser un signe de tête et d'aller en hâte se restaurer.

Michel n'avait pour sa part nul appétit, ni pour la nourriture ni pour la prière. Il prit place sur le tabouret de bois que venait de quitter André et étudia le visage de son mentor. Le teint gris du père Charles avait viré au jaune cireux ; ses joues et ses yeux clos semblaient s'être affaissés davantage ; ses lèvres, tellement craquelées qu'elles saignaient presque, étaient si tendues qu'elles dévoilaient une partie de ses dents, en dépit du linge humide dont le frère André se servait pour les humecter. Charles donnait l'impression d'être sur le point d'expirer son dernier soupir.

Michel s'inclina en arrière, éclairé par la lumière vacillante du feu de bois. La tête appuyée contre le mur, il contempla les ombres qui dansaient au plafond.

De simples fantômes, rien d'autre ; d'obscurs mensonges qui n'étaient que la projection d'une réalité simple et concrète. L'histoire de l'abbesse ne se résumait-elle qu'à cela ou disait-elle la vérité ? Les sentiments qu'il éprouvait pour elle n'étaient-ils que le résultat d'un puissant sortilège ?

Il ferma les yeux et appuya vigoureusement les mains sur ses oreilles, dans l'intention de masquer toute pensée, tout souvenir, toutes visions et voix intérieures. Il pressait de plus en plus ses doigts tremblants, il les étirait afin d'atteindre sa nuque ; mais les visions étaient trop nettes, les sons trop forts et trop distincts pour se laisser étouffer. Pour finir, il laissa retomber ses mains et poussa un gémissement d'amertume, sans bruit, afin de ne pas être entendu des autres occupants du monastère.

Toulouse

Septembre 1356

XVIII

Dans un grand désordre, les images de la vie d'un autre homme descendirent sur lui :

De Papa, guéri et répugnant à abandonner son unique enfant, revenant sur sa promesse d'enseigner à son fils comment utiliser son pouvoir.

De Luc à l'âge de six ans, vivant toujours chez son père, qui courait dans un décor constitué d'écheveaux et de tapisseries multicolores en écrasant sous la plante de ses pieds des herbes et des fleurs éparpillées sur le plancher de la chambre de sa mère : de la menthe pouliot, du romarin et des pétales de roses dont les senteurs mêlées produisaient un parfum entêtant.

Se dégageant des bras de son père, se glissant devant la sentinelle pour se précipiter dans les bras tendus de sa mère. Puis suffoquant car, d'un seul geste, elle saisissait son cou et essayait de le tordre, comme elle aurait tordu le tendre cou d'un oiseau.

Ses mains, si douces, si fraîches, d'une vigueur si surprenante.

Il avait essayé de crier, mais n'avait pu émettre le moindre souffle. La surprise l'avait complètement désarmé et il s'était contenté de lever les yeux vers le visage de sa mère, dont la beauté était souillée, les traits déformés comme ceux d'une gargouille. Pourtant, Luc avait entrevu de l'amour et une excuse inquiète derrière ses yeux déments.

Papa, doux et rapide, l'avait déjà rejointe, mais elle déployait une force surnaturelle et Papa avait été obligé de la projeter à terre, aidé de la sentinelle, et de s'allonger sur elle pendant qu'elle hurlait et agitait en vain les membres pour atteindre son enfant.

Deux jours plus tard, les effets de Luc étaient emballés et on l'envoyait vivre chez son oncle Édouard.

Une demeure grandiose, bien que moins vaste que celle de Papa. Il y régnait cependant une atmosphère plus gaie et on avait l'impression d'y être davantage à l'abri. Là, Luc se sentait libre de s'épanouir. La plus heureuse période de sa vie, car Édouard manifestait égalité d'humeur et gaieté, et les chevaliers de sa petite *mesnie*[1] étaient à son image.

Luc y avait fait son apprentissage de seigneur. Il excellait en tout : la danse, qu'on le contraignait à pratiquer avec les fils des chevaliers (de telle sorte qu'ils ne pouvaient s'empêcher de pouffer au spectacle de celui qui jouait le rôle de la dame et de sa propension à le faire avec moult affectation), la fauconnerie, qui le faisait frémir chaque fois que le bel oiseau aux serres épaisses et vigoureuses se posait sur son gant, battant ses grandes ailes et inclinant la tête pour le dévisager de ses yeux perçants et étranges, le maniement de l'épée, pour lequel il était particulièrement doué, et l'équitation.

Il avait appris aisément les arts de la chevalerie et de la guerre, quoiqu'un peu moins facilement qu'il maîtrisait son autre apprentissage : l'entraînement secret qu'il avait juré sur sa vie de ne jamais révéler.

Ce dernier avait débuté l'année de ses treize ans lorsque l'obscurité rendait le monde monochrome. Par une nuit sans lune, Édouard était venu le quérir dans sa chambre où il ne s'était point encore endormi. « Viens. Le moment est venu », lui avait-il chuchoté à l'oreille dans le noir.

Sans opposer de résistance, Luc s'était levé. Édouard lui avait tendu un habit de manant et une cape noire et l'avait fait descendre par un étroit corridor secret qui reliait sa chambre aux écuries. Ils avaient enfourché leurs montures et galopé dans des prairies, sous le ciel étoilé, jusqu'à la ville la plus proche.

Édouard n'avait pas amené son neveu dans un bâtiment seyant au rang de deux chevaliers de noble naissance mais à une rangée de minuscules maisons étriquées. Des masures, à dire vrai, bâties en bois et en chaume et non en pierres, entassées dans une ruelle d'une étroitesse incroyable. Toutes plongées dans l'ombre, car l'heure du couvre-feu avait depuis longtemps sonné pour les manants.

---

1. Jusqu'au XIIe siècle, groupe d'hommes libres, vassaux ou non, vivant dans la maison d'un grand et contribuant à sa réputation et à sa puissance. Ensuite, le terme désigne simplement la maisonnée du seigneur (NdT).

Les manants, s'était dit Luc. *Et des manants fort pauvres.* Mais il n'émanait pas de cet endroit le désespoir et la saleté qu'il avait constatés dans d'autres ghettos. Les bâtisses étaient propres et bien entretenues, et de ce quartier ne montait pas la puanteur habituelle des autres rues citadines.

Les logis avaient l'air identiques, mais Édouard s'était enfoncé sans hésiter jusqu'au centre de ce ghetto. Là il avait mis pied à terre devant une maison précise et frappé à la porte.

Comme on ne voyait aucune lumière luire par la fenêtre, Luc en avait conclu que tous ses occupants dormaient déjà, mais la porte s'était tout de suite entrouverte. L'obscurité régnait à l'intérieur de la masure, leur hôte n'était éclairé que par la flamme mourante d'un bout de bougie. Ombre imposante, il ressemblait à un grand animal aux poils hirsutes dont la carrure éclipsait Édouard. Il n'avait pas prononcé une parole mais lui avait fait signe d'entrer d'un geste pressant.

Édouard s'était tourné vers Luc pour lui intimer de le suivre. L'adolescent avait démonté, en proie à une curiosité mêlée de crainte. Leur hôte les avait fait pénétrer dans une seconde pièce où flottaient encore vaguement les odeurs d'un repas : du ragoût accommodé avec des épices inconnues mais agréables et de la cervoise à la place d'hypocras. Il en émanait aussi de faibles effluves d'un autre parfum entêtant que Luc n'avait respiré jusque-là qu'à l'intérieur d'une cathédrale : l'encens.

Il avait perçu le souffle d'enfants endormis, entrevu le regard soupçonneux d'une femme à la faible lueur d'une chandelle. Leur hôte les avait conduits dans un sanctuaire dont il avait refermé la porte derrière lui.

Au début, la pièce sans éclairage, aux volets clos, était plongée dans l'obscurité. Mais dès qu'ils en avaient franchi le seuil, Édouard avait sorti un cadeau des plis de sa cape et l'avait tendu à leur hôte : de longs cierges et une fiole d'huile.

« Merci, Édouard, ils vont faciliter notre tâche », avait déclaré l'homme d'une voix profonde et mélodieuse. Il avait rangé tous les cierges, exception faite d'un qu'il avait approché de la flamme mourante de sa bougie. Son visage avait commencé à émerger de l'ombre et, lorsqu'il avait rempli une grande lampe à huile avec la fiole et qu'il l'avait ensuite allumée, Luc l'avait enfin vu tel qu'en lui-même : un gros ours aux larges épaules et à l'étrange chevelure. Des cheveux se déployant en cascades ivoire, fer et ébène dans son dos, aussi épais et frisés que la toison hivernale d'un agneau. Des cheveux qui tombaient aussi de son visage en une barbe si longue qu'il était obligé de la nouer autour de sa taille pour ne pas marcher dessus, régulièrement dentelés, comme ceux d'une jouvencelle dont les tresses viennent d'être défaites. Des poils jaillissaient de son front sur la longueur d'un bon doigt, plongeant dramatiquement dans le noir ses yeux entre lesquels sortait un nez proéminent et crochu.

Puis Luc avait remarqué la petite calotte noire que l'inconnu portait sur le haut de son crâne et le rond de feutre jaune indiquant qu'il était juif. Il en était resté confondu. Selon l'Église, les Juifs étaient les pires des hérétiques (non point qu'il accordât grande crédibilité à cette institution) et on courait le risque d'être soumis à la question des inquisiteurs lorsque l'on était surpris en plein commerce avec eux. Pour quelle raison son oncle l'avait-il emmené dans un antre si dangereux ?

Édouard, pendant ce temps, avait pris la main du vieux Juif entre les siennes et l'avait baisée avec un immense respect. *Rabbi, Rabbi,* je vous amène mon neveu, Luc. »

Le vieil homme lui avait fait comprendre d'un geste qu'il n'avait que faire de son respect. Puis il s'était penché vers Luc. « Enfin ! Enfin ! Bonjour, Luc, je m'appelle Jacob. »

Une année durant, il étudia sous l'égide de Jacob. Pendant cette période, Édouard lui interdit tout contact avec ses parents, y compris pendant Pâques.

– Tu ne peux pas les voir, lui affirma-t-il avec tristesse. Surtout ta mère.

– Pourquoi ? ne cessait de demander Luc.

Et la réponse venait, toujours aussi insatisfaisante :

– Parce que ta mère est liée au diable qui vous menace, toi, ta future Bien-aimée et la Race. La côtoyer, t'exposer à elle, c'est t'exposer directement à ton Ennemi.

– Mais Jacob peut me protéger, objecta Luc. Jacob et vous, et rien ne m'arrivera...

Édouard poussa un soupir.

– Luc... tu dois comprendre. La puissance de ton Ennemi dépasse tout ; Jacob et moi craignons de ne point être capables de te protéger, car nous sommes moins doués que lui. Regarde ta pauvre mère : j'ai été incapable de lui faire du bien.

Édouard baissa la tête de honte, tellement abattu et peiné que Luc posa la main sur son épaule pour essayer de le consoler. Puis son oncle se reprit et ajouta :

– Le moment venu, Luc – une fois que tu auras été initié –, tu deviendras un grand magicien. Plus puissant que tous tes ennemis. Et l'heure viendra peut-être où ta mère, Béatrice, nous sera rendue. Mais jusque-là… prends garde, car ton Ennemi ne désire rien d'autre que de t'empêcher de vivre cet instant.

Luc s'abstint de répondre à son oncle, par souci de ne pas le bouleverser davantage. Mais il se jura que dès qu'il en aurait le pouvoir de magicien, il arracherait sa mère aux griffes de l'Ennemi et la rendrait à elle-même.

– Quand serai-je initié ? demanda-t-il à Jacob, après avoir suivi son enseignement pendant six mois.

Le rabbin, le visage à moitié dans l'ombre, à moitié éclairé par la chandelle d'oncle Édouard, posa sur lui un regard bienveillant.

– Quand ton heure viendra, mon garçon.

– Et ce sera quand ? Ne pourriez-vous m'initier maintenant ?

Sa question fit pouffer Jacob. Les joues de Luc s'empourprèrent de frustration. *Je suis capable de jeter un cercle de protection et de magie ; je connais les sphères cabalistiques et l'alphabet hébreu, la fabrication des talismans et des sigillaires*, songea le garçon. *Pourquoi n'en suis-je point jugé digne ?*

Le vieil homme remarqua sa gêne, et d'un ton où se mêlaient humour et excuses, il lui dit :

– Je suis navré de te décevoir, Luc. Mais ce n'est point à moi que reviendra cet honneur.

– Et pourquoi donc, Rabbi Jacob ?

– Tu n'es pas encore prêt, Luc, lui répondit-il alors gravement.

– Pourquoi ?

– Parce que la peur empêche l'union véritable.

Devant le visage perplexe du garçon, il ajouta :

– Une raison fort pratique m'en empêche : c'est une femme que tu cherches.

Cette révélation coupa le souffle de Luc. Jacob disait vrai. Il le savait, il l'avait toujours su. Il l'avait vue en cette atroce journée où les condamnés avaient péri sur le bûcher, vue tomber du chariot.

– La fillette, chuchota-t-il, l'enfant à la tresse et aux yeux noirs.

Il essaya vainement de se la représenter telle qu'elle devait être à présent, après toutes ces années. Cela ne l'empêcha pas de réaliser qu'il l'aimait, qu'il l'avait toujours aimée. Loin de s'en étonner, il trouva que ce sentiment allait de soi.

— Oui, murmura Jacob. La fillette. Tu es un magicien efficace, tu l'as prouvé, tu as montré que tu avais le don de guérir, que tu possédais le Toucher... Mais d'autres dons te font défaut. Celui de la Vision par exemple, dont tu auras besoin pour affronter tes ennemis. Elle seule peut te l'apporter. Parmi tous ceux appartenant à la Race, vous serez les seuls à partager tous ces dons et à détenir ce pouvoir.

La perspective de la revoir le fit tellement frémir qu'il eut du mal à s'exprimer.

— Rabbi... quand est-ce que je pourrai... quand nous rencontrerons-nous ?

Jacob hocha la tête d'un air songeur.

— Je ne puis te le dire. En revanche, sache ceci...

Il se tourna vers un tableau accroché non loin d'eux qui représentait des sphères aux couleurs grossières.

— En haut, tu as Kether, la lumière blanche, la lumière divine, et ici... (rapide comme l'éclair, il fit glisser son doigt de sphère en sphère vers le bas) tu as Malkut, la reine qui gouverne le Royaume terrestre. Tu vois ? Voici le chemin que doit emprunter le fiancé pour rencontrer sa promise. Il doit franchir de nombreux obstacles avant d'atteindre la félicité, le pouvoir de l'union divine...

Le cœur de Luc devint subitement douloureux. Pour la première fois, il comprit l'agitation qui caractérisait son comportement, le vide qu'il avait toujours ressenti, même en présence des êtres qui étaient les plus chers à son cœur.

— Comment puis-je attendre ? murmura-t-il, au bord des larmes. Combien de temps dois-je encore rester séparé d'elle ?

Un sourire de compassion s'inscrivit sur le visage buriné par l'âge de Jacob.

— Je ne puis faire que ce qui m'a été ordonné. Il m'est impossible de la rapprocher de toi, mais je peux te faire goûter au Divin. Que la connaissance de ce qui t'attend serve de baume à ton âme.

Il se leva pour se placer derrière Luc, qui était assis sur un vieux tabouret branlant. Ses grandes mains gantées de laine en lambeaux d'où dépassait le bout glacé de ses doigts posées sur les épaules du garçon, il entama une psalmodie d'une voix si sonore que chaque atome d'air de la pièce semblait vibrer :

Yesod... (Je Suis)
Malkut... (Le Royaume)

304

Geborah... (Le Pouvoir)
Gedolah... (et La Gloire)
Ein Sof... (L'Infini)
Amen...

Les yeux clos, Luc accompagna l'incantation du rabbin, car il s'y exerçait depuis plusieurs mois. Il se croyait doué pour visualiser la lumière qui descendait dans son corps et pour se voir à l'intérieur des sphères multicolores de l'Arbre de Vie qu'il sentait s'épanouir dans son cœur, ancrer ses pieds dans la terre et l'envelopper entièrement de son éclat. Il savait déjà qu'il allait éprouver un profond sentiment de paix et de clarté.

Mais, cette nuit-là, il fut envahi d'une sensation qui transcendait toutes celles qu'il avait connues jusque-là.

Tandis qu'il prononçait le nom *Malkut*, les mains froides et osseuses de Jacob devinrent subitement chaudes, et plus chaudes encore. Une force, pareille à un éclair, en émana, si éblouissante que Luc perdit conscience de l'endroit où il se trouvait et de la présence de son maître. Subitement, il eut l'impression d'avoir vécu jusque-là dans l'obscurité. La vérité venait simplement de lui apparaître : il voyait la lumière, ou plutôt il devenait la lumière, dans toute sa gloire et toute sa beauté. Et cette lumière n'avait aucune limite : ni vie, ni mort, ni temps, ni Luc, ni Édouard, ni Jacob, ni Papa, ni Maman, ni magie, ni Église, ni Torah... Elle n'était qu'une joie immense, qui englobait tout et excluait tout chagrin.

Peut-être demeura-t-il dans ce lieu indicible pendant une heure. Ou alors cette expérience dura un jour, un mois, une vie, un battement de cœur. Il était incapable de le dire. Mais lorsqu'il revint à lui, le visage heureux de Jacob exprimait la connivence.

– Tu as appris le mécanisme de la magie, mon Seigneur. Ta dame apprend à baigner dans la Présence. Elle est ton cœur, Luc, et lorsque viendra l'heure où elle devra t'initier, tu y baigneras avec elle. Mais comment La quantifier ? Quel nom lui donner ? Dieu, Zeus, Adonaï, Allah ? Ou Déesse... Shekinah, Isis, Athéna ? Comment la vénérer, comment lui faire plaisir ?

Le garçon lui fit la seule réponse possible : un petit rire pour commencer, suivi d'un éclat débridé que le manteau de glace ondulée qui recouvrait les volets de bois répercuta et qui fit vaciller la flamme de la chandelle. Tous deux rirent ensemble cette nuit-là dans la petite pièce de Jacob, tandis que dehors la neige s'amoncelait en silence comme la force du destin à venir.

L'été d'après, la peste fit son apparition. Un messager leur apprit que Nana y avait succombé, que Papa en avait été grièvement atteint mais qu'il avait survécu. Pour une raison mystérieuse, la maladie ne se propagea pas à la maisonnée d'Édouard, aucun de ses serviteurs ni aucun des membres appartenant à la *mesnie* du château n'en fut atteint. Mais la cité en souffrit terriblement, et Édouard n'autorisa pas son neveu, malgré ses supplices, à retourner voir Jacob.

Au cours du mois qui suivit le point culminant de l'épidémie, Édouard vint gentiment dire à Luc dans sa chambre : « Mon cher neveu, il me faut t'annoncer une très pénible nouvelle. Ils ont incendié le ghetto. »

Le garçon refusa de le croire, tant qu'il ne se fut pas rendu lui-même à cheval sur les lieux où se dressait jadis la maison de Jacob et agenouillé, en pleurs, au milieu des décombres. Mais, même là, il se dit : *Il s'est échappé. Il est vivant quelque part. Il reviendra...*

Dans son cœur pourtant, il savait que son bien-aimé *rabbi* n'était plus de ce monde.

Au cours des années suivantes, Luc rêva à de nombreuses reprises de la fillette, mais il ne vit jamais que son visage de petite fille de cinq ans, avec sa natte noire. Il savait qu'Édouard faisait souvent appel à la Vision au cours du Cercle. Lorsqu'ils se retrouvaient en tête-à-tête, il le suppliait :

– Est-ce que vous l'avez vue ? Comment va-t-elle ? Qu'est-ce qu'elle fait ?

Les réponses d'Édouard étaient toujours sibyllines. Il lui en apprenait le moins possible. « Elle est devenue une belle jeune femme », lui disait-il, ou « Elle n'est qu'une simple roturière ». Mais il se gardait bien de lui apprendre dans quelle cité elle vivait ou ce qu'elle y faisait.

– Dites-moi juste où elle se trouve, le suppliait Luc, mais Édouard se contentait de hocher la tête.

– Tu n'es point assez fort, Luc.

– Bien sûr que si ! hurla-t-il un jour, à bout de patience. Vision ou pas Vision, ma magie est aussi puissante que la vôtre.

Pour toute réponse, Édouard le gronda sur-le-champ des yeux et porta un doigt à ses lèvres. Luc baissa la voix, mais sans perdre une once de sa passion.

– Peu me chaut que les serviteurs nous entendent. Cela dure depuis des années, je ne peux plus attendre… Ne voyez-vous point l'angoisse dans laquelle vous me plongez en refusant de me parler d'elle ? Pourquoi ne me laissez-vous point simplement aller la voir ?

– Jure-moi que tu ne reverras pas ta mère. Jure-moi que tu ne retourneras jamais chez toi mais que tu te rendras directement auprès de cette fille et je te dirai où elle est ! s'écria avec violence Édouard, dont les yeux lançaient des éclairs.

Luc se sentit étouffer.

– Comment le pourrais-je ? Comment pouvez-vous me contraindre à faire pareille chose ? C'est vous qui m'avez parlé du sacrifice accompli par maman ; de la manière dont elle s'est attirée sur elle le MAL qui m'était destiné. Vous voudriez maintenant que je l'abandonne, alors qu'elle a fait le sacrifice de sa santé mentale pour moi ?

– Oui, répliqua Édouard d'un ton sinistre. Et elle te dirait la même chose que moi. Toi et ton père… vous êtes liés à elle sur le plan astral. Lorsque tu es en sa présence, elle lit dans ton cœur et dans ton esprit, et comme elle est également liée à ton Ennemi, lui aussi lit dedans.

« J'étais moi aussi lié à elle. Crois-tu donc que cela m'est facile ? Nous étions ensemble dans le ventre de notre mère. Personne n'était plus proche d'elle que moi ; personne ne connaissait mieux ses pensées, pas même ton père. J'ai donc tranché ce lien, même si ce geste m'a brisé le cœur. Et jamais je ne la reverrai, car mes émotions pourraient en être affectées, de telle sorte que l'Ennemi aurait la possibilité d'utiliser ma Vision.

« Ne vois-tu point le danger, Luc ? Si tu vas à la rencontre de ta Dame maintenant, si elle t'initie, alors que tu n'es pas séparé de ta mère physiquement, que tu es encore lié à elle par tes pensées et tes émotions, tu la mettras elle aussi en danger.

« Ici, j'ai essayé de te protéger de mon mieux. Si tu ne l'approches plus, tu risques moins de subir les effets du mal. J'espérais que le temps et la distance amoindriraient le lien qui t'unit à dame Béatrice, mais je constate qu'il reste solide.

– Jamais je n'abandonnerai ma mère ! s'entêta farouchement Luc.

Et cette situation se prolongea donc des années durant.

Entre-temps, Luc devint l'écuyer accompli d'Édouard, puis il fut adoubé chevalier ; il participa à des escarmouches contre le Prince Noir et acquit une réputation de guerrier aussi brave que son père et son oncle.

307

Vint l'époque où les forces du prince Édouard furent rejointes par un autre groupe d'envahisseurs en Bretagne. Le roi de France émit un appel aux armes. Oncle Édouard et ses chevaliers se lancèrent dans les préparatifs du voyage qui les mènerait jusqu'au champ de bataille. Ils avaient l'intention de retrouver Paul de la Rose sur son domaine. Ensemble, ils prendraient ensuite le chemin du nord afin de rejoindre l'ost du roi Jean et d'intercepter l'ennemi.

Le jour de leur départ, aux petites heures de l'aube, Luc, en proie à une anxiété trop vive pour trouver le sommeil, entreprit d'aiguiser son épée et sa dague et de réparer son écu et son armure. Au fond de son cœur, il craignait la guerre. Mais non de se faire occire. Il était après tout parfaitement capable de se protéger lui-même, grâce à des rites magiques. Ce qu'il ne supportait pas, c'étaient les atrocités dont les autres étaient victimes.

Il éprouvait néanmoins une certaine impatience. Des années s'étaient écoulées depuis qu'il avait vu ses parents pour la dernière fois, et il les imaginait en pensée. Son père avait certainement à présent les cheveux grisonnants, sa mère aussi peut-être, mais, hormis ce détail, il se les représentait tels qu'ils étaient jadis.

Alors qu'il effectuait cet effort d'imagination, on gratta bruyamment à sa porte.

– Entrez, dit le jeune homme.

C'était Édouard. Il referma la porte dans son dos, laissant derrière les deux chevaliers qui l'accompagnaient.

– Luc, chuchota-t-il de telle sorte que ses compagnons d'armes ne puissent l'entendre, j'ai Vu qu'un grand danger t'attendait sur le champ de bataille. Je t'en supplie, ne viens point ; reste à l'abri entre ces murs.

Au cours des dernières années, les sourcils et les cheveux cuivrés d'Édouard s'étaient rapidement argentés sur les tempes et de profondes rides de souci encerclaient ses yeux pâles. Son front se creusait à présent d'inquiétude et les blancs de ses yeux étaient injectés de rouge comme s'il n'avait pas fermé l'œil de la nuit.

Luc en resta complètement abasourdi. Il baissa la dague qu'il tenait à la main et la pierre sur laquelle il était en train de l'aiguiser.

– Vous plaisantez, mon oncle !

Le visage d'Édouard ne perdit rien de sa gravité et de sa détermination.

– Malheureusement non. Le danger est si grand que je t'interdis de venir.

Avec des gestes lents, Luc posa la dague et la pierre sur sa table de toilette, puis il fit face à son aîné.

– *Quel* danger ? Auriez-vous oublié que je suis un chevalier aguerri… à l'éviter ?

Il choisit d'élever le ton en prononçant ces deux derniers mots, sachant pertinemment que les chevaliers risquaient de l'entendre. Certains des chevaliers de la *mesnie* partageaient les convictions d'Édouard, à défaut de ses dons, Luc n'en doutait pas. Mais son oncle lui avait déclaré un jour : « Pour ta sécurité, et pour la leur, mieux vaut que tu ignores qui ils sont. »

– Ta vie…, répondit Édouard. Et peut-être pire encore.

– Je suis tout à fait capable de la protéger, mon oncle. Ce n'est pas la première fois que je me trouverai sur le champ de bataille ; je n'ai jamais été blessé. Je sais que vous avez du mal à vous faire à cette idée, mais j'ai grandi, je suis désormais un homme. J'ai vingt et un ans. Je devrais être marié depuis longtemps ; je devrais déjà avoir des enfants. J'en aurais déjà, si vous ne me l'aviez point interdit…

– Luc…

– Vous êtes en droit de me l'interdire, mais je ne suis pas obligé de vous obéir.

– Je sais, lui répondit Édouard d'un ton sinistre.

Il voulut ajouter quelque chose, mais Luc l'en empêcha.

– Mon père est le favori du roi, et j'ai moi-même réputation à défendre. Je ne puis faire à mon père la honte de renier le roi et de ne point combattre à ses côtés, et aux vôtres.

– C'est précisément à cause de ton père, lui répondit Édouard d'un ton empreint d'une ironie mordante, qu'il ne faut pas que tu y ailles. L'Ennemi pourrait aussi l'utiliser comme un pion.

– Mon *père* ?

La voix de Luc frémissait d'indignation. D'un geste preste, il tourna le dos à son oncle, reprit la dague et la pierre et se remit à aiguiser l'arme furieusement. Des étincelles bleues volèrent sur la table, rebondirent sur le sol pavé de pierres et s'éteignirent.

– Mon père ne me ferait *jamais* mal.

– Bien sûr que non, reconnut Édouard d'une voix douce derrière lui. Et ta mère point davantage, si elle avait toute sa tête.

Luc garda un moment le silence ; dans la pièce éclairée à la chandelle, on n'entendait plus que le bruit de frottement du fer contre la pierre. Il se décida enfin à interrompre sa besogne, pour déclarer en pesant ses mots :

– Si je décide de venir, mon oncle, il n'est nulle chose que vous puissiez faire pour me retenir.

– Il est vrai, reconnut Édouard, avant d'ajouter, après une brève pause : pour son bien à *elle,* je t'en supplie. Si tu participes à la bataille, tu ne te contenteras pas de mettre ta vie en danger, mais tu lui feras subir de terribles souffrances.

Il y eut un autre silence. Puis Luc entendit son oncle se tourner et sortir de la chambre d'un pas décidé. La porte se referma derrière lui.

Une fois de plus, Luc abandonna son occupation. Il s'assit sur le bord de son lit et exhala un soupir de confusion. Il aimait chèrement son oncle et savait qu'Édouard ne serait jamais venu le prévenir ainsi sans une bonne raison.

Mais il avait également le sentiment que son aîné l'avait trop protégé. Il en était arrivé à lui en vouloir, malgré ses explications, de l'avoir séparé de ses parents. *Si je ne suis point devenu à ce jour un magicien assez puissant, après tout ce temps, je ne le serai jamais.*

Tandis qu'il ruminait ainsi ses pensées, assis sur son lit, tout en écoutant les bruits de la maisonnée qui se réveillait et des chevaliers qui entraient dans le vaste réfectoire pour le petit déjeuner, il sombra dans un étrange état, entre la veille et le sommeil :

Il Vit sa Bien-aimée, maculée de boue, l'appeler du champ de bataille, au milieu des vignes. *Luc, Luc de la Rose, au secours !* Elle était agenouillée sur le sol trempé de sang, entourée de milliers de soldats, silhouettes sombres au contour fort net, brandissant hache, épée et écu. Un torrent d'armes sans pitié pleuvait sur elle. *Luc, Luc ! Sauvez-moi seulement encore une fois... sauvez-moi !*

Dans cette obscurité épaisse ne se détachait que sa peau pâle et lumineuse, qui brillait comme un phare ; elle l'appelait au secours, et pourtant elle gardait un visage serein, beau, sublimé.

Il vit une grande silhouette noire courir dans sa direction, soulever une hache énorme au-dessus de sa tête et la rabattre, afin de trancher en deux ce visage lumineux. Elle ne manifesta aucune émotion, se contentant de lever gracieusement une main blanche en un geste de pardon.

Au milieu de sa vision, Luc se leva, le poing serré autour de sa dague.

Le visage et la silhouette de Sybille se muèrent en ceux de sa mère. Elle possédait une peau pâle et des traits d'une beauté d'un ordre différent, une posture droite et gracieuse et des yeux... des yeux tellement pleins de lucidité et d'assurance qu'il faillit fondre en larmes à leur vue. Elle était toujours mince, ses cheveux gardaient les mêmes reflets dorés. Ses mains fines sortaient de ses longues manches élégamment drapées. Elle les tenait jointes contre son cœur, comme si elle était en prière.

« Luc, dit-elle d'un ton contenu et néanmoins passionné. Un ton qu'il ne l'avait encore jamais entendue utiliser. Il te faut immédiatement rejoindre les autres soldats. Ta Bien-aimée a besoin de toi... Protège-la avant qu'il ne soit trop tard... »

Lorsque Luc revint à lui, le jour s'était levé. L'aube n'était en fait plus qu'un lointain souvenir et un silence inquiétant régnait dans la demeure. Il ouvrit brusquement les volets de sa chambre et s'aperçut que la grande cour dans laquelle s'entassaient les *chariots* et les charrettes était à présent déserte. Il était impossible qu'il eût dormi si longtemps et que le grondement des roues et les piétinements des sabots des chevaux qui empruntaient le chemin de la guerre ne l'eussent point réveillé. Cette absence mentale ne pouvait qu'être le fait d'Édouard.

Ce dernier avait cependant été incapable d'étouffer l'appel au secours de dame Béatrice. Luc se dit alors : *La Vision, enfin... L'heure, enfin, de trouver mon propre Chemin et ma Bien-aimée...*

Ainsi, décida-t-il, que celle d'arracher sa mère aux griffes de l'Ennemi.

Si des chevaliers se tenaient derrière sa porte, il ne les entendait point. Luc se concentra donc pour procéder en silence au rituel de la protection, puis il déploya le voile d'invisibilité, comme Jacob le lui avait appris il y avait de cela fort peu de temps.

Lentement, avec précaution, il ouvrit la porte de la chambre...

Et il s'écarta, tandis que les deux chevaliers qui avaient été chargés de le surveiller se précipitaient à l'intérieur de la pièce. Armes à la main, il se faufila devant eux dans le passage qui menait au rez-de-chaussée et à la liberté, les laissant dans la plus totale confusion.

Des écuries, il partit sur son étalon blanc en direction du nord-ouest et de la maison de son enfance. Cette chevauchée ne lui prit que quelques heures, mais midi était déjà passé, et Luc, malgré son bonheur de revoir les contours du grand château, avec les ouvertures béantes des tours de guet qui se détachaient sombrement contre le ciel, eut la déception de trouver la cour vide de soldats et de *chariots*.

Papa et Édouard s'en étaient déjà allés.

Il faillit alors éperonner Lune. Mais un instinct étrange lui dicta de n'en rien faire. Il s'approcha du portail principal de la vaste demeure et attacha sa monture. Sans bruit, et sans rencontrer de serviteurs, il monta jusqu'à un couloir dérobé qui donnait sur les appartements de sa mère.

Cependant, il n'était point sot. Il se débarrassa donc de sa dague et de son épée avant de pénétrer dans sa chambre, de crainte qu'elle ne se jetât sur l'une de ces armes et ne l'utilisât contre lui. Il n'y en aurait pas d'autre dans la chambre et Luc était bien assez vigoureux pour se protéger si sa mère s'en prenait à lui physiquement.

Malgré les années qui s'étaient écoulées depuis son départ, il se souvenait parfaitement de l'endroit où était cachée la clé de ses appartements, que Papa n'avait jamais changé. En proie à une nostalgie égale à sa crainte, il inséra la clé dans la serrure rouillée et poussa la lourde porte de bois.

Une silhouette solitaire se tenait devant la fenêtre nue d'où elle contemplait le vignoble qui s'étendait en contrebas. Celle d'une femme mince, vêtue d'une robe en lainage émeraude recouverte d'un tablier de soie transparent couleur écume de mer et d'une guimpe du même ton, sur laquelle était posé un bandeau d'or. Ses tresses, toujours blond cuivré sans la moindre pointe d'argent, étaient enroulées selon l'usage. Elle se tourna face à Luc, les bras croisés, et posa sur lui ses grands yeux expressifs d'un bleu-vert sans fond.

Il laissa échapper un petit halètement. Ses souvenirs l'avaient trahi… il avait oublié son immense beauté. Sa mère lui adressa alors un sourire et il suffoqua de nouveau.

– Luc, dit-elle du même ton qu'elle utilisait dans son rêve, Luc, Dieu merci, mon chéri, mon fils…

Et elle lui tendit les bras, déployant dans son geste des mètres de soie transparente qui effleurèrent le sol comme les ailes d'un ange.

Un battement de cœur suffit à Luc pour prendre sa décision : il irait à elle, il prendrait le risque de ce moment de plénitude dont il n'avait que rêvé.

Il le fit donc et trouva cette béatitude lorsque les bras de sa mère l'enlacèrent et que sa voix, que l'amour rendait larmoyante, chuchota à son oreille :

– Oh, mon fils, mon fils… comme je vous ai fait souffrir, toi et ton père, durant toutes ces années !

Elle se dégagea subitement et le tint à bout de bras afin de l'admirer.

– Comme tu as grandi !

Et comme vous êtes devenue petite, songea-t-il, le visage trempé de larmes.

– Comme tu ressembles à ton père, et à ton oncle ! poursuivit-elle. Je les retrouve tous les deux en toi.

– Mais mère, l'interrompit Luc, quel est donc ce miracle ? Vous avez été si… malade pendant de si longues années, et vous voici subitement guérie ?

– Il s'agit *en effet* d'un miracle.

Elle éclata alors de rire, un rire d'une telle beauté que Luc rit avec elle, au milieu de ses sanglots.

– Luc, mon chéri, ne vois-tu point que c'est grâce à toi ? Tu es devenu fort, si fort que ton Ennemi, après avoir essayé pendant des années de m'utiliser contre toi, a abandonné… Édouard, le bon Édouard, a eu raison de nous séparer. C'était mon seul espoir, et le tien aussi.

Elle l'agrippa de nouveau, avec une telle violence que Luc en fut surpris, avant de rire de lui-même et de la crainte qu'elle lui inspirait.

Elle le serra avec une vigueur admirable et le relâcha, lui enlaçant toujours la taille des bras. Subitement son expression et sa voix s'assombrirent.

– Mais tu as entendu mon avertissement. Tu es venu, en dépit des craintes d'Édouard.

– Je suis venu.

– C'est moi qui t'ai envoyé cette Vision. Ta Bien-aimée est en danger. Édouard l'a senti, mais il ne possède point le don de voir au même degré que moi. Sans doute craint-il que tu ne coures toi-même un grave péril si tu essaies de la protéger.

Elle se tut, tendant la main pour repousser une mèche qui s'était égarée sur le front de Luc d'une caresse si délicate, si tendre, si maternelle qu'il dut faire un effort pour retenir ses larmes.

– C'était tellement étrange… un malheur atroce, indicible, poursuivit-elle sans regret et sans s'apitoyer sur elle-même. Paul est venu me voir avant de partir guerroyer avec Édouard. Il m'a dit où ils se rendaient et m'a précisé que tu étais resté en sécurité dans le château de ton oncle. Il voulait me réconforter, je n'en doute point un instant.

« J'étais toujours entre les griffes de l'Ennemi. J'avais Vu le danger que courait Sybille, mais je ne pouvais lui en toucher mot. Il m'était même impossible d'émettre le moindre son. J'ai utilisé les dernières forces qui me restaient pour ne pas me blesser moi-même. J'ai essayé de pleurer, mais l'Ennemi a empêché mes larmes de jaillir. Ton père et Édouard s'en sont donc allés sans que je parvienne à les alerter.

Le visage de Béatrice devint alors radieux, proche de la béatitude.

– C'est alors, ô mon fils, qu'en un instant j'ai volé de l'Enfer au Ciel ; la folie m'a enfin désertée dès que j'ai regardé de ma fenêtre mon mari, mon frère et leurs centaines de chevaliers et d'écuyers se mettre en branle. J'étais redevenue moi-même et il m'a été possible de te transmettre un avertissement. La Déesse était intervenue.

Les commissures de ses lèvres remontèrent vers ses fossettes et elle lui adressa un regard entendu.

– Tu dois y aller, mon fils, c'est ton destin. Y aller maintenant, vite, avant qu'il ne soit trop tard.

Elle l'informa alors de la direction qu'elle avait Vue les hommes prendre. Puis, avec une vigueur comparable à celle qu'elle venait de déployer pour le serrer contre son cœur, elle le poussa fermement vers la porte.

Il chevaucha à bride abattue. Lorsque le soleil fut descendu très bas dans le ciel, il démonta près d'une rivière au cours rapide pour permettre à Lune de se désaltérer, puis il s'accroupit sous les bras protecteurs d'un grand chêne et forma une coupe de ses mains, afin de puiser l'eau brillante et de boire à son tour.

Ses émotions lui avaient servi d'instigation : la joie ineffable de s'être vu sa mère rendue, le souci qu'il se faisait pour son père, l'exaltation mêlée à une douloureuse nostalgie que lui inspirait la perspective de *la* voir bientôt, cette femme appelée Sybille. Il s'aperçut que ses mains tremblaient et vit reflétée dans l'eau non point son image, mais la sienne. Elle, telle qu'elle était enfant. À l'époque déjà, elle possédait des yeux magnifiques emplis de sagesse. Les yeux d'une femme, d'une déesse.

Merci, murmura-t-il avec humilité, avant de porter ses mains à ses lèvres et d'y boire.

De derrière, au loin, lui parvinrent des bruits, le lent tambourinement de sabots contre la terre, le crissement d'énormes roues : une armée de plusieurs centaines d'hommes. Luc se releva sur-le-champ pour enfourcher Lune, puis il dégaina son épée. Il était resté bien à l'est des terres à présent dominées par les hommes du Prince Noir et, à la cadence des voix, il en conclut qu'ils s'exprimaient en français. Il courait néanmoins toujours le risque de tomber sur des maraudeurs anglais, et puis certains des soldats du Prince Noir étaient des traîtres français.

Il s'approcha donc avec prudence, s'abritant sous la ramure des arbres tant qu'il n'aperçut pas l'armée, qui installait son campement. Lorsqu'il distingua l'étendard – le faucon et les roses –, son visage s'éclaira et il sortit de la forêt en pleurant.

Se renseignant auprès des uns et des autres, Luc se fraya un chemin jusqu'au centre du campement composé d'un demi-millier d'hommes. Plus de trois cents soldats appartenaient à la *mesnie* des de la Rose, deux cents à celle des Trencavel, dont la bannière représentait une tour de guet. Il passa devant des chevaliers et leurs écuyers, des soudoyers, des porte-étendards, devant leurs simples *chariots* de bois qui transportaient les cuirasses, magnifiques tenues guerrières, le couchage et les vivres (y compris des moutons bêlants attachés aux chariots), devant des cuisiniers et des serviteurs. Il avait l'impression de traverser une petite bourgade, d'où s'élevaient même les fumets savoureux d'agneaux rôtissant à la broche qui lui firent monter l'eau à la bouche. Lorsqu'il atteignit le dais aux raies rouges et blanches qui servait de campement au *grand seigneur*, le soleil avait complètement disparu à l'horizon.

Là, à l'extérieur de sa tente, éclairé par la lueur jaunâtre d'un feu serti de pierres, était assis l'aîné des de la Rose sur des peaux de mouton jetées à même le sol en guise de tapis. Des fourrures recouvraient le bas de son corps. Comme il devisait avec son commandement en second à propos de la carte sur laquelle ils étaient penchés, il ne vit pas son fils attacher son cheval près des autres et s'approcher de lui dans l'ombre.

Luc s'immobilisa un instant. Les années qui s'étaient écoulées depuis qu'il avait vu son père pour la dernière fois n'avaient pas épargné Paul de la Rose. Sa chevelure cuivrée était presque entièrement argentée, en dépit de ses sourcils encore sombres et épais, broussailleux même. L'inaction avait forci sa taille et son torse et engraissé les replis de chair de son visage, tandis que des cernes profonds témoignaient de son chagrin et de son manque de sommeil. La lenteur même de ses mouvements était celle des êtres engourdis par la peine. Luc en conclut que son cœur avait été de nouveau brisé par une tragédie aussi grande que la folie de sa femme. Un éclair de douleur le transperça. La tragédie de Paul était d'avoir perdu son fils, outre son épouse.

L'aspect pitoyable de son père et cette révélation arrachèrent un gémissement au jeune chevalier.

Le *grand seigneur* entendit ce léger bruit et leva son visage ridé de la carte pour scruter l'obscurité. Lèvres écartées, yeux écarquillés, il parut comprendre quelque chose, la lumière pointa sur ses traits, un espoir qui n'osait pas s'affirmer tel, de peur d'être brisé.

– Luc, chuchota-t-il.

Il se leva, sans prêter davantage attention aux fourrures qui tombèrent dans les flammes qu'à son second qui se précipita pour les en extirper.

Les deux hommes s'avancèrent l'un vers l'autre, bras grands ouverts. Près du feu crépitant, ils s'étreignirent avec une telle violence qu'ils en avaient du mal à respirer, laissant leurs larmes couler sans retenue.

Alors que Luc serrait son père dans ses bras, une silhouette émergea des ténèbres derrière Paul : c'était Édouard, dont le visage à moitié plongé dans l'obscurité et à moitié éclairé exprimait le plus profond sentiment de défaite que son neveu eût jamais vu.

Ils renvoyèrent le commandant en second et tous les serviteurs. Édouard, les bras croisés, resta à contempler le feu pendant que Luc prenait place à côté de son père pour se restaurer d'une assiettée de mouton rôti et leur expliquer comment il avait rêvé de sa mère, chevauché jusqu'au château et trouvé Béatrice saine d'esprit.

– Saine d'esprit ? murmura Paul. Luc, ne joue point avec moi. Qu'entends-tu par là ?

– Exactement ce que je viens de dire, père. Elle va bien. Elle est elle-même. Elle se fait grand souci pour vous.

Luc se hâta de baisser les yeux afin de dissimuler l'émotion profonde qui lui montait au visage.

– Elle s'est réjouie de me revoir.

Il coula un regard à son père, le temps de voir une étincelle s'allumer dans ses yeux. Elle les éclaira, adoucit ses traits et fit rayonner son visage.

Si Luc attendait un moment avec une nostalgie aussi profonde que sa rencontre avec sa Bien-aimée, c'était bien celui-là : le jour où sa mère serait guérie et où tout le chagrin s'effacerait des yeux de son père.

– Béatrice ? questionna ce dernier dans la nuit, tandis qu'une esquisse de sourire faisait frémir ses lèvres. Est-ce possible ? Se peut-il que ma Béatrice m'ait été rendue ?

Édouard s'agenouilla alors devant son beau-frère d'un mouvement rapide et saisit les bras du *seigneur* de telle manière que Paul fut contraint de le regarder en face.

– Paul, déclara-t-il, loin de moi l'idée de ternir votre joie, mais je pense qu'il s'agit d'une ruse de l'Ennemi.

Paul se recroquevilla, complètement révolté par cette idée.

– Une *ruse* ? Dans quel but ? Briser le cœur d'un vieil homme ?

– Faire du mal à votre fils.

– J'étais seul avec Maman, lui opposa Luc, courroucé de la cruauté subite manifestée par son oncle. Nous nous sommes étreints, nous avons parlé, elle n'a pas levé le petit doigt contre moi. Ce qui l'inquiétait, c'était que mal fût fait à ma *Bien-aimée*. Elle… – Sybille – elle vient ici, mon oncle. Et elle va courir un grave péril. Si je n'interviens point, elle mourra. Pour quelle raison l'Ennemi me préviendrait-il de ce danger ?

Édouard pivota vers lui.

– Pour te jeter dans la gueule du loup, répliqua-t-il, s'efforçant de retenir sa fureur.

Luc se leva.

– J'étais dans la gueule du loup, permettez-moi de vous le dire : seul, face à face avec ma mère. Si l'Ennemi avait voulu me blesser…

– De plus, je te l'ai dit, j'ai Vu le danger sur le champ de bataille. Dis-nous donc que tu n'es venu ici qu'apporter cette nouvelle à ton père, que tu n'as point l'intention de te battre.

– Je resterai à ses côtés, mon oncle, tant que je ne les aurai pas raccompagnés sains et saufs, ma Bien-aimée et lui, jusqu'à notre château.

– Édouard ? interrogea alors Paul, dont la voix, les yeux et l'expression s'étaient assombris comme si quelqu'un avait éteint un feu intérieur, tout cela est-il vrai ?

Son beau-frère hocha gravement la tête, sans quitter Luc des yeux.

Paul se tourna alors vers son fils.

– Dans ce cas, il ne faut point que tu nous accompagnes. La Vision de ton oncle est juste, mon fils ; jamais Elle ne lui a fait défaut. À quoi bon nouvelles si heureuses à mes oreilles, à quoi bon l'honneur de combattre à tes côtés, si je sais que tu es en danger ? Il est possible (il tapota l'épaule de Luc pour le réconforter) que nous ayons effectivement retrouvé ta mère. Qui peut l'affirmer ? Mais nous devons également écouter Édouard.

– Vous ne pouvez m'empêcher de venir, insista Luc. Et lui non plus.

Cette réponse insolente fit dresser les sourcils de Paul. Ses traits prirent l'aspect glacial que Luc connaissait si bien dans sa jeunesse ; mais ce visage de pierre laissa vite entrevoir une incertitude. Il jeta un regard en biais à son beau-frère.

– C'est vrai, soupira l'oncle de Luc. Nous ne pouvons rien faire, hormis l'occire, et cela risque de s'avérer difficile. Il n'a que trop bien appris les leçons de Jacob.

Il s'approcha de Luc et s'adressa alors à lui avec une humilité sincère que le jeune homme ne lui connaissait pas.

– Peut-être n'ai-je pas été un maître à la hauteur. Peut-être n'ai-je pas assez insisté, Luc, sur la nécessité absolue de te détacher de ta mère.

– Mais si ! s'écria Luc avec une pointe d'amertume. Vous m'avez répété à d'innombrables reprises que je ne devais point l'aimer.

– Le terme *aimer* recouvre maintes choses, répondit Édouard. La compassion en est sa définition la plus noble ; l'attachement, la pire. Car l'attachement n'émane pas d'une soif d'aimer, mais d'un besoin de sécurité, chose si ténue en cette vie. Respecte ta mère, révère-la de s'être sacrifiée, aie de la compassion pour elle, mais comprends aussi, objectivement, qu'elle représente un danger pour toi, un chemin que l'Ennemi risque d'emprunter un jour pour te poursuivre.

Le visage maussade, Luc se détourna.

– Ton oncle parle avec grande sagesse. Je t'en supplie, pour mon bien, ne viens point, dit Paul.

– J'irai, pour celui de ma Bien-aimée, répliqua Luc.

Une journée fut nécessaire à la caravane composée par les armées des de la Rose et des Trencavel, qui se déplaçait lentement, pour rejoindre celle du roi Jean. La bête énorme qui continuait à grossir (nourrie par l'arrivée des *mesnies* d'autres maisons seigneuriales) poursuivit sa marche vers le nord, car des éclaireurs apportèrent la nouvelle que le Prince Noir avait traversé la Loire pour établir la jonction avec les forces du duc de Lancastre qui venaient de Bretagne.

Luc chevauchait aux côtés de son père, qui lui avait obtenu de sa *mesnie* une armure convenable. Édouard, pour sa part, restait par volonté auprès de ses propres chevaliers, attitude tout à fait inhabituelle de sa part. Il se gardait même de se joindre à son beau-frère et à son neveu pour les repas. Luc en était blessé, non pour lui-même, car il pensait qu'à leur retour de guerre Édouard verrait de ses yeux que sa jumelle avait recouvré la santé et qu'il s'en voudrait d'avoir évité ses parents, mais pour son père qui ne parvenait pas à dissimuler la peine qu'il éprouvait, même s'il n'y faisait jamais allusion et s'il affectait une fausse gaieté lors des longues conversations qu'ils partageaient au fil de leur chevauchée.

Le troisième jour, alors que l'armée faisait halte pour le repas de midi, leur parvint la nouvelle : le prince anglais avait retraversé la Loire et se dirigeait sur Poitiers. Le contingent du Prince Noir était inférieur pour moitié en nombre à celui du roi Jean, ses hommes épuisés après des mois d'incursions dans la campagne. Une victoire française était donc assurée.

Sus sur Poitiers ! Le hurlement enivrant se propagea dans l'immense campement jusqu'à faire trembler le sol sous les pieds de Luc. Sa puissance était telle qu'il sentit ses dents s'entrechoquer et son crâne vibrer et qu'il joignit sa voix aux autres : Sus sur Poitiers !

Car c'était là-bas, son cœur le lui disait, qu'il rencontrerait enfin sa Bien-aimée.

Deux jours durant, après l'arrivée des armées à Poitiers, les chefs français et anglais, titillés par les légats du pape, firent de tièdes efforts pour parvenir à une trêve, mais, au bout du compte, aucun des camps ne céda. Le destin de la France était en jeu.

Le troisième jour était un dimanche dont aucun des adversaires ne voulut violer le caractère sacré en versant le sang.

L'agitation de Luc grandissait d'heure en heure, car il savait que chacune d'elles le rapprochait de Sybille. Il priait, afin de la voir apparaître avant le début de la bataille et l'apogée du danger.

Le quatrième jour avant l'aube, il se retrouva néanmoins revêtu de pied en cap de sa cuirasse de combat, à cheval sur Lune, elle aussi harnachée d'un casque orné de plumes écarlates enroulées sur elles-mêmes, frémissante entre ses cuisses. À leurs côtés, Paul de la Rose arborait une armure rutilante et une chasuble aussi blanche que la neige vierge.

Ils étaient seuls, face à une prairie plongée dans la brume et aux Anglais invisibles. En position de fer de lance, ils avaient derrière eux quatre porte-étendards, suivis de huit chevaliers de la *mesnie* de Paul de la Rose. Paul s'était porté volontaire pour mener l'attaque, et Luc ne concevait point de se trouver ailleurs qu'à ses côtés. Ils se taisaient, à cause de l'atmosphère tendue, mais aussi parce que leurs casques étouffaient les bruits, si bien qu'ils ne pouvaient s'entendre s'ils se contentaient de chuchoter ou de se parler à voix basse.

Luc n'avait jamais participé à une bataille sans être précédé par un bataillon de soldats. Il se sentit atrocement vulnérable mais parvint à se reprendre rapidement. Il ne lui fallait point oublier qu'il avait prudemment tracé des cercles de protection autour de son père et de sa propre personne, tout en consacrant également une partie de sa concentration à protéger l'image de sa Bien-aimée. Édouard s'inquiétait peut-être de

319

voir ainsi compromise une partie de la sécurité de son neveu, mais le jeune chevalier avait suffisamment confiance en ses capacités de magicien.

Dans son dos, la sonnerie aiguë des trompettes : le signal de la charge. À coté de lui, le grand guerrier Paul de la Rose poussa un rugissement et souleva sa longue épée de sa dextre ; son bouclier et ses rênes serrés dans sa senestre, il intima à son étalon jais au pelage luisant d'avancer.

Les deux cents chevaliers composant le fer de lance lui répondirent par un rugissement assourdissant. La charge venant d'être lancée dans les tourbillons de brume qui mouillaient son visage, le cœur de Luc se mit à cogner aussi frénétiquement que les sabots de son cheval tambourinaient la terre. Peu à peu, la cacophonie se fondit en une seule expression intelligible :

Pour Dieu et pour la France !

À deux bras de distance, Paul de la Rose, le glaive toujours levé, hurla :

– Pour dame Béatrice !

– Pour dame Béatrice ! répéta Luc.

Il brandit également son épée, à l'instant où des silhouettes surgissaient du brouillard dans sa direction, marée noire qui s'écoulait entre lui et son père et les éloignait l'un de l'autre. La suite des chevaliers composant le fer de lance surgit autour d'eux et eut vite fait d'engouffrer les fantassins anglais, en nombre moins important.

Grimaçant, Luc abattit la lame luisante et tranchante de son épée sur le cou et les épaules d'un roturier au visage sale et aux vêtements en lambeaux, avec le sentiment d'accomplir un geste injuste. L'ennemi s'était manifestement dit que les Français mèneraient le combat comme à l'ordinaire, qu'ils enverraient en avant poste leur piétaille composée de roturiers, les sacrifiant avant de faire entrer les guerriers montés, plus nobles, dans la bataille…

Il prononça une prière pour le soldat anglais qui poussait un hurlement de douleur et s'effondrait à genoux, tandis qu'autour de lui ses compagnons hurlaient gaiement : « Victoire ! La victoire est à nous ! »

Au beau milieu de cette liesse, la folie descendit sur eux comme un essaim de sauterelles. Du ciel tombèrent les flèches, d'une rapidité si mortelle, d'une telle noirceur et d'un appétit si dévorant que les Français qui criaient « Victoire ! » prononcèrent la première syllabe du mot sourire aux lèvres et expirèrent sur la seconde.

Du coin de l'œil, Luc voyait le sang jaillir, il entendait les cris et les râles d'agonie des chevaliers et de leurs destriers, la vibration mélodieuse des piquets de bois qui s'enfonçaient dans la chair, mais il ne pouvait s'autoriser aucune peur. Il ne voyait plus son père, mais en pensée, il continuait à protéger son image et avait la conviction que Paul était en sécurité. Lui-même était protégé : les flèches passaient en sifflant au ras de son casque, de son corps, de la croupe sans protection de son destrier, et allaient se ficher dans le sol ou le corps d'un malheureux infortuné derrière lui, soldat français ou bien anglais qui se serait placé sur le chemin de l'objectif d'un archer de son propre camp.

Il fallut moins d'une heure au jeune chevalier, qui continuait à ferrailler sans parvenir à percer la ligne des roturiers anglais qui ne cessaient de se déverser, pour prendre conscience qu'il se trouvait au milieu d'un champ de morts, victimes de la *longbow* : il y avait tant de corps français gisant sur le terrain ravagé, hommes et animaux confondus, que les Anglais eux-mêmes trébuchaient dans leur tentative d'avancer. Malgré tout, il ne s'autorisa pas un instant à douter que Paul était en sécurité ; s'il s'était abandonné à ses craintes, il aurait mis en danger son père qui combattait non loin de lui.

Un hurlement frénétique s'éleva soudain en français alentour : « Retraite ! Retraite ! Ils nous exterminent tous ! » Luc sentit, davantage qu'il ne le vit, le repli d'une centaine d'hommes, d'un millier d'hommes qui fuyaient derrière lui pour regagner la cité fortifiée. Lui ne bougea point, décidé à rester tant qu'il n'aurait pas reçu du roi ou de son père l'ordre de battre en retraite. Il était impossible qu'ils acceptassent la défaite : le Prince Noir disposait d'un contingent d'hommes inférieur de plus de moitié. Comment ses concitoyens pouvaient-ils permettre à leur roi de se couvrir ainsi de honte ?

Dans son cœur, il savait que son père résistait encore comme lui.

Luc combattit des heures, jusque bien après le milieu de la journée. Le soleil avait effacé toute trace de brouillard et tellement brûlé son armure qu'à l'intérieur ses vêtements étaient trempés par la transpiration. Lune trébuchait… tant à cause de la soif que de l'état du sol, tellement jonché de cadavres qu'elle ne pouvait se frayer un chemin qu'en les piétinant de ses sabots. Luc mit pied à terre pour soulager sa jument et la laissa s'éloigner. Lune se dirigea de suite vers la cité et la prairie dans laquelle paissaient d'autres chevaux sans cavalier.

Il continua à pied, malgré les difficultés qu'il rencontrait pour garder l'équilibre. Tâche tout aussi ardue pour les Anglais qui, disposant d'armes et d'armures pour le corps-à-corps beaucoup moins efficaces, comptaient manifestement sur leurs *longbows* pour garder l'avantage.

Luc se retrouva presque sur-le-champ en train de batailler, car un grand fantassin au visage pâle et aux vêtements sales s'avança d'un pas chancelant vers lui, sa hache rouillée brandie au-dessus de son casque bosselé. D'un geste instinctif – on n'a point le temps de la réflexion dans la bataille –, Luc souleva son épée pour résister au coup. La gerbe d'étincelles lui fit cligner les yeux…

… De derrière lui s'éleva un cri, lent et sourd. Beaucoup trop lent, beaucoup trop sourd pour qu'il puisse l'entendre par-dessus le fracas du métal, les hurlements de victoire et les cris des mourants, et pourtant il l'entendit. Un bruit qui sortait manifestement d'une gorge de femme, étrangement familier, qui le contraignit à tourner la tête.

Si elle meurt, je mourrai aussi…

Aucun rêve, aucun enchantement n'était capable de rivaliser avec cette nouvelle apparition, en chair et en os : elle n'était plus une enfant aux longues nattes, mais une femme voilée, agenouillée, dont le visage en forme de cœur représentait à ses yeux l'essence même de la beauté. Il avait devant lui le visage de la Déesse en personne, la figure sur laquelle il attendait depuis des années de poser les yeux.

En ce bref instant sacrificiel – si court qu'il n'eut même pas le temps de prononcer un mot – il la connut. Il la connut, comprit le danger qu'il courait, et amenuisa avec bonheur le cercle doré dont il se protégeait pour en créer un autour d'elle, afin de l'empêcher de succomber.

Son geste fut suivi par la morsure de la hache. Une sensation primaire insupportable, barbare, fendant à la fois son corps et son esprit pour ne laisser la place qu'à la douleur. Puis un froid subit éteignit cette douleur, annihilant en réalité toutes les sensations de son corps. Il flottait, libre et heureux, les yeux fixés sur le ciel azur lumineux. Un essaim d'oiseaux noirs le survola – ou s'agissait-il de sa vision qui s'obscurcissait ? Ou, pire encore, d'une volée de flèches anglaises ?

Ce spectacle lui fut alors caché par un visage serein de madone, radieux, exprimant la béatitude. En proie à un bonheur fou, il songea : *Je l'ai vue, à présent je puis mourir.*

Les ténèbres.

Puis une chaleur, émanant du centre de son cœur – sa main qui le touchait, vivante, vibrante, qui *bougeait* de l'intérieur de sa poitrine vers ses os, puis en sens inverse, vers sa chair…

Lorsqu'il se réveilla, il était vivant et il ne souffrait plus. Il n'avait même pas de courbatures aux bras et aux épaules, malgré toutes les longues heures durant lesquelles il avait manié sa lourde épée. Ses pensées, sa vision étaient d'une clarté exceptionnelle : cette femme, Sybille, n'était point un rêve.

Alors qu'il s'asseyait et découvrait son casque et son plastron de cuirasse fendus posés près de sa hache ensanglantée, il l'aperçut elle aussi brièvement, menue silhouette noire dans le lointain, séparée de lui par une nouvelle houle de soldats anglais. Elle s'éloignait sur le cheval d'oncle Édouard qui la tenait à califourchon devant lui. Malgré le soulagement qu'il éprouvait de la voir quitter le champ de bataille encore en vie, Luc ne put s'empêcher de hurler :

– Sybille ! Sybille !

Ses appels furent étouffés par les cris de guerre et les armes qui s'entrechoquaient, d'autres Français s'avançant à la rencontre de leur ennemi, mais il n'avait point fait un si long voyage pour accepter d'être de nouveau séparé d'elle. Il embrassa les lieux du regard, à la recherche désespérée d'une monture, car il lui revenait en mémoire qu'il avait libéré Lune. Il roula de côté et s'agenouilla au prix d'un effort pénible. Un cheval, le flanc percé d'une flèche, gisait près de lui ; il s'accrocha au cadavre et lentement, sans grâce, il parvint à se remettre debout, bien que ses mouvements fussent entravés par les pièces de son armure qu'il portait encore.

Le destrier d'Édouard avait déjà disparu au milieu de la masse mouvante de métal et de chair. Luc n'avait nul espoir de le suivre, ni de voir par des moyens naturels quelle direction il avait prise. Depuis toujours, il se reposait sur la Vision de son oncle pour le guider en de telles circonstances.

Dans sa tête, il entendit néanmoins la voix de sa Bien-aimée, faible mais reconnaissable, lui chuchoter :

Je te reverrai à Carcassonne...

Tandis que ce message résonnait dans sa tête, un éclair de lucidité sinistre le traversa.

Il s'était évanoui. En fait, il était *mort*. Édouard avait dit vrai. Sa magie à lui, Luc, n'avait point été assez forte pour le protéger, ce qui signifiait qu'elle n'avait pas dû suffire non plus à protéger son père...

Luc tenta de courir, empêtré par le poids des restes de son armure, trébuchant sur le terrain accidenté que lui offrait la prairie jonchée de tas de cadavres et encombrée par la ruée des soldats qui entraient en collision les uns avec les autres. Il ne possédait point la Vision. Juste un instinct de soldat et un cœur filial qui suffirent à le guider, au bout d'un moment, vers un terrain marécageux qui séparait les tranchées anglaises du champ de bataille. Au-delà, derrière d'anciens vignobles, derrière des fourrés et le flanc protecteur d'une colline, il aperçut les palissades de bois et de terre érigées en hâte pour protéger les archers anglais.

Non loin de là, à moitié embourbé dans le marécage, gisait de profil Paul de la Rose, le *seigneur* de Toulouse. Il brandissait encore son bouclier pour se protéger et son épée prête à frapper. Il était impossible de dire s'il avait été projeté à bas de son grand étalon noir ou s'il avait décidé de combattre l'ennemi à pied. Il n'était entouré d'aucun autre cadavre, car lui seul avait eu le courage de pénétrer si loin en territoire anglais, s'exposant à sa perte.

Il s'était tellement approché de la palissade qu'une volée entière de flèches s'était fichée dans le plastron de son armure. Elles s'étaient si profondément enfoncées dans le métal et la chair que leurs pointes ressortaient à l'arrière de sa chasuble en lambeaux.

Luc poussa un cri et se laissa tomber à genoux près de son père. Il lui ôta lentement son casque. Les cheveux de l'aîné des de la Rose étaient humides, son visage encore luisant de sueur ; de ses yeux grands ouverts, encadrés par leurs sourcils noirs encore froncés, n'émanait ni peur ni haine, juste une détermination sans faille.

Pour dame Béatrice...

Luc, avec une force indicible, arracha une à une les flèches du corps de son père. Il se coupa les paumes, les entailla profondément, jusqu'à parvenir enfin à soulever le plastron pesant. En dessous, la poitrine du vieillard – large ovale de la clavicule au nombril – n'était plus qu'une profonde flaque de sang coagulé.

Entre deux sanglots, Luc prit une profonde inspiration et tenta de rassembler la chaleur rayonnante qu'il était parvenu à faire surgir des années auparavant, lorsque, petit garçon, il avait rampé sur le lit de son père et posé les mains sur la cuisse dure et boursouflée de Paul de la Rose.

Il enfonça les mains dans le sang épais et gluant qui s'était amassé sur la poitrine du chevalier et il pencha la tête. Il attendit, il attendit la chaleur, la paix, la timide vibration. Sans résultat. Il avait guéri Paul de la Rose une fois. Au fil des années, ses dons s'étaient affûtés. Pour quelle raison Dieu, la Déesse, le pouvoir divin de Kether l'abandonnaient-ils à présent ?

Levant le visage vers le ciel, Luc vociféra sa rage : ni contre les Anglais, ni contre lui-même, mais contre son incapacité à protéger son père, contre le destin cruel qui avait décrété que les amants Paul et Béatrice, séparés de si longues années durant, ne se reverraient point de leur vivant.

Il arracha la longue épée du poing étroitement serré de son père. La brandissant frénétiquement, il plongea en hurlant au cœur de la bataille, sans être protégé davantage par un casque, un bouclier qu'un plastron.

Il aurait bien été incapable de dire combien de sang il versa et combien de temps il combattit, car le chagrin dérobe le présent et ne laisse que le passé. Mais, avant le coucher du soleil, la plus grande partie du dernier bataillon, y compris les nobles de plus haut rang, avait été massacrée ou faite prisonnière. Le roi Jean, vaincu, avait remis son gant à l'ennemi en un geste poignant.

Luc – épargné de façon miraculeuse, alors que son cœur souffrait d'une double douleur – abaissa le glaive de Paul de la Rose et retourna près du cadavre de son père, le long duquel il s'allongea.

Il passa là la nuit, feignant lui-même la mort lorsque s'approchèrent des soldats anglais à la recherche de survivants ; à l'aube, ne restaient plus dans le champ déserté que des cadavres, abandonnés aux corbeaux affamés. Les Anglais s'étaient emparés des chariots dorés et des magnifiques étalons du *seigneur* de la Rose, mais Luc parvint à dénicher une jument solide et une charrette branlante. Au prix de grandes difficultés et de muscles froissés, il réussit à hisser le corps de son père à bord de l'attelage. Seule la profondeur de son désespoir lui permit de parvenir à ses fins.

Tout en éprouvant une envie désespérée de quitter le champ de bataille pour se lancer sur les traces de Sybille, il ignorait dans quelle direction elle s'en était allée, et son sens du devoir et son amour filial prirent le pas sur son chagrin. De plus, comment aurait-il pu refuser à Paul de la Rose le droit d'être enseveli sur ses terres ?

La chevauchée de retour s'accomplit dans une brume douloureuse. À la pensée de la tâche qui l'attendait, il éprouvait une inquiétude insoutenable, suivie de plages d'engourdissement complet de toutes ses émotions ou d'une lourdeur glaciale qui s'emparait de son corps et rendait le moindre de ses mouvements pratiquement impossible.

Rien ne devait néanmoins surpasser en difficultés le moment où, après être arrivé à bon port et avoir remis le corps de Paul de la Rose à

325

ses serviteurs, il lui fallut franchir le seuil de la porte de la chambre de sa mère. Dame Béatrice se tourna vers lui.

Un rideau de larmes qui s'écoulaient sans retenue sur ses joues pâles et luisantes voilait ses grands yeux bleu-vert. Sans lui laisser le temps d'ouvrir la bouche, elle adressa à son fils un sourire frémissant et lui déclara d'une voix éraillée :

– Je sais qu'il est mort avec honneur, mon nom sur les lèvres. Je sais également comment tu l'as protégé jusqu'à ta propre mort. Que ton cœur n'éprouve aucune honte, mon fils, car tu as agi avec bravoure et sincérité.

« Me reviennent le devoir et le privilège de m'occuper du corps de ton père. Reste près de moi, Luc. Nous nous consolerons mutuellement. »

– Mère, murmura-t-il en pleurs.

Il se pencha pour l'enlacer étroitement et ils restèrent ainsi à verser des pleurs, joue humide contre joue humide.

– Mère, je suis venu vous rendre le corps de mon père. Mais je ne puis rester près de vous, je dois…

– *La* trouver.

Elle le serra davantage, avec tendresse mais en déployant également une mystérieuse énergie, et posa la paume sur son autre joue.

– Je comprends. Mais où donc s'en est-elle allée, mon fils ? Sais-tu où elle se trouve ?

– À Carcassonne, répondit-il sur-le-champ, se souvenant du message muet que lui avait transmis Sybille.

– Carcassonne, chuchota Béatrice, comme s'il s'agissait d'une révélation. Non, elle n'est point retournée là-bas ; des obstacles se sont dressés sur son chemin. Elle est perdue, elle court un danger, elle a besoin de ton aide…

Avant qu'il eût le temps de répondre, la chambre de sa mère disparut – il ne voyait plus ni son corps ni le sien – et se transforma en une dense forêt peuplée d'arbres centenaires aux lourdes frondaisons qui empêchaient presque le soleil d'y pénétrer. Il y faisait plus frais et plus sombre, elle était colorée par les verts des espèces persistantes et les premières flammes rutilantes des feuillages automnaux ; de loin en loin, le cri d'un corbeau perçait le silence.

Luc songea sur-le-champ aux contes que lui narrait jadis Nana, emplis de forêts enchantées où les sorciers vivaient dans les arbres et où des enfants perdus erraient des siècles durant sans jamais vieillir, où des fées cherchaient refuge en s'accroupissant derrière des champignons vénéneux. Forêts, lieux mystiques à ses yeux de petit garçon.

Au milieu des lianes et des branches enchevêtrées, une silhouette triste et solitaire, revêtue d'une cape, le visage caché derrière une capuche sombre, s'efforçait de se frayer un chemin sur un tapis pommelé de feuilles mortes et d'aiguilles. Une senteur de pin montait du sol à chacun de ses pas. Elle était petite et menue, ses mouvements féminins, gracieux et décidés.

– Sybille, murmura-t-il, autant à elle qu'à lui-même. Mère, où donc est-elle ?

Il voulut s'arracher à l'étreinte de Béatrice, mais elle le tenait fermement.

Pour la première fois, un soupçon de crainte, aussi délicat qu'un fil tissé par une araignée, s'insinua dans le cœur de Luc.

Il repoussa sa mère de toutes ses forces. Son visage s'empourpra, son front s'emperla de sueur, jusqu'au moment où les muscles de ses bras se mirent à trembler et, pour finir, à céder. Béatrice le tenait toujours cloué contre elle pour l'empêcher de bouger.

– Perdue, répondit-elle d'une voix affligée.

Cette voix sembla alors se distordre, devenir celle d'un homme.

– Perdue, répéta-t-elle. Égarée comme ta mère dans un monde de folie.

– Non, murmura sèchement Luc, tandis que l'affolement s'emparait de lui, car il craignait de se retrouver face à la vérité.

La crainte qu'il nourrissait depuis toujours en secret, au plus profond de son être, se réalisait donc : le jour où il trouverait sa B i e n - a i m é e , où ils seraient enfin réunis, il la rendrait folle… tout comme il avait rendu folle sa mère adorée.

L'espace d'un instant, il entrevit la sagesse d'oncle Édouard : en apprenant à maintenir ses émotions à distance de dame Béatrice, il acquerrait la stabilité nécessaire pour s'éloigner des craintes qu'il nourrissait en secret à l'égard de Sybille. « L'amour n'est pas l'attachement, lui avait dit Édouard un jour. Le véritable amour, c'est la compassion, qui ne débouche jamais sur le chagrin ; alors que l'attachement, qui émane de notre besoin de sécurité, est un piège. »

Luc comprit qu'il était tombé dans ce piège, que l'Ennemi avait jeté son filet sur lui et qu'il se débattait dans les rets de la terreur.

– Oh oui, mon chéri, chuchota Béatrice d'une voix de basse qui n'était plus qu'une parodie de voix féminine. Telle est la malédiction que tu fais tomber sur les femmes qui t'aiment. Aimerais-tu la voir telle qu'elle est à présent ? Voir ce que tu lui as fait ?

La silhouette drapée d'une cape se tourna vers eux et d'une voix basse, différente mais familière que Luc fut néanmoins douloureusement incapable de reconnaître, le titilla :

– Ne me reconnais-tu point, Luc ? Car, moi, je te connais, ainsi que ton père, ta mère, et la femme qui te harcèle dans tes rêves… Ton véritable Bien-aimé, c'est *moi*, je suis le seul à souhaiter te voir accomplir ton destin dans toute sa grandeur et son caractère sacré.

– Relâchez Sybille et ma mère, demanda Luc. Relâchez-les. Seul un pleutre peut choisir d'attaquer de façon si détournée. C'est sur moi que vous avez toujours eu des visées ; par conséquent, montrez-vous et affrontons-nous en combat singulier.

Tout en formulant cette demande, Luc avait conscience du grave péril qu'il encourait. Mais il n'osait point le fuir, pour le bien des deux femmes qu'il aimait.

Je peux au moins les sauver, à défaut de me sauver moi-même.

Il était prêt à risquer la mort, si cela lui permettait de sauver Sybille.

– C'est cela, Luc, sauve-la, se moqua l'Ennemi par les lèvres de Béatrice, et je te montrerai le visage d'un adversaire encore plus puissant, le visage que ta belle Sybille n'a point eu le courage de regarder en face.

Avec des gestes volontairement lents, la silhouette drapée d'une cape abaissa sa capuche sous laquelle apparut le visage large d'un homme portant une calotte rouge de cardinal. Fasciné, Luc vit ce visage se transformer, vaciller, miroiter comme de l'eau sur une pierre de gué et devenir celui d'un autre.

Lorsque cette mue se fut achevée, le jeune chevalier laissa échapper un cri d'horreur. Les mains de sa mère se refermèrent autour de sa gorge, le privant de toute faculté de penser et de toute volonté.

XIX

Michel revint à lui au milieu de la nuit. Il n'aurait pu dire, en toute honnêteté, qu'il se réveillait, car il n'avait pas vraiment dormi, mais regardé en état de conscience se dérouler sous ses yeux la vie de Luc de la Rose. Cependant, comme au cours des deux journées précédentes, il n'avait pas davantage perdu sa foi en Dieu que son intégrité, si bien qu'il avait moins l'impression d'être un homme ensorcelé qu'un homme doué de la Vision.

Cette Vision terminée, il éprouva, comme Luc, une soif désespérée de rejoindre cette femme, Sybille. Dans l'obscurité, il remplit la lampe à huile à moitié vide et l'emporta avec lui.

Au passage, il jeta un coup d'œil au père Charles. Le prêtre gisait toujours immobile, le visage cireux et la respiration rauque.

Le cœur lourd, Michel se hâta de sortir du monastère dans les rues désertes et froides et de se rendre à la prison.

Il ne put y pénétrer sans verser un important pot-de-vin. La sentinelle, un individu au visage revêche affublé d'un nez cassé qui partait dangereusement de guingois, était en effet persuadée que le moine voulait profiter de cette heure tardive pour abuser de la prisonnière. Michel accepta donc sans le moindre regret de lui verser une livre d'or le lendemain. Sinon, il se verrait dénoncer auprès du geôlier.

Il lui suffit d'entrer dans le cachot de l'abbesse pour constater qu'elle ne dormait pas. Elle veillait au contraire, comme si elle attendait sa visite. Sa fragilité, les traces de coups qu'elle portait, sa lassitude lui inspirèrent une bouffée d'amour et d'admiration d'une telle violence qu'il faillit se laisser emporter, s'agenouiller devant elle et lui baiser la main. Comment un récit comportant tant de respect, tant de beauté, pouvait-il être un tissu de mensonges ?

Michel ne voulait cependant pas la dérouter en lui déclarant ses sentiments. De plus, il n'en avait guère le temps, puisque Chrétien était attendu au matin. Il s'assit donc et, pressé par l'habitude, sortit sa tablette de cire et son style de son baluchon.

— Vous l'avez *véritablement* guéri sur le champ de bataille, déclara-t-il sur-le-champ. En avez-vous eu conscience ?

L'abbesse le regarda sans répondre.

— Luc, lui souffla-t-il. Vous l'avez guéri à Poitiers. Il est rentré auprès de sa mère que son Ennemi utilisait aux fins de le tuer. Je sais à présent, de par votre récit *et* de par mes rêves, les circonstances exactes de sa mort. Pourtant, je ne comprends toujours pas pourquoi le fait de connaître cette histoire et sa fin revêt une importance telle que vous avez jugé bon de m'envoyer ces rêves.

— C'est parce que vous ne connaissez point encore toute la vérité, répondit-elle. Et il vous *faut* la connaître, comme il l'a connue, lui.

— J'avoue que ce qu'il reste à connaître m'échappe. En revanche, je *sais* qu'il me faut entendre au plus vite la fin de *votre* histoire, répliqua Michel. Vous savez parfaitement pourquoi je suis ici, ma mère ; si nous ne mettons pas à profit cette nuit, le temps nous manquera. Chrétien, qu'il soit ou non mon père, ne se contentera pas de distrayants récits d'aventures hérétiques. Il voudra entendre votre confession en son entier, et vous ne m'avez point encore parlé d'Avignon. C'est là-bas, à mon avis, que nous trouverons les arguments les plus convaincants plaidant en faveur de votre innocence.

— Vous ne croyez donc toujours pas vraiment ? interrogea-t-elle, avant d'expirer un profond soupir et de reprendre son récit.

CINQUIÈME PARTIE

SYBILLE

Avignon

Octobre 1357

XX

C'est Édouard qui, ayant miraculeusement retrouvé son coursier, m'a hissée dessus. Mes jambes écrasées, avec des plaies ouvertes, étaient ensanglantées. Je ne le sais que parce qu'il me l'a raconté. Ma douleur était par trop intolérable et j'étais retombée en une agitation mortelle si éloignée de la présence de la Déesse que je ne pouvais plus qu'appeler Luc à corps et à cris. Je me souviens que, la joue pressée contre la robe humide de sueur de l'étalon, je me suis débattue afin de me libérer et de retourner vers mon Bien-aimé. Mais Édouard me tenait fermement.

Le fracas du métal : encore, encore et toujours, si proche de mes oreilles que mes dents claquaient. J'ai eu l'impression qu'il durait des heures, tandis que, dans mon martyre brumeux, je tentais de voir Luc ou tout au moins de sentir sa présence, afin de savoir si j'avais réussi à le ressusciter.

Rien. Rien. J'ignorais s'il vivait encore ou s'il était trépassé.

J'ai fini par m'évanouir de douleur (n'est-il point amusant que je sois incapable de me guérir moi-même ?). À mon réveil, j'ai découvert que j'étais allongée sur un lit dans une hostellerie située loin de Poitiers. Édouard et Géraldine se tenaient à mon chevet.

J'ai adressé un sourire à Géraldine, car j'étais sincèrement heureuse de sa présence. Mais son visage, d'ordinaire empreint de tendresse, était tendu. Une telle fureur, un tel chagrin, une déception si profonde à mon égard émanaient de ses yeux que mon sourire s'est effacé et que j'ai poussé un petit cri d'affolement.

Car lorsque j'ai redirigé ma Vision vers mon Bien-aimé, que j'ai de nouveau fait des efforts pour sentir en quel lieu il se trouvait et dans quel état, j'ai senti…

Rien. *Presque* rien. Auparavant, je le voyais nettement, comme éclairé par une flamme vacillante, mais là, je n'ai perçu que les dernières volutes de fumée de la mèche mourante. *Le fantôme de son esprit*, ai-je songé, et j'ai versé des larmes amères.

– Vous pouvez pleurer, m'a déclaré Géraldine d'une voix sans pitié. Vous pouvez pleurer car l'esprit de Luc est prisonnier de l'Ennemi, et vous seule êtes désormais capable de le libérer. Pleurez, et jurez sur la Déesse que vous n'affronterez plus jamais directement l'Ennemi tant que vous n'aurez pas regardé en face votre peur ultime. Car c'est alors seulement qu'il vous sera possible de libérer votre Bien-aimé d'un malheur éternel.

J'ai pensé à ce dévoreur d'âmes craintives, pensé à tous ceux ayant péri dans les flammes qu'il avait consumés de manière à accroître son pouvoir. Mes larmes se sont taries et j'ai prêté serment.

Plus jamais je n'autoriserais l'Ennemi à s'emparer de l'esprit de mon Bien-aimé ou de sa magie.

Je suis alors retournée au couvent, où Géraldine et Marie-Magdeleine ont veillé sur moi, des mois durant. J'étais souvent proche de sombrer dans le chagrin, la défaite, ainsi que dans le sentiment de culpabilité que m'inspirait le fait d'avoir écouté mon cœur et non la Déesse. Ma sottise, mon orgueil démesuré avaient tout coûté à mon Bien-aimé. Mais j'ai écarté l'auto-apitoiement. Il ne me restait plus qu'une tâche à accomplir : libérer son esprit, le sortir des fers de l'Ennemi.

Sous la direction de Géraldine, j'ai œuvré durant toute cette époque pour recouvrer ma Vision. Malgré mes tentatives réitérées, je ne suis néanmoins point parvenue à voir Luc. Au mieux, je continuais à ne percevoir que le fantôme le plus évanescent de sa présence, comparable aux fumerolles d'un brasier éteint. De l'Ennemi, rien du tout.

Pendant des mois, je n'ai su me déplacer sans soutien. Mais j'ai beaucoup voyagé en pensée, car j'envoyais ma Vision de par le monde : *Luc de la Rose, où donc vous en êtes-vous allé ? Amis templiers… l'un de vous a-t-il aperçu Luc de la Rose, dans cette vie ou dans l'autre ?*

Aucun ne l'avait vu. Édouard lui-même, qui s'était réfugié entre nos murs sous le déguisement d'un frère laïc, ne parvenait à sentir aucune trace de son neveu auquel il était si étroitement lié.

– Il est mort, disait-il en pleurs. J'aurais peut-être dû rester à ses côtés, j'aurais dû…

Puis le bon sens lui revenait, et il se souvenait que s'il ne s'était point porté à mon secours, je serais bel et bien morte.

Le temps a passé. Nombreux sont les rites magiques auxquels j'ai fait appel, dans le ventre du couvent, lors de Cercles que j'ai formés avec mes sœurs et Édouard. Tous ont échoué. J'avais le sentiment que l'âme de mon Bien-aimé avait été entièrement consumée.

En même temps, au cours des Cercles, je me suis aguerrie à affronter l'Ennemi à venir, ce néant absolu que j'avais entraperçu au cours de mon premier Cercle avec Noni, puis lorsque Jacob m'avait initiée. Chaque fois que son image commençait à se former, je hurlais de terreur et je ne Voyais plus rien.

Je savais néanmoins qu'il m'attendait hors du Cercle sécurisant.

Je n'ai nulle excuse pour une telle couardise.

J'avais déjà passé plus d'une année à chercher, à espérer et à ruminer mon échec. Un après-midi où je me reposais au soleil après avoir travaillé dans le jardin du couvent, un jour où l'air, malgré une certaine fraîcheur annonciatrice de l'automne, restait doux, j'ai fermé les yeux et levé le visage vers le ciel.

Après cet exercice du corps auquel je pouvais désormais m'astreindre, car je m'étais assez remise pour être capable de marcher et de travailler normalement, la chaleur prodiguée par le soleil m'a détendue et un calme profond m'a envahie. Une sérénité qui m'avait échappée au cours des mois où je cherchais désespérément Luc.

Là, dans ce potager d'où montait une odeur de terre fraîche et fertile, embelli par les rames de petits pois et les feuilles vertes déployées des poireaux, il m'a enfin été donné de Voir que l'âme captive de mon Bien-aimé oscillait entre le bien et le mal. Cette époque était celle de sa crise, celle où il avait le plus besoin de sa compagne, où son essence même serait dévorée par l'Ennemi.

Ma Vision était néanmoins limitée : j'étais incapable de le trouver, de le secourir.

Une humilité absolue m'a alors submergée. Je me suis souvenue de mon erreur et j'ai prié la Déesse :

Je m'abandonne. Je Vous abandonne mon chagrin, ma peur et mon espoir ; je Vous abandonne mon cœur, je m'abandonne à Vous. J'abandonne même la quête de mon Bien-aimé, jusqu'au moment où Vous jugerez bon de m'éclairer ; j'abandonne ma terreur de l'Ennemi futur. Quel que soit le destin que j'ai cru être le mien, je le remets entre Vos mains.

J'ai incliné la tête en signe de soumission. Je l'ai dissimulée au soleil, dont la chaleur a néanmoins persisté sur mes joues. Cette chaleur s'est même propagée en moi, comme si la Déesse me prenait dans ses bras. J'ai été emplie d'une compassion d'une telle profondeur qu'il ne me restait plus aucune place pour une autre émotion.

Dans cet état de béatitude absolue, d'abandon et d'acceptation, je suis revenue à l'heure de mon initiation, à ce jour où, Jacob à mes côtés, nous avions regardé un globe sombre tourbillonnant, empli des visages des membres de la Race qui avaient rejeté leur héritage. Tapie à l'intérieur de ce globe m'attendait l'horreur que j'avais perçue à l'extérieur de mon premier Cercle avec Noni : le vide de tous les vides, la négation de la négation, la somme de tous les désespoirs.

De nouveau, j'ai entendu la belle voix grave de Jacob : « Ils craignent ce qu'ils sont. La tragédie, ma Dame, c'est que la plupart d'entre eux cherchent à faire le bien. Mais lorsqu'elle est teintée de peur, une force aussi puissante que l'amour lui-même ne peut déboucher que sur le mal. »

Ces paroles m'apparaissaient à présent lumineuses, car mon amour inquiet n'avait apporté que le mal à mon Luc.

Il était près de moi au jardin, Jacob, tout comme il l'avait été si longtemps auparavant, la nuit de mon initiation. J'ai senti son amour, le soutien qu'il m'accordait lorsque ensemble nous avons regardé en arrière ce néant menaçant et tourbillonnant...

Qui s'est subitement vidé.

J'ai failli laisser la terreur me submerger, comme en chacune des occasions où j'arrivais au bord de cette confrontation. Mais, cette fois, j'ai permis à mon cœur de s'appuyer sur la compassion de la Déesse ; cette fois, j'ai puisé dans Sa force, dans celle de Jacob, dans la mienne, et j'ai regardé fixement ce vide au milieu duquel une image a commencé à se matérialiser.

Il ne s'agissait que de celle d'un homme, dont le visage restait caché par la capuche de son ample habit. Il a levé les bras, et ses larges manches sont retombées en arrière, dénudant des avant-bras pâles mais solidement musclés. Puis il a lentement abaissé sa capuche.

Ses traits étaient plongés dans l'obscurité. Au fur et à mesure que la capuche retombait en arrière, cette ombre s'est levée comme un voile. Un menton carré est d'abord apparu, des lèvres fermes, des joues solides, des yeux clairs. C'était un bel homme, à l'expression directe dénuée de toute fourberie, que cet Ennemi à venir. Mais son maintien, son regard traduisaient un pouvoir sublimé. Bientôt, très bientôt, il deviendrait plus puissant que tous ceux de la Race, moi y compris.

Bientôt, il remplacerait mon vieil Ennemi et mettrait un terme à notre espèce. Car lui aussi était des nôtres, il possédait certains des pouvoirs les plus terrifiants de la Race. Il dévorerait le pouvoir que l'Ennemi précédent avait accumulé en vampirisant toutes les âmes qu'il avait dérobées et il l'ajouterait à ses propres facultés innées.

Ainsi, il deviendrait l'Ennemi le plus redoutable que la Race ait jamais connu au fil des générations, depuis qu'elle existait.

Il s'agissait là du danger que j'avais Vu, jeune fille, tant d'années auparavant : cet homme enverrait les brasiers infernaux pour nous anéantir tous. Mon destin avait toujours consisté à l'en empêcher à tout prix ; mon destin, à l'affronter directement. Il ne constituait point une menace. Pas encore, pas encore ; mais bientôt…

Le Voyant ainsi, je ne me suis autorisée ni crainte, ni culpabilité, ni agitation. Juste de la compassion, de la sérénité et le sens de mon destin.

Subitement, ma Vision s'est déchirée comme un voile et, pour la première fois depuis un an, j'ai Vu nettement celui que je cherchais désespérément : un jeune homme au bord du précipice dont l'âme était l'esclave de ce nouvel Ennemi, qui allait bientôt, trop bientôt, être entièrement consumée, à moins que je ne me porte à son secours.

Une horreur indicible s'est emparée de moi ; et en même temps un soulagement, une exaltation et un amour débordant.

– *Il est vivant !* ai-je chuchoté, mais seule la Déesse m'a entendue.

Il est vivant. Il vit à Avignon, le Seigneur de la Race, mon Bien-aimé, Luc de la Rose.

Vivant, à Avignon, repaire de l'ancien et du nouvel Ennemi, où nous attendait notre destin commun. Il y était retenu prisonnier entre leurs griffes, démuni de ses pouvoirs, l'esprit asservi.

Alors que je m'étais rendue à Poitiers poussée par la peur que j'éprouvais pour mon Bien-aimé, je suis partie pour Avignon sur ordre de la Déesse.

Mon cœur était-il moins engagé ? Éprouvait-il de moins grands tourments à la pensée que mon Bien-aimé était sur le point de se laisser corrompre par l'Ennemi ? Grands dieux, non ! J'étais simplement contrainte d'agir par pure compassion, au lieu d'être mue par un amour craintif et égoïste.

Le pouvoir de l'Ennemi actuel était au pinacle, puisqu'il détenait le cœur du Seigneur de la Race. Cependant, à présent que j'avais affronté ma peur ultime, nous faisions jeu égal. Par moments, je parvenais à le sentir clairement ; à d'autres, non. Je savais néanmoins qu'il me fallait veiller à tout prix à rester en présence de la Déesse. Sinon, lui aussi serait capable de *me* sentir aussi.

J'ai chevauché seule, de jour comme de nuit, conférant à mon coursier une force et une vision surnaturelles. À mes templiers, je n'avais fait aucune confidence. Mais ceux qui percevaient les chuchotements de la Déesse et l'attraction du destin m'ont suivie, au cas où leur présence pouvait m'être utile.

De l'issue, je ne Voyais rien. Comme je viens de le dire, l'Ennemi et moi nous affrontions à armes égales, et je ne pouvais pas davantage présumer du vainqueur de ce combat que des choix de mon Bien-aimé. Luc et moi courions un grave péril, mais j'ai remis notre sort entre les mains de la Déesse, et je me suis dirigée au galop vers la ville sainte d'Avignon.

Que puis-je dire de la cité elle-même ? Le Ciel et l'Enfer, voilà ce qu'elle est. Je n'avais jamais emprunté ruelles plus étroites ni plus sales ; jamais vu tant de filles de joie, de brigands, de mendiants et de charlatans rassemblés en un seul lieu. (On raconte qu'Avignon abrite un si grand nombre de reliquaires contenant une boucle des cheveux de Madeleine qu'elle serait assez longue pour entourer le monde entier ; et de si nombreux doigts appartenant à saint Jean qu'il était sans nul doute un monstre affublé d'une dizaine de bras.)

Mais il ne m'avait également encore jamais été donné de poser les yeux sur une telle beauté, une telle grandeur et une telle richesse. On dit que l'on compte davantage d'hermines à Avignon que dans tout le reste du monde. Affirmation que je puis à présent confirmer. À mon arrivée, j'ai laissé la Déesse guider les pas de mon cheval vers la grande place qui s'étend devant le Palais des Papes, où j'ai pu observer un magnifique déploiement d'atours : nobles revêtus de leurs soies et brocarts canari, paon et cramoisi, gendarmes du pape aux uniformes aussi bleus que l'eau du Rhône, cardinaux coiffés de chapeaux carmins à larges bords et habillés de fourrures neigeuses.

Devant moi se dressait le Palais des Papes, cette magnifique cacophonie de pierres érigée sur un terre-plein qui domine les rives du fleuve. Entouré d'une enceinte massive derrière laquelle se dressaient des dizaines de flèches et de tours, l'édifice était aussi haut qu'une cathédrale et beaucoup plus vaste, comparable à dire vrai au domaine d'un roi, assez spacieux pour abriter des centaines d'hommes. Ses murailles donnaient sur cette vaste esplanade.

Comme s'il sentait le Mal qui résidait en ce lieu, mon coursier a frémi à l'approche du palais, et j'ai aperçu une tribune.

Destinée aux inquisiteurs, devant laquelle se dressait une berme pour les exécutions. M'est tout de suite revenu à la mémoire l'échafaud que j'avais observé tant d'années auparavant dans ma ville natale de Toulouse. Je suis redevenue la fillette à la longue natte allant sur ses cinq ans, debout dans le chariot avec ma Noni, Papa, Maman et nos voisins, Georges et Thérèse. La place de Toulouse était bien plus propre, moins imposante, et la foule qui s'y était rassemblée beaucoup moins nombreuse.

À Avignon, en effet, des rangées de gendarmes papaux arborant élégants couvre-chefs et tuniques assortis, accompagnés d'épées en fer, formaient une ligne continue autour de la tribune et de la berme. La tribune elle-même restait là en permanence. Il ne s'agissait point d'un échafaudage érigé en hâte mais d'une structure de bois soigneusement peinte et dorée, ornée d'enjolivures, de gargouilles et de visages de saints. Un auvent rayé jaune et rouge avait été déployé devant afin de protéger ceux qui y étaient assis, sur des tabourets rembourrés tendus de brocart cramoisi, de nuages sombres annonciateurs d'orage qui s'amoncelaient dans le ciel.

Je vous parle ici de la partie d'Avignon visible du public : une beauté décadente.

Beauté néanmoins accompagnée de la puanteur des égouts, la plus infâme odeur que j'ai jamais respirée, comme si, sous la couche rutilante de beaux atours et de couleurs, la ville elle-même pourrissait, tel un cadavre habillé de vêtements splendides en plein été.

Sur l'estrade de bois doré, confortablement installés sur les tabourets rembourrés, se tenaient trois hommes. *Deux corbeaux*, comme aurait dit ma Noni – des dominicains en habits noirs dont les capuches doublées de blanc étaient rejetées en arrière –, et *un paon*, un grand cardinal arborant une robe de soie d'un rouge éblouissant, dont l'encolure, les poignets et l'ourlet étaient bordés d'hermine blanche. Étant donné la gravité de sa mission, il avait abandonné son couvre-chef à larges bords pour une simple calotte.

Deux corbeaux et un paon. Le paon était l'Ennemi ; l'un des deux corbeaux, le plus beau et le plus jeune, le futur Ennemi.

Quant à moi, de même que l'enfant Sybille hissée sur la pointe des pieds dans le chariot, j'ai enfin contemplé mon Bien-aimé.

Un unique condamné, poussé par un garde, se dirigeait vers la berme où allait avoir lieu l'exécution. Des mois d'emprisonnement et de famine avaient presque transformé ce malheureux en squelette. Les fers et les chaînes qui retenaient ses chevilles captives le faisaient trébucher, ceux qui entravaient ses poignets l'obligeaient à rester courbé. En dépit de la faiblesse douloureuse de son corps, son esprit résistait encore, car chacun de ses pas hésitant, à peine plus long que la paume d'une main, s'il révélait d'atroces souffrances, témoignait aussi d'une grande fierté.

Avait-il jamais été beau ? Le courroux divin s'était tellement abattu sur ses traits qu'il était impossible de le dire. L'arête de son nez était à moitié écrasée entre ses yeux, d'où elle s'inclinait à senestre de façon alarmante. La peau violette, à vif, brillait. Une croûte de sang noir coagulé recouvrait ses narines et sa lèvre supérieure.

Ce spectacle m'a inspiré une pitié indicible ; cependant j'étais en totale osmose avec la Déesse. Ma compassion est allée vers l'inquisiteur et la victime, et j'ai attendu. Attendu un ordre. Cette fois, je n'allais point mettre mon Bien-aimé en danger.

Le prisonnier a été amené jusqu'au poteau où on l'a ligoté. Les fagots de bois ont été entassés jusqu'à hauteur de ses hanches.

C'est alors que, d'une voix de stentor, le paon lui a posé une question inhabituelle :

– Avez-vous une dernière chose à déclarer ?

– Oui, a hurlé le condamné. Celui que vous vénérez sous le nom de Dieu n'est autre que le diable, qu'un démon qui gouverne votre monde par la peur et qui vous a aveuglé, de telle sorte que vous ne voyez plus le Dieu véritable.

– Gendarme ! a alors hurlé l'Ennemi futur.

Du manche émoussé de son épée, le garde qui l'escortait s'est empressé de frapper durement le prisonnier.

Le coup s'est abattu sur sa tempe senestre et le manche s'est enfoncé dans l'orbite de son œil qu'il a presque énucléée. Il était impossible au malheureux de porter la main à son globe oculaire blessé qui pendait sur sa joue, uniquement retenu par des cordons de chair vert et bleu, et comme il poussait un cri de douleur sauvage, l'assemblée, composée de nobles, de négociants aisés et de membres du clergé a rugi de satisfaction.

Le chagrin et l'indignation qui m'ont envahie ont failli me faire perdre mon calme. Mais je me suis agrippée à la compassion de la Déesse, à sa joie, même, et j'ai Vu mon Chemin. J'ai sauté à bas de mon coursier en lui chuchotant un ordre magique et j'ai couru à travers la foule, plus vite et plus aisément que cela n'était possible, grâce à des facultés surnaturelles qui m'ont ouvert la voie malgré le mur de chair et de *chariots* de bois infranchissable. Je ne me suis même pas arrêtée lorsque j'ai atteint la rangée de gendarmes qui encerclaient la berme. Je suis passée sans mal à travers, alors qu'elle n'offrait aucune brèche. Ils ne m'ont remarquée que lorsque je me suis retrouvée à côté du condamné, que je me suis penchée et que j'ai pris son œil écrasé et ensanglanté dans ma main, aussi chaud qu'un pudding, que je l'ai replacé dans son orbite et que j'ai partagé avec son Âme une farouche communion divine.

J'ai retiré ma main en souriant. Il riait, ayant oublié toutes ses craintes et toute sa fureur, habité d'un indicible ravissement.

– Un ange est venu me sauver, a-t-il déclaré gaiement.

Nous nous sommes contemplés, le temps de cet instant d'éternité. Son tendre visage torturé irradiait de joie.

– Un ange véritable, envoyé par le Dieu véritable.

Un silence est tombé sur les spectateurs assemblés qui ne se contentaient pas de converser mais qui le faisaient bruyamment. Le gendarme qui avait frappé le prisonnier, tout proche, était trop ébahi pour réagir. Puis certains se sont signés et ont murmuré des prières, tandis que d'autres hurlaient : « C'est un miracle ! Il est innocent ! » et « Cette femme *est* un ange ! ».

D'autres gardaient le silence, le visage tendu par l'incrédulité, voire la peur. Le regard tourné en direction des hommes installés sur l'estrade, ils guettaient une indication sur l'attitude à adopter.

Le plus imposant, le plus âgé – le paon, mon Ennemi écarlate – nous toisait de toute sa hauteur, son prisonnier et moi, les dents dénudées par la fureur comme s'il allait nous mordre.

– Écoutez-moi ! a-t-il lancé à la foule d'une voix assourdissante. Cet homme est un hérétique de la pire espèce. Vous venez de l'entendre de vos propres oreilles appeler diable notre Seigneur bien-aimé. Quant à celle qui vient de le guérir, elle n'est qu'une compagne magicienne, une sorcière, venue vous convaincre par la ruse qu'il est innocent.

– Mais Votre Éminence…, a tenté de protester l'un des hommes qui se tenaient sur la tribune.

– Silence ! a répliqué le cardinal d'un ton coupant, avant d'ajouter : Gendarmes ! Arrêtez-la et amenez-la-moi ! Vous autres, veuillez allumer sur-le-champ le bûcher.

Tandis qu'un bourreau muni d'une torche s'avançait et tendait la flamme vers les charbons placés aux pieds du prisonnier, des gardes m'ont tirée en arrière par la force. En cet instant, la Déesse ne m'a point accordé le pouvoir de m'échapper. Malgré les folles protestations de mon cœur, je savais qu'il devait en être ainsi. Il s'agissait de Sa Volonté, et il me fallait m'y soumettre, sinon un mal pire encore risquait de m'affliger. J'ai néanmoins commencé par résister et par crier le nom de mon Bien-aimé :

– Luc ! Luc de la Rose, je jure de trouver un moyen de vous libérer !

On m'a alors poussée à l'arrière de la tribune, dont était déjà descendu à ma rencontre mon Ennemi, le cardinal. C'était un homme imposant, à la large charpente : une tête carrée sur un corps carré. Sa haute taille m'a obligée à lever le visage vers le ciel. De sa calotte rouge dépassaient des cheveux gris, épais et ondulés. Une grosse verrue, ronde et pâle, déparait un côté de son nez court. Les cernes, sous ses yeux, attiraient vers le bas ses paupières inférieures, révélant leur doublures rouges. Il se dégageait de lui une impression sinistre. Sa présence semblait absorber toute la joie, tout l'air, toute la lumière. J'aurais pu, à une certaine époque de ma vie, être terrorisée à sa vue ; à présent, je n'éprouvais que compassion et pitié. Car son pouvoir émanait d'une haine à l'égard de lui-même d'une telle proportion qu'elle s'étendait au reste de l'humanité. Et cette haine était accompagnée de la misère accumulée des âmes qu'il avait torturées.

C'était ce pouvoir qui, dirigé sur la mère de Luc, Béatrice de la Rose, l'avait fait sombrer dans la démence.

Avait-il été décontenancé par mon apparition subite ? Je n'ai point su le dire. Mais son visage exprimait une jubilation, un orgueil maléfique, qui pouvaient se traduire par : *Ainsi donc, tu as vu à quoi j'ai réduit ton Bien-aimé. Tu l'as perdu à jamais et tu es à présent entre mes mains aussi... Lequel de nous est désormais le plus puissant ?*

Il s'attendait à me voir fondre en pleurs devant ce qu'il avait fait subir à Luc, manifester de la terreur à la perspective de ce qu'il allait m'infliger. Mais aucune larme n'a perlé à mes yeux.

Je me suis au contraire forcée à me raccrocher à une bribe de Présence et à adresser un sourire à cet homme. Je suis même parvenue à l'aimer. Il l'a lu dans mes yeux et cela a attisé sa fureur.

– Enfin, Votre Éminence, me suis-je exclamée, nous nous rencontrons en chair et en os !

– Vous me le paierez, ma mère, m'a-t-il menacée.

Lorsqu'il a ouvert la bouche pour s'adresser à moi, j'ai imaginé cette bouche absorbant mon Bien-aimé, membre après membre, dévorant son essence même, tandis que je me tenais là, privée temporairement de mon pouvoir, souriante à ses côtés.

– Vous venez d'accomplir un acte de sorcellerie en présence de centaines de témoins.

Il m'a tourné le dos et, ouvrant la voie, il a ordonné aux deux gardes qui m'encadraient de le suivre.

J'ai suivi aussi, songeant aux deux corbeaux qui restaient sur l'estrade et au condamné encore agenouillé sur le bûcher, entouré de petit bois à présent enflammé.

Mon cœur s'est brisé. Il restait si peu de temps avant que l'âme de Luc ne fût perdue et je ne pouvais supporter d'être séparée une nouvelle fois de lui, à présent que je l'avais vu. Mais la Déesse m'a soufflé : *Si tu veux le sauver, il te faut partir maintenant.*

Je n'avais d'autre moyen à ma disposition. Il ne m'était point donné de voir l'issue : je devais passer, pas après pas, par cette épreuve tortueuse, sans m'abandonner un instant à la douleur, mais simplement à la joie.

Jamais encore, je n'avais réalisé à quel point ma destinée serait dure.

Son Éminence le cardinal nous a fait pénétrer dans le Palais des Papes par une porte dérobée.

On raconte qu'il n'est demeure plus solidement bâtie et plus belle au monde que ce palais. Cela est vrai. J'ai emprunté de longs corridors, j'ai traversé pièce après pièce et, partout où se posait mon regard – sols, murs, plafonds –, j'ai vu un chef-d'œuvre, que ce soit sous forme de carreaux sous mes chaussures ou sous celle de peintures et de dorures au-dessus de ma tête. On avait beaucoup reproché au pape précédent, Clément, ses dépenses somptuaires au cours de sa vie ; davantage encore après sa mort. Et il est vrai qu'il avait remercié d'une fortune le seul peintre Giovanetti, pour les années de labeur qu'il avait consacrées à ce lieu. Les récits de la Bible se déroulaient sur mon passage, scène après scène, tandis que saints et anges me contemplaient des plafonds et que je foulais des mosaïques rutilantes représentant des chevaliers à cheval à la poursuite d'animaux fantastiques dans des jardins de fleurs stylisées.

Toutes ces splendeurs étaient abritées dans des salles si spacieuses qu'en dépit des nombreux personnages que nous croisions, membres de la Curie, prêtres, nobles, cardinaux accompagnés de tous leurs aides et serviteurs, je n'en ai effleuré aucun.

J'ai traversé tout cet éclat et toute cette beauté, mais je n'y ai vu que laideur et mal sous-jacent. Je n'y ai perçu que la souffrance des âmes torturées.

Mes hôtes m'ont escortée dans le plus grand silence jusqu'à une chambre privée, en apparence, car la porte en était close. Le paon y a frappé une fois, d'un geste brusque, avant de l'ouvrir avec une assurance infinie.

Il y a prestement pénétré. Les gendarmes et moi lui avons emboîté le pas sur le même rythme, et la porte s'est refermée derrière nous.

Si cette pièce était moins vaste que celles que nous venions de traverser, elle rivalisait de splendeur avec elles. Les scènes pastorales qui décoraient ses murs représentaient des archers tirant sur des daims et des naïades au bain.

Là, sur des coussins de velours disposés sur un grand trône doré près d'une table de travail, se tenait le pape Innocent IV. J'avais déjà vu un portrait de lui, mais qui ne lui ressemblait en rien. C'est la Déesse Elle-même qui m'a éclairée sur son identité.

Je n'arrivais point à comprendre ce qui avait incité mon Ennemi à m'emmener en ce lieu, au lieu de m'escorter directement dans les oubliettes. Il était évident que lui – et la Déesse – avait un but.

Après cinq années passées sur ce trône, Innocent IV était un vieillard à la barbe encore étonnamment noire pour ses soixante-quinze ans. Plutôt que la splendide couronne papale, il portait une calotte de velours rouge bien ajustée qui recouvrait ses oreilles ; sa robe de brocart écarlate était tellement brodée de fils d'or qu'elle étincelait au moindre de ses mouvements, et si pesante qu'elle l'attirait vers le bas.

On voyait clairement, à ses grandes épaules et à son torse large, qu'il avait été jadis vigoureux. Mais son échine était à présent arrondie, sa poitrine et son ventre tellement incurvés à l'intérieur que ses côtes touchaient presque les os de ses hanches. Il avait une peau d'une couleur jaunâtre malsaine, des lèvres pâles, mais il possédait encore presque toutes ses dents. Son nez, à partir de sourcils encore sombres, formait une ligne droite et aiguë et se terminait en V, comme la pointe d'une flèche dirigée vers le bas.

– Votre Sainteté, a dit mon Ennemi en s'approchant de lui.

Il a fait une génuflexion et baisé si vite l'anneau d'Innocent IV que son genou ne s'est pas courbé et que ses lèvres n'ont effleuré que l'air.

– Domenico, a répondu le vieillard d'une voix ennuyée. Vous voyez bien que je n'ai point encore terminé…

Plutôt que de terminer sa phrase, il a soulevé sa main veinée de bleu, si souvent baisée, du reposoir de son trône, paume vers le haut. Recourbant légèrement trois doigts, il a pointé l'index vers un jeune scribe occupé à lui lire un parchemin.

– Veuillez me pardonner, Votre Sainteté, mais je vous amène une prisonnière dangereuse, dont le sort exige d'être réglé au plus vite…

– Oh ! s'est exclamé Innocent. Vous avez donc fait pénétrer le danger jusque dans mes appartements privés ? Quelle prévenance !

Les yeux voilés par l'âge, il a louché dans ma direction. Un muscle a frémi à la commissure de ses lèvres, à l'idée qu'une femme si menue pouvait représenter une menace immédiate.

– Qui est donc cette femme ?

– L'abbesse du couvent franciscain de Carcassonne, mère Marie-Françoise, a répondu mon Ennemi.

Les gendarmes qui m'encadraient n'ont nullement réagi à cette information, comme s'il était parfaitement naturel qu'un cardinal de si haut rang reconnût une religieuse de basse caste, venue de très loin.

– Ah !

Le regard du pape s'est aiguisé. Après toute ces années, son intellect restait en éveil. De même qu'Étienne Aubert, il avait été professeur de droit à Toulouse.

– Il s'agit donc de l'abbesse de Carcassonne qui guérit les lépreux ? Nombreux sont ceux qui la tiennent pour sainte, Domenico. Le diocèse de Toulouse est d'avis qu'il s'agit de miracles d'ordre divin. Existe-t-il une raison de penser autrement ?

– Que oui ! s'est exclamé le paon. Elle a de nouveau exercé son talent de guérisseuse, mais cette fois sur un scélérat sur le point d'être exécuté, appartenant à l'un de ces cultes issus de l'hérésie gnostique. Si nous ne l'en avions pas empêchée, elle l'aurait privé d'une mort juste…

– Le Christ lui-même a pourtant guéri des pêcheurs, a commencé le pape d'une voix dénuée de colère.

Sa bouche s'est alors refermée brutalement, ses dents se sont entre-choquées, tandis que sa tête était agitée de soubresauts anormaux en direction du cardinal, comme si un marionnettiste aveugle la manipulait.

Là encore, les gendarmes n'ont pas eu l'air de trouver ce phénomène extraordinaire.

Quant au cardinal, il a posé sur moi ses yeux dans lesquels brillait la victoire et, de ses lèvres retroussées par la jubilation, il a lancé au Saint-Père :

– Vous allez à présent dicter à votre scribe un ordre d'*habeas corpus*, établissant la dispense du nombre normal de témoins nécessaires pour pratiquer une mise en accusation et une arrestation. Un ordre qui dispensera aussi des informations exigées pour la condamnation d'un hérétique. Mère Marie-Françoise, tel est le nom du criminel.

Le pauvre Innocent s'est exécuté, exactement comme on le lui ordonnait. Et son scribe a noté sous sa dictée, tandis que tous les gendarmes attendaient, se conduisant toujours comme si rien d'inhabituel ni de magique ne se déroulait sous leurs yeux.

Mon Ennemi, sans me lâcher du regard, a découvert ses dents, et j'ai enfin compris la raison pour laquelle il avait exposé le pape à ma présence qui risquait de s'avérer dangereuse.

Cruelle arrogance ! Il était fier du pouvoir qu'il avait acquis sur Innocent et ses mignons ; il se délectait de la terreur que j'étais susceptible de ressentir en présence d'une telle maîtrise. Il ne désirait que me voir souffrir, que me voir *prendre conscience* que c'était lui qui infligeait les souffrances.

Il a peut-être cru que mon obéissance temporaire provenait de son pouvoir et non de mon abandon à la volonté de la Déesse. Peut-être s'est-il également réjoui parce qu'il avait le sentiment d'avoir remporté la victoire et que, sans mon Bien-aimé, j'étais infirme. Que j'étais la Déesse sans son compagnon, la Dame sans son Seigneur, de même que lui était devenu, de son propre choix, un seigneur séparé de sa dame, la dame Anna-Magdalena. Car il était né en Italie d'une mère italienne et d'un père français, sous le nom de Domenico Chrétien.

Mais voilà, il ne comprenait point le sacrifice que Noni avait accompli pour moi. Il ne comprenait que la peur. L'amour lui échappait, et il ignorait donc tout de mon initiation suprême.

Tandis qu'il se dressait dans toute sa suffisance et son orgueil, il a fini par se tourner vers le pape qui obéissait à ses ordres et je me suis pour ma part retrouvée libre à l'intérieur de la Déesse, libre de me déplacer pour accomplir Sa Volonté.

Là encore, mon cœur a saigné de ne point être envoyée par elle près de mon Bien-aimé. Mais je m'en suis remise à elle et je me suis abandonnée. Pendant qu'Innocent dictait, je me suis effacée du monde visible et, sans que les gendarmes s'en aperçoivent, j'ai échappé à mon Ennemi et je me suis éclipsée de la chambre papale.

Invisible, guidée par la Déesse, j'ai couru vers un autre quartier du palais, celui où vivaient dans de magnifiques appartements les membres de la Curie et leurs aides et serviteurs. Je suis passée de pièce en pièce, puis dans un corridor sombre, jusqu'à une splendide suite privée, disposant d'une spacieuse antichambre réchauffée par un brasier allumé dans une cheminée voûtée. Y étaient disposées des chaises dorées recouvertes de coussins de brocart or chatoyant. Des tapis en hermine jonchaient le sol pavé, aux murs étaient suspendues des tapisseries d'une infinie délicatesse, représentant des scènes bibliques, dont un tableau splendide de l'Éden avant la chute. Deux grands candélabres en or étaient posés sur une table foncée, incrustée d'une marqueterie de chêne clair en forme d'étoile à six branches. Les dix chandelles étaient allumées, depuis fort peu de temps à en juger par leur taille, dans la perpective du retour de leur propriétaire.

J'ai pris l'un des candélabres et je me suis approchée de la tapisserie du paradis dont j'ai soulevé un coin. Derrière est apparue une fresque qui représentait Adam accablé et Ève chassés du jardin, leur nudité recouverte de feuilles de figuier, la blonde chevelure d'Ève cascadant sur sa poitrine d'albâtre. J'ai pressé avec force l'image de l'archange qui, glaive à la main, était prêt à empêcher les évincés du paradis d'y retourner. J'ai alors entendu le raclement de la pierre contre la pierre. La paroi a glissé vers l'intérieur et s'est ouverte sur les ténèbres.

Je suis entrée.

J'avais déjà vu ce lieu grâce à la Vision, et je savais donc ce qui m'y attendait. Cela ne m'a point empêchée de suffoquer en y pénétrant.

Il est rare que les hivers soient rudes à Carcassonne et dans ma Toulouse natale. Mais il arrive parfois que le vent d'hiver soit si cinglant, si âpre, que j'en ai le souffle coupé. J'ai éprouvé pareille sensation à mon entrée dans cette petite pièce dénuée de fenêtres, dissimulée entre les murs épais du palais : un froid si pénétrant que j'avais grand mal à respirer. Pourtant, il ne s'agissait point d'un froid qui s'emparait du corps, mais d'un froid brûlant, provenant des chuchotements de milliers d'âmes qui avaient péri dans la peur et l'angoisse, de la voix de ma Noni qui appelait : *Domenico !*

Là, dans la tanière de mon Ennemi, j'ai respiré la fumée, astrale et matérielle.

J'ai soulevé le candélabre qui a projeté sa faible lumière sur la pièce circulaire. Chacun de ses quartiers, est, sud, ouest et nord, était marqué par une applique haute comme un homme et moitié moins large, représentant chacune une image différente : aigle, lion, homme, taureau. À l'est se dressait un autel d'onyx luisant.

Sur l'autel, un spectacle révoltant : la carcasse carbonisée d'un oiseau, entourée de cendres et d'éclats de bois brûlés, vestiges d'une petite cage. Sur le sol de marbre glacé, il y avait trois plumes blanches, dont deux étaient tachées de fines gouttelettes de sang. L'image de la colombe, battant des ailes pour échapper à la cage de bois embrasée qui la maintenait captive, m'a fait clore les yeux.

Toi, la brise traîtresse à la naissance du bébé...

Une chaîne, à laquelle était accroché un talisman d'or, ligotait les ailes et le cou noircis de la colombe. Une légende illisible était gravée sur le talisman, car le métal avait presque entièrement fondu et s'était coulé au bréchet de l'oiseau, à son petit cœur muet.

J'ai compris qui la colombe représentait : l'Ennemi *savait* que j'avais vu Luc avant de me rendre à Avignon. Il avait préparé un piège à mon intention et m'avait attendue. J'ai commencé par fléchir et par demander à la Déesse : *Pour quelle raison m'avez-Vous amenée ici ? Pour me déserter ? Pour m'abandonner au brasier ?*

Très vite cependant, j'ai imploré Son pardon d'avoir nourri de telles pensées et j'ai décidé de consacrer plutôt toute mon énergie à retrouver le sceau de Salomon que Jacob avait offert à Luc tant d'années auparavant. Il se trouvait sans nulle doute entre les mains de l'Ennemi, dans l'autel peut-être, caché sous ou près de la colombe. Je me suis souvenue de la manière dont Noni s'était servie du mien pour émousser mes talents de magicienne. Si j'arrivais à retrouver celui de Luc et à enlever tout le mal qui avait été imprimé dessus, son pouvoir lui reviendrait sur-le-champ et il parviendrait à se libérer seul, avant même que je ne sois en mesure de le faire.

À partir de l'est, je me suis déplacée *deosil*. J'ai allumé les chandelles, portant la flamme du candélabre tour à tour à chaque mèche. L'obscurité s'est un peu atténuée, et j'ai constaté que je me tenais au centre d'un cercle magique tracé sur la mosaïque ; des images vacillantes de dieux batifolants sont apparues sur les murs incurvés et sur le dôme en coupole de la salle.

Lorsque j'en ai eu terminé, j'ai posé le candélabre et j'ai refermé les yeux. Non de douleur cette fois, mais pour m'en remettre à la Déesse, car j'avais désespérément besoin de sa protection et de son soutien en ce lieu maléfique.

Aidez-moi, ai-je prié tout bas, *aidez-moi à trouver ce qui est caché ici...*

Et, par les yeux de la Déesse, j'ai Vu, dissimulée sous les restes brûlés de la pauvre colombe, une pièce d'argent sur laquelle était gravée une sigillaire. Elle était enveloppée dans un tissu noir, fermé par un cordon.

Il ne s'agissait pourtant point du talisman que je souhaitais trouver de tous mes vœux. Celui-ci contrôlait le cœur et les pensées du pape Innocent IV. Je me suis avancée vers l'autel, totalement sereine, et j'ai déplacé le petit oiseau brisé et flasque sans éprouver la moindre émotion. J'ai déroulé la sigillaire et, grâce à la magie de la Déesse, j'ai inversé sa charge et libéré le pape des griffes de l'Ennemi.

Aux autres âmes présentes, j'ai murmuré une promesse : « Je reviendrai un jour vous libérer aussi. »

J'ai alors pris le temps de concentrer toutes mes pensées sur la Déesse, je me suis ouverte, j'ai élargi ma Vision, et j'ai posé la question suivante : *Où vais-je trouver le talisman de Luc ?*

J'ai rapidement obtenu la réponse : *Le talisman n'est point ici.*

Il n'était pas en ce lieu.

Une bouffée d'affolement, que j'ai vite maîtrisée. J'ai renouvelé ma prière : *Que dois-je faire ici, pour que mon Bien-aimé puisse être sauvé ?*

Aucune réponse.

De nouveau : *Que dois-je faire ici, pour que mon Bien-aimé puisse être sauvé ?*

Rien.

Il n'y avait rien que je puisse faire pour sauver à cet instant mon Bien-aimé. Rien. Le gémissement de déception que j'ai poussé m'a fait perdre ma concentration divine. Tout de suite, j'ai compris que l'Ennemi m'avait repérée, qu'il savait où j'étais allée, qu'il s'était lancé à mes trousses.

Il ne me restait plus qu'à fuir.

Invisible, j'ai donc pris mes jambes à mon cou et traversé le grand palais. Mon âme même brûlait. En mon for intérieur, j'étais la colombe, battant des ailes jusqu'au sang contre la cage dorée dont j'étais captive. J'avais l'impression que les saints des peintures murales me fixaient à travers une paroi de flammes. Combien d'entre eux, me suis-je demandée, avaient été ainsi martyrisés ?

Saints, sacrifice, mort et bûcher. J'avais la sensation que la fumée m'étouffait, mais j'ai appelé tout bas mes templiers, mes chevaliers, qui m'avaient suivie, je le savais, dans cette cité sainte, céleste, désacralisée et infernale.

Venez ! Venez ! À la berme d'exécution ! L'Ennemi est à mes trousses, et j'ignore ce qu'il est advenu de notre seigneur...

Dehors, le ciel s'était ouvert. On n'était qu'en fin d'après-midi, mais il faisait aussi noir qu'en pleine nuit. La pluie tombait, non point en gouttes éparses, mais tel un grand drap déployé. Le vent la projetait dans ma direction, cinglante comme la morsure d'une guêpe.

Je n'ai pas gâché mon énergie à me protéger de l'averse ; je n'avais pas le cœur à le faire. Car la tribune des inquisiteurs était à présent déserte. On en avait enlevé les sièges, enroulé et noué le dais rayé, quoique le vent violent l'eût déjà déchiré en le projetant contre les murs de pierre du palais.

L'esplanade elle-même était vide.

Sur la berme, le poteau auquel avait été attaché le condamné était renversé et carbonisé. Les bûches étaient consumées. On avait enlevé tous les ossements, tous les vestiges du corps. Je me suis agenouillée là et j'ai fondu en larmes, une main posée sur les cendres que le vent et la pluie balayaient au loin.

Mon Bien-aimé s'en était allé. De nouveau, j'ai demandé à la Déesse : *Pourquoi ? Pourquoi m'avez-Vous amenée ici, dans le simple but de me montrer la défaite ? À présent, il appartient plus que jamais à l'Ennemi...*

Le grondement étouffé des sabots dans la boue. Mes chevaliers étaient venus ; ils m'avaient amené un cheval. J'ai essuyé mes joues de ma main souillée, salissant un instant mon visage de larmes, de mort et de cendres, que la pluie a eu vite fait d'effacer.

Au début, il m'a cependant été impossible de me relever. J'étais incapable de quitter ce lieu où j'avais enfin vu mon Bien-aimé. Je brûlais d'envie de suivre les inquisiteurs, de découvrir ce qui restait de lui.

Si seulement j'avais pu ne point être humaine, ne point avoir de cœur.

L'oncle de Luc, Édouard, a sauté à terre afin de me relever sans ménagements et de m'obliger à enfourcher ma monture.

Vers chez nous, vers Carcassonne, nous avons chevauché. Pure folie, j'en avais conscience, car c'était d'abord là que l'Ennemi me chercherait. Mais il s'agissait de mon Chemin, celui que m'avait indiqué la

Déesse. L'avenir était si sombre qu'il ne m'éclairait pas davantage qu'une lanterne. Je ne pouvais voir plus loin.

Le goût du destin dans ma bouche, aussi amer et métallique que celui du sang, m'a fait cracher.

Des heures durant, nous avons chevauché. Dans la nuit, sous une pluie intarissable, au-dessus de pierres grossières et glissantes, par-delà des collines, des vallées et des prés, jusqu'au moment où le parfum de la lavande et du romarin écrasés est monté sous les sabots de mon cheval. Nous approchions de notre but.

L'épuisement et mes prières incessantes m'ont insufflé un calme qui m'a enfin permis de Voir un peu plus loin. Il ne pouvait y avoir nulle victoire dans la fuite ; car l'avenir me réservait simplement d'autres rencontres avec mon Ennemi, dont aucune ne permettrait à mon Bien-aimé d'échapper à son atroce prison.

Rends-toi, m'a chuchoté la Déesse. *C'est l'unique chance de la Race.*

Rends-toi.

Il ne me restait plus qu'un espoir infiniment ténu de réussite. Un fil d'une telle finesse qu'il romprait à la moindre saccade. Mais, comme il s'agissait de mon unique espoir, je m'y suis soumise. Malgré leurs protestations, j'ai renvoyé mes chevaliers.

À la Déesse, je me suis rendue.

À mon Ennemi, je me suis rendue.

Je me rends.

Voilà mon histoire. Je n'ai plus rien à raconter.

SIXIÈME PARTIE

LUC

XXI

– Si votre histoire est véridique, je suis donc le futur Ennemi, déclara Michel, en proie à un chagrin muet. Et je suis à blâmer pour les souffrances et la mort de Luc.

Car il siégeait effectivement sur la tribune en ce jour à Avignon, assis entre le cardinal Chrétien et le père Charles. C'était lui que Sybille avait qualifié de « jeune corbeau », d'Ennemi futur. C'était lui qui avait interpellé avec rage le gendarme pour qu'il punît le condamné de sa déclaration hérétique, avant d'être horrifié par l'horrible conséquence de son intervention. Il assistait ce jour-là à son premier bûcher, celui qui l'avait amené à rentrer d'un pas trébuchant dans sa cellule et à vomir. C'était ce jour-là que Chrétien avait tenu sa tête entre ses mains et l'avait réconforté.

Il avait vu Sybille – enfin mère Marie-Françoise – sans savoir qui elle était. Comme la foule, il avait été stupéfait par son apparition subite à côté du condamné, et encore plus abasourdi lorsqu'elle avait replacé l'œil énucléé de l'homme dans son orbite.

Dans son cœur, il avait immédiatement compris qu'il venait d'assister à un miracle d'ordre divin. Il avait tout de suite su que cette femme était une sainte, car il avait été empli de ce qu'elle appelait la « Présence » : la présence douce, libératrice, indéniable, du divin. La révélation qu'elle était l'abbesse de Carcassonne, célèbre pour avoir guéri les lépreux, l'avait doublement convaincu qu'elle venait de lui faire vivre une véritable expérience mystique et que le cardinal Chrétien et le père Charles avaient tort de qualifier son acte de sorcellerie.

Affreux avait donc été son désarroi lorsque Chrétien l'avait arrêtée et emmenée sur-le-champ.

Monstrueuse à ses yeux, l'obligation d'assister ensuite, alors qu'il ne se souciait plus à présent que du sort de cette femme, à la mort de l'homme qu'elle venait de guérir. Dieu avait parlé : Il avait voulu épargner cet homme, mais les deux êtres que Michel affectionnait le plus au monde avaient fait en sorte que cette guérison n'aboutît à rien et que cet homme trépassât dans les plus atroces souffrances.

Et comprendre à présent que ce prisonnier était Luc...

Il baissa le visage, enserra ses tempes et son front du bout des doigts et se mit à pleurer.

– Vous êtes bien le futur Ennemi, lui confirma Sybille d'une voix douce, affable même. Mais vous n'avez pas tué Luc de la Rose.

Derrière ses doigts encore recourbés, il leva les yeux, furieux contre lui-même et sa faiblesse morale.

– Peut-être pas directement. Cet honneur est à porter au crédit de Charles et de Chrétien. Mais j'étais leur complice, contraint de m'élever contre les méfaits, et je n'ai rien fait pour les arrêter...

– Le père Charles n'est rien qu'un innocent égaré. Mais vous ne comprenez toujours pas, l'interrompit Sybille.

Ses lèvres s'écartèrent et son regard s'emplit de chagrin, de pitié, d'amour et d'espoir.

– Luc de la Rose n'est point mort.

– Point mort ?

Il se redressa, comme frappé par la foudre.

– Mais je l'ai *vu* mourir. Ils ont attisé les flammes de toutes leurs forces, pour que l'exécution se termine rapidement, avant que l'orage n'ait éclaté.

– Le prisonnier que j'ai guéri n'était point Luc de la Rose.

Elle se tut, et se concentra entièrement sur lui avant de lui annoncer, avec lenteur et prudence :

– Luc de la Rose est *bien* vivant. Il est même assis devant moi.

De longues minutes durant, Michel fut incapable de dérouler l'écheveau des paroles de l'abbesse. Ce fut alors qu'elle ajouta :

– Telle est la *raison* pour laquelle je me suis rendue à l'Ennemi. Parce que j'ai Vu que son arrogance le pousserait à *vous* envoyer comme notaire, car il ne pouvait m'infliger pire tourment. Mais il m'a par là même fourni la possibilité de vous raconter mon histoire et d'essayer de vous libérer. Car si vous, le Seigneur de la Race, devenez l'Ennemi de notre peuple, nous sommes perdus.

Le jeune moine vit alors en imagination Sybille sur la berme d'exécution, qui criait : *Luc de la Rose ! Je jure que je trouverai un moyen de vous sauver !* Il s'était dit qu'elle interpellait le condamné, mais n'était-elle point alors tournée vers l'estrade, vers Michel ?

En cet instant – pour quelle raison ne s'en était-il pas souvenu avant ? – son cœur l'avait reconnue et avait répondu avec un amour si intense qu'il n'avait pu le nier. Cet amour l'avait impunément envahi, il l'avait submergé, et il avait *cru*.

Si les rêves de Luc lui avaient paru d'une telle réalité, c'était parce qu'il s'agissait de ses propres souvenirs que lui avait rendus Sybille. Des larmes retenues lui brûlaient les yeux ; elle s'était laissé emprisonnée, elle avait enduré le martyre et risquait à présent la mort, de manière à le sauver, *lui*.

Il fut saisi d'une angoisse si vive qu'il en souffrait presque dans son corps, comme si les serres d'un faucon agrippaient son crâne, et il se prit la tête entre les mains en chuchotant :

– *Impossible.* C'est impossible. J'étais un enfant abandonné que Chrétien et Charles ont élevé. J'ai vécu une existence en tous points différente de celle de Luc…

– De faux souvenirs, implantés par magie dans votre cerveau lorsque Chrétien a réussi à s'en rendre maître.

Bouleversée de le voir souffrir, elle s'inclina péniblement en avant et posa une main enflée sur la sienne, comme si elle voulait en retirer la douleur.

– Vous avez bien souvenir du cardinal tenant votre tête avec amour entre ses mains, quand vous avez vomi après l'exécution ?

Michel opina, trop confondu pour parler.

– Dites-moi, mon aimé, comment vous vous l'expliquez. À ce moment-là, Chrétien menait les recherches dans le palais papal pour me retrouver. Immédiatement après, il a enfourché son cheval pour se lancer à mes trousses. Quand vous a-t-il manifesté une telle bonté ? Durant la fouille du palais ? Ou avant, lorsqu'il se tenait avec moi devant le pape ? Avant de se lancer au galop en direction de Carcassonne ?

Subitement, revint à la mémoire du moine l'impatience qu'avait montrée le père Charles à l'écarter de l'interrogatoire. *Elle vous a ensorcelé…*

La voix de Sybille, contredisant Charles : *Il est vrai que vous êtes ensorcelé, mon frère, mais point par moi.*

Michel poussa un faible gémissement et laissa Sybille lui baisser doucement les mains, loin de son cerveau tourmenté. Il ne savait que répondre à sa logique. Il ne désirait rien d'autre que se lever et la faire sortir de son cachot, se battre contre la sentinelle, si besoin était, pour lui permettre de s'échapper.

… mais une barrière se dressait dans son esprit, d'ordre religieux peut-être, issue de sa formation de moine. Cette barrière le maintenait en position assise, l'empêchait d'accomplir ce que son émotion lui ordonnait.

– Il vous a subtilisé vos émotions… et votre pouvoir, continua Sybille avec bienveillance.

D'un geste doux, elle referma les mains sur les siennes et il sentit une fois encore un désir vibrant.

– Votre mère ne vous a pas tué, même si votre Ennemi a tué votre esprit. Cela ne vous a pas empêché de me reconnaître lorsque vous avez posé les yeux sur moi à Avignon. Vous avez compris que cette guérison était un acte d'ordre divin. C'est la raison pour laquelle vous ne vous êtes pas scandalisé lorsque j'ai accusé votre propre « père » d'être l'Ennemi.

« La vérité, c'est qu'il n'est *point* votre père. La vérité, c'est qu'il vous maintient sous sa dépendance à Avignon depuis plus d'un an. Si vous aviez été élevé dans le palais papal depuis votre âge le plus tendre, en qualité de fils du puissant cardinal Chrétien, vous auriez déjà, à tout le moins, votre propre évêché. Or vous n'êtes que notaire et vous n'œuvrez qu'à votre seconde inquisition. Comment cela est-il possible ? »

– Je l'ignore, murmura Michel qui tressaillait, tant formuler cette constatation lui demandait d'efforts. Mais si vous me dites la vérité, comment expliquez-vous que la mémoire ne me soit point revenue ?

– Chrétien la retient toujours.

Sybille se tut. Le chagrin, la passion et la nostalgie propres à une simple humaine commencèrent à faire frémir ses traits. Puis elle déclara, d'une voix émue :

– Luc… mon aimé. J'ai attendu si longtemps de vous trouver, de vous dire… Si vous voulez bien me faire confiance un bref moment encore…

Elle s'avança afin de l'étreindre, alors que son geste lui causait manifestement une vive douleur. Il désirait, davantage que sa vie, la serrer dans ses bras, mais une fois encore une barrière invisible l'en empêcha, le poussa à se recroqueviller sur lui-même.

Elle vous a ensorcelé, mon fils. Tout cela n'est qu'un mensonge, une séduction diabolique.

À la voix silencieuse de Chrétien, il opposa une pensée désespérée : *Non, laissez-moi aller vers elle. Je l'ai attendue, je l'ai connue, ma vie entière. Une centaine de vies...* Mais il lui fut impossible de se lever, de la toucher.

Sybille laissa redescendre ses mains et baissa la tête pour lui dissimuler ses larmes.

– Je ferais n'importe quoi pour vous épargner le bûcher, déclara-t-il dans un sursaut de volonté.

Le visage encore dans l'ombre, elle hocha la tête. Lorsqu'elle se fut suffisamment ressaisie, elle lui dit :

– Vous le feriez... mais vous ne le pouvez pas, car vous êtes encore sous l'emprise de Chrétien. Il faut d'abord que vos souvenirs et vos pouvoirs vous soient rendus, si vous êtes ici pour m'aider.

– Comment ?

Elle leva la tête. Les larmes faisaient luire ses joues et ses yeux.

– Vous possédez un sceau de Salomon assorti au mien. Chrétien l'a subtilisé lorsqu'il vous a fait captif, mais je n'arrive pas à Voir en quel lieu il l'a caché. Si vous parvenez à le retrouver et à me l'apporter, votre pouvoir vous sera restauré. Mais il n'est point entreprise plus périlleuse...

– Je ne... je ne peux pas..., protesta-t-il d'une voix enrouée, ne sachant s'il hésitait parce qu'il doutait que son père adoptif fût capable d'un tel acte – à supposer que ce talisman existât bien – ou parce que, comme Sybille l'affirmait, Chrétien l'empêchait d'acquiescer.

Elle hocha de nouveau la tête, indiquant par là qu'elle croyait à la seconde solution.

– Cette tâche va s'avérer d'une difficulté extrême. Mais vous *pouvez* y parvenir, à condition de vous en remettre à la Déesse et de ne point céder à la peur. L'Ennemi se nourrit de la terreur. Elle accroît son pouvoir et nous rend vulnérables. C'est la raison pour laquelle il m'a fallu maîtriser la peur que j'éprouvais à la perspective d'affronter mon Bien-aimé sous les traits de mon Ennemi (elle lui effleura la joue de ses doigts recourbés pour le réconforter), avant de me rendre à Avignon pour vous rencontrer. C'est ainsi que Chrétien vous a fait prisonnier, car votre crainte ultime était de me rendre folle comme vous avez cru, à tort, conduire votre mère à la démence.

Elle marqua une pause pour s'appuyer au mur de pierres.

– Allez. Faites ce que je vous ai dit et réfléchissez au sceau de Salomon que vous ne possédez plus. Laissez la Déesse vous mener à lui.

Ce fut ainsi que Michel la quitta, conscient qu'il ne lui restait plus que quelques heures pour prendre la décision de l'aider à s'échapper ou de fuir avec elle... ou bien encore de remettre sa confession au cardinal. Il souffrait dans son cœur et dans son âme, comme s'il était la proie d'un délire fiévreux qui précipitait le cours de ses pensées.

Je l'aime... Quoi qu'il arrive, il me faut l'aider à s'échapper. Je ne puis la laisser mourir. Elle est sacrée, c'est une vraie sainte.

C'est une sorcière qui, à ce titre, doit être condamnée comme il se doit. *Tu n'es qu'un pion du diable, Michel, de te laisser ainsi manipuler par une femme. Pour quelle raison crois-tu que tu brûles ainsi de désir en sa présence ? Tu es victime d'un sortilège, d'un sortilège pur et simple, et tu es le plus grand imbécile...*

Dieu, venez à mon aide. Dieu, venez à mon aide. J'ai été ensorcelé, et je ne sais par qui.

Alors qu'il regagnait en hâte le monastère dans les ténèbres, il aperçut le palais de l'évêque à l'extrémité de la rue, érigé à l'intérieur des remparts de la ville. Et, à cet instant même, le portail s'ouvrit pour laisser pénétrer le grand *chariot* doré portant les armoiries du cardinal Chrétien.

Il marcha sans savoir où le menaient ses pas, mais finit néanmoins par arriver au chevet de son mentor.

Aux portes de la mort, le père Charles gisait toujours immobile sur le lit de plume. Il parvenait à peine à émettre un souffle faible et saccadé, seul son que l'on entendait dans la chambre, hormis les crépitements du feu. Le frère André, affalé sur une chaise, était plongé dans un profond sommeil.

Sans un mot, Michel secoua avec douceur l'épaule du vieux moine. Frère André s'éveilla paisiblement, entrouvrant lentement ses paupières lourdes sur ses yeux chassieux. Michel lui fit signe de sortir, et il lui obéit le plus silencieusement du monde, comme s'il pouvait encore déranger le malade en faisant du bruit. Alors qu'il franchissait le seuil de la porte, le vieux moine s'arrêta néanmoins, se tourna et remarqua à voix basse :

– J'ai veillé bien des malades atteints de la peste, mais je n'ai jamais vu personne résister si longtemps à la mort, mon ami. Continuez à prier pour lui ; Dieu entend certainement vos prières.

La pitié et le chagrin submergèrent le jeune moine. Se laissant tomber à genoux près du lit, il laissa reposer ses deux mains sur la poitrine de Charles. Et il versa des pleurs.

Une image lui vint alors : celle de l'enfant Luc, se faufilant dans le château enténébré au chevet de son père mourant.

La cuisse de son père ayant doublé de volume, sous un cataplasme de moutarde. La puanteur de la chair pourrissante. La tristesse cédant soudain la place à un sentiment de rectitude, à une sensation de chaleur, à des picotements sous la peau de Luc et dans ses organes génitaux, à un bonheur jusque-là inconnu...

Et l'indication d'une direction, d'un but. Ses petites mains sur la jambe de son père, la chaleur vibrante, l'amour qui coulait de lui à son aîné, sans cesse renouvelé, si bien que Luc en était toujours empli...

— Déesse, chuchota Michel, son visage moite pressé sur les draps du lit de Charles. Diane, Artémis, Hécate, quel que soit le nom que l'on vous donne, écoutez-moi : je m'en remets à vous. Je m'abandonne. Je m'abandonne, mais rendez-moi simplement les pouvoirs qui étaient miens de droit à ma naissance. Coulez à travers moi, comme vous l'avez fait lorsque j'ai guéri mon père il y a si longtemps, et guérissez ce malheureux, le père Charles. Il est chrétien, mais c'est un homme bon. Il a eu beau occire de nombreux membres de la Race, il se repentira lorsqu'il comprendra son erreur. Aidez-moi, Déesse, je vous en prie.

Il continua à prier de la sorte, jusqu'à trouver une forme d'apaisement. Calmé, il se leva enfin et posa les mains sur la clavicule de Charles.

Une sensation de chaleur vibrante, de plénitude, commença à descendre en lui. Un instant, Michel sourit. En pensée, il entendit le prêtre lui dire, ses yeux sombres écarquillés de joie : *Michel, Michel, mon cher neveu, tu m'as sauvé...*

Sous les yeux du jeune moine, les yeux de Charles s'ouvrirent *effectivement* avec lenteur, et ses lèvres s'écartèrent. Une vague couleur teinta ses joues.

— Mon père ? interrogea Michel d'une voix frémissante d'allégresse.

— Michel, siffla le prêtre.

Les yeux de Charles regardaient aveuglément le plafond, comme s'ils fixaient quelque chose au-delà. Sa voix était si faible que le jeune moine fut contraint de baisser l'oreille jusqu'à ses lèvres.

— Elle a réussi à vous reconquérir ?

— Oui, mon père. Mais vous êtes à présent guéri par Dieu, grâce à elle... Vous allez vous remettre. Vous comprenez ?

Oui. Les lèvres du prêtre formèrent le mot, mais aucun son n'en sortit. Puis, avec une vigueur subite, comme si une force extérieure l'obligeait à expulser les mots, il ajouta :

– Je franchis à présent les mâchoires de l'Enfer.

Un grand souffle d'air sortit alors de ses poumons. Son visage se détendit, ses yeux écarquillés devinrent flous et totalement dénués d'expression. Un épais ruisselet de bile noire coula d'une commissure de ses lèvres sur les draps.

– Mon père ? interrogea de nouveau Michel.

Cette fois, un soupçon d'affolement teintait sa voix. Sybille l'avait averti qu'il ne devait point céder à la peur, mais elle ne lui avait pas parlé du chagrin. Sur-le-champ, il ôta ses mains tremblantes de la poitrine du prêtre afin d'y poser à la place une oreille et de se tendre de tout son corps pour écouter sa respiration.

Un long moment, il demeura dans cette position. La cage thoracique du père Charles ne se souleva pas davantage qu'elle ne s'abaissa et pas un seul battement ne fit palpiter son cœur.

En proie à une souffrance absolue, Michel leva le visage vers le plafond et hurla.

– Je l'ai tué, gémit Michel à Chrétien, à genoux aux pieds du cardinal dont il agrippait la robe comme un enfant inconsolable tire les jupes de sa mère.

Il s'était précipité comme un fou du monastère au palais de Rigaud, et avait hurlé devant le portail jusqu'à ce que quelqu'un se décide à lui ouvrir. À présent, Michel se contorsionnait sur le sol, dans l'anti-chambre de l'une des salles magnifiquement décorées, aux pieds du cardinal abasourdi.

– Mon cher père, venez à mon secours ! J'ai péché, je me suis laissé ensorceler, attirer et séduire par sa magie…

Chrétien, nu-pieds, nu-tête, vêtu d'une chemise de nuit de pur fil bordée de dentelles que ne recouvrait qu'en partie une cape de soie rouge, tendit la main pour aider le jeune moine à se relever.

– Michel, mon fils, quel que soit ton souci, nous veillerons à le résoudre. Approche-toi, assieds-toi et calme-toi.

Il attira le moine dans la chambre proprement dite, assez vaste pour loger une trentaine de religieux. La pièce offrait tout le luxe imaginable : des cierges en cire d'abeille dans des bougeoirs dorés posés sur une table de chevet (sans doute destinés à encourager le luxe inconce-vable qui consistait à lire au lit), un pot de chambre au couvercle peint, un bassin de porcelaine et un pichet d'argent empli d'eau, des fourrures soyeuses pour protéger les pieds nus du sol de marbre froid, un épais rideau de velours autour du lit, empêchant les rayons de lune indésirables de s'infiltrer à flots par le balcon. Sur le plafond, une fresque représentait une Ève aux paupières lourdes, offrant une pomme rouge à un Adam dubitatif. Son pubis était presque entièrement dissimulé derrière les plumes en éventail d'un paon et ses seins, ronds et blancs, pas tout à fait recouverts par sa chevelure blonde.

Chrétien guida Michel jusqu'à deux fauteuils bien rembourrés, le fit asseoir sur l'un d'eux et alla quérir lui-même un gobelet de vin. Il le tendit au jeune moine.

– Bois ! ordonna le cardinal, prenant place sur le fauteuil qui faisait face à celui de Michel. Et après, raconte-moi.

Michel lui obéit et se désaltéra. Sa soif étanchée, il prit son souffle et se lança :

– Votre Éminence, j'implore votre pardon. Je me suis laissé influencer par la sorcière Marie-Françoise ; elle a presque réussi à me convaincre que j'étais depuis toujours son compagnon et que vous m'aviez jeté un sortilège pour me faire croire que j'étais votre fils, Michel. Elle m'a persuadé de l'aider à s'échapper ; et elle m'a également fait croire que j'avais moi aussi des pouvoirs magiques.

Malgré ses efforts, il ne parvint pas entièrement à retenir un sanglot enroué.

– Que Dieu me vienne en aide : j'ai essayé de m'en servir pour guérir le père Charles et, à la place, je l'ai fait mourir.

– Pauvre Charles, constata Chrétien, sans paraître le moins du monde surpris ni ému. Nous devrions être heureux pour lui, mon fils, et non accablés de douleur. Il est à présent aux côtés de Dieu. Et il a servi un grand dessein dans sa vie.

– Mais je suis *le fautif* ! gémit Michel, pressant une paume contre ses yeux pour cacher sa honte et ses larmes. Vous devez écouter ma confession, Votre Éminence. Tout de suite.

Il se pencha en avant pour poser le gobelet sur la table, puis il s'agenouilla et se signa.

– Bénissez-moi, mon père, parce que j'ai péché. Je me suis épris de l'abbesse et j'ai été si séduit par son histoire de magie et de culte d'une déesse que j'y ai presque cru. Et j'ai perdu la foi. Pire encore, j'ai servi de canal à sa magie cette nuit même. J'ai pratiqué l'imposition des mains sur le père Charles, parce que je me croyais capable de le guérir. En réalité, elle s'est servie de moi pour le tuer.

Les mains jointes, Chrétien pressait les bouts de ses doigts contre ses lèvres. Le front barré de rides profondes entre ses sourcils gris clair-semés, il lui prêtait toute son attention, comme chaque fois qu'il réfléchissait à des questions d'importance. Lorsque Michel en eut terminé de son récit et qu'il inclina la tête, le cardinal prit la parole, l'air songeur :

– Tu n'as point tué le père Charles.

Michel releva la tête pour protester. Il allait affirmer : « Je sais qu'elle est l'instigatrice de sa mort ; mais c'est moi qui ai posé les mains sur lui, qui ai rendu sa mort possible... »

Mais il n'eut pas le temps de formuler sa pensée à haute voix. Le cardinal Chrétien y répondit avant.

– Non, c'est moi, répliqua-t-il avec assurance, comme si cela allait de soi.

Michel en resta sans voix. Les paroles du cardinal ne pouvaient être qu'une plaisanterie – quoique cruelle, puisque le père Charles venait à peine de rendre l'âme.

Les secondes passant, Chrétien garda le même sérieux. Son front se plissa même davantage et Michel se dit : *Non, il entend par là qu'il se sent responsable de la mort du père Charles, puisqu'il n'était point ici pour l'empêcher. Il a peut-être le sentiment qu'il aurait dû venir à Carcassonne dès le début, afin de suivre les interrogatoires.*

Subitement pourtant, une image lui revint en mémoire : celle du père Charles délirant, alors qu'il venait de tomber malade :

C'est à cause de mon arrogance... Je t'ai fait trotter partout toute la journée comme un poney dressé, je t'ai exhibé comme pour dire « Il est à moi ! Il est à moi ! »...

Chrétien préférerait te voir mort.

– Tout ce que t'a narré Sybille, la criminelle, est vrai, poursuivit le cardinal. Ton nom véritable est Luc de la Rose. Tu es né à Toulouse, et non à Avignon ; et tu n'es point à mes côtés depuis le jour de ta naissance, mais depuis un an seulement.

« Cette femme est cependant une païenne, une hérétique, et tout son récit en découle. Sa magie n'émane point de Dieu, mais du diable, comme sa Race. Cela ne l'empêche cependant pas de se croire sacrée, d'imaginer qu'elle est la représentante de la Déesse. »

Tout en expulsant une bouffée d'air de ses poumons, Michel se cala sur ses talons. Il avait la sensation d'être au bord de la folie, dans laquelle il s'efforçait vainement de ne pas sombrer. Tous les détails de sa vie qu'il considérait comme vrais, ses années au monastère, sa relation avec le père Charles et avec l'individu qui se tenait devant lui, dont les poils poivre et sel sortaient du col de dentelle de sa chemise de nuit, n'étaient qu'illusions. Tout ce qu'il attribuait au domaine onirique constituait en fait la réalité de son existence. La plus grande de toutes ces réalités était l'amour qu'il vouait à Sybille et celui qu'elle éprouvait pour lui. Mais il avait rejeté les bras qu'elle lui tendait, il s'était détourné d'elle.

Michel posa un regard de révulsion pure sur celui qu'il considérait comme son père et il comprit que Chrétien se servait du père Charles et de lui comme de simples pions dans le jeu du pouvoir. Il plongea les yeux dans ceux du cardinal et n'y entrevit ni affection ni affliction. Juste du calcul et de l'autosatisfaction. Tous ses doutes, toute sa confusion quittèrent en cet instant le jeune moine, et il réalisa que chaque parole prononcée par Sybille était vraie.

Malheureusement, alors que ses pensées s'éclaircissaient et se libéraient, le gros ours de cardinal resserra l'étau qu'il avait refermé sur sa volonté, aussi tangible que s'il l'avait saisi par le cou avec une patte énorme.

Cela n'empêcha pas le moine de s'opposer à lui sans retenir sa haine ou presque :

– Vous êtes donc du diable, cardinal. Tout comme je le suis, car elle m'a dit que nous appartenons tous les deux à la Race.

Chrétien se leva brusquement à moitié de son fauteuil, comme pressé par la colère.

– Sot que tu es ! Ne *vois*-tu point qui nous sommes ? Une race de monstres impies, les pions de Lilith, celle qui n'obéissait ni à Dieu ni à Adam. Nos forces surnaturelles émanent d'une diablesse. Interroge-toi donc : comment une femme peut-elle être aussi sainte que notre Seigneur ? Dieu nous interdit de faire jamais nôtres de tels rites maléfiques, sauf si nous les utilisons pour Sa cause, afin de détruire d'autres monstres tels que nous.

« Est-ce que j'évoque des démons ? Est-ce que j'accomplis des rites magiques ? Oui, au nom du Seigneur. Ni les flammes ni l'enfer qui les suit ne sont punitions assez sévères pour l'abomination des crimes hérétiques. »

– Quels crimes ? s'enquit Michel. Voir l'avenir ? Guérir les malades ? Ressusciter les morts ?

— Ces actes, accomplis sans la volonté de Dieu, sont en effet des crimes. (Le cardinal prit son temps pour rassembler ses pensées.) Refuser d'obéir aux règlements. Se révolter contre l'ordre. Tel est le péché originel. C'est uniquement en se conformant de près à la loi, aux règlements de l'Église, que nous obtiendrons notre rédemption. J'ai lu chacune de tes tablettes de cire, Michel. J'ai Entendu la plupart de tes conversations avec elle. Prêté l'oreille à ce qu'elle décrivait comme l'expérience de la Déesse ! Des plaisirs sauvages, interdits ; une extase débauchée, sans limites. Au mieux, nous les hommes sommes des créatures bestiales ; pires encore sont ceux d'entre nous appartenant à la Race. Nous devons nous accrocher à notre Mère l'Église, suivre ses préceptes, psalmodier sa liturgie, confesser nos péchés, recevoir l'absolution... Cette évocation du libre arbitre n'est que pure ineptie. Les hommes ne peuvent se reposer sur leurs propres cœurs pour les guider. La volonté *doit* être contrôlée, calquée sur celle de Dieu, par la coercition, si besoin est.

Sans même relever le raisonnement du cardinal, Michel l'interrompit avec dégoût.

— Ne justifiez pas vos crimes en invoquant la manière dont l'Église les justifiera. Sybille affirme que vous vous nourrissez de l'âme des condamnés exécutés, que c'est ainsi que vous augmentez votre pouvoir.

— Pour quelle raison ne le ferais-je pas, si cela sert les desseins de Dieu ? tonna Chrétien. Je prie pour qu'il s'agisse pour eux d'un purgatoire, qui achète leur lente Rédemption.

D'horreur, Michel ferma les yeux, à la pensée de tous ceux trépassés entre les mains de Chrétien, dont le malheureux Charles.

— J'imagine que vous allez à présent me tuer ?

Le cardinal perdit une partie de sa véhémence ; un vague sourire ironique fleurit sur ses lèvres.

— Point du tout, Michel. Je vais t'aider à remplir ta mission sacrée, qui consiste à prendre ma succession et à devenir l'inquisiteur le plus puissant qu'on aie jamais connu à ce jour. À toi revient l'honneur de découvrir et d'annihiler ceux de la Race, car tes pouvoirs magiques sont de fort loin supérieurs aux miens.

— Je m'appelle Luc, répliqua-t-il avec ferveur, et je ne répondrai à aucun autre nom ni à aucun autre destin. Un seul désir m'habite : être auprès de Sybille et découvrir mon vrai Chemin. Je ne crois plus que l'on puisse trouver le Divin dans des prières répétées à la manière d'un perroquet ou des rites établis.

– Tiens donc !

Amusé, Chrétien s'inclina en arrière.

– Tu t'es donc éveillé, mon Luc de la Rose ? Je suppose que toi et ta Sybille allez à présent nous quitter ; dans ce cas, il est une chose que tu vas désirer avant votre départ.

Il fouilla à l'intérieur de sa chemise de nuit et en sortit un petit médaillon suspendu à une fine chaîne ouvragée qu'il gardait autour du cou. Il les posa sur la table près de Luc. Un épaisse cordelette noire était enroulée autour du disque. Bien qu'il n'en eût aucun souvenir, Luc comprit immédiatement qu'il avait sous les yeux le sceau de Salomon que lui avait offert jadis Jacob.

Il voulut tout de suite s'en saisir, mais sa main s'immobilisa à quelques centimètres de l'objet, incapable d'aller plus loin, comme si le bout de ses doigts avait heurté une pierre invisible. Il fit une nouvelle tentative, voulut obliger sa main à descendre, crispant les muscles jusqu'à en avoir mal à l'avant-bras et à transpirer. Ce fut peine perdue.

– Vas-y, lança Chrétien qui s'amusait comme un enfant. Prends-le, Michel, il contient ton destin.

Il partit d'un rire provoqué par les efforts accomplis par Luc pour toucher le médaillon, jusqu'au moment où il se lassa de cette distraction.

– Tu es à présent en colère, tu compatis au sort de Sybille, déclara-t-il au moine bouillant de frustration. Mais, d'ici demain, tes sentiments auront changé. Car elle sera brûlée vive au matin, et son pouvoir me reviendra à l'instant de sa mort.

« Ton cœur et ton esprit deviendront alors miens, comme l'étaient ceux de ta mère. Je ferai en sorte que tu ne te soucies pas davantage de qui tu es que de la sorcière Sybille. Je t'emplirai d'un zèle qui te mènera jusqu'au bout du monde en quête de la Race. »

– Je ne le permettrai jamais, répliqua Luc en tentant de se mettre debout.

Là encore, le cardinal éclata de rire.

Les muscles des cuisses de Luc se tendirent pour lui permettre de lever les genoux et le bas des jambes, mais il avait l'impression d'être encastré dans la pierre. Il s'entêta. Son visage s'empourpra, les muscles de son cou se crispèrent, il voulut remuer ses hanches, ses épaules et ses bras, il serra les dents, mais finit par lâcher prise, complètement épuisé.

– Assis ! ordonna Chrétien.

Repoussé en arrière par une grande main invisible, Luc retomba sur son siège, tremblant d'épuisement et de colère.

369

– Tu vas rester ici pour l'instant, poursuivit le cardinal. Dans quelques heures, lorsque nous procéderons à l'exécution de l'abbesse, tu m'accompagneras comme témoin.

Chrétien souffla la lampe et se dirigea vers le lit à baldaquin en se guidant à la lumière dispensée par le clair de lune.

– Pourquoi ? demanda Luc.

Le cardinal s'allongea sur le lit et tira sur le rideau afin de s'enfermer.

– Pourquoi t'ai-je laissé interroger Sybille ? Parce qu'il lui fallait savoir qu'elle était vaincue avant de mourir. Les coupables ne reçoivent jamais punition assez sévère, Michel. Dieu a fait preuve de justice en créant un enfer éternel.

Sur ces paroles, le cardinal ferma complètement le rideau.

Quant à Luc, il resta assis dans son fauteuil, faiblement éclairé par le pâle rayon de lune, incapable d'atteindre le sceau de Salomon, incapable même d'enfouir la tête entre ses mains pour pleurer, incapable de faire autre chose hormis penser au prêtre décédé, Charles, et à la femme condamnée, sa Bien-aimée, Sybille.

SEPTIÈME PARTIE

XXII

– Michel, mon fils, déclara Chrétien de sa voix de basse grave et zélée. Le moment est venu d'accomplir son destin et le tien.

Le cardinal avait lui-même allumé les chandelles. Puis il s'était vêtu, sans se faire aider, de l'un de ses habits et de l'un de ses manteaux les moins ostentatoires.

Pour sa part, Luc restait captif de son fauteuil par des forces surnaturelles. Par la large fenêtre ouverte, il constata que le clair de lune avait été avalé par des nuages sombres qui noircissaient complètement la nuit. L'aube ne se lèverait que d'ici quelques heures : il était manifeste que Chrétien désirait éviter le courroux de la population locale. Au matin, lorsque les spectateurs se rassembleraient devant la berme d'exécution noircie et déserte, le cardinal aurait déjà emprunté le chemin le ramenant à Avignon, à bord de son *chariot*.

– Allons-y, ajouta Chrétien, accompagnant sa déclaration d'un geste non de compagnonnage, mais d'ordre.

Luc mit ses membres à l'épreuve. Après s'être débattu à intervalles réguliers, des heures durant, pour soulever un bras, une main, un doigt, il se mit debout sans aucun mal, naturellement, et se plaça près de Chrétien qui se dirigeait vers la porte.

Dehors les attendait Thomas, une lanterne à la main. Les trois hommes quittèrent ensemble le palais de l'évêque. Un parfum de pluie imminente flottait dans l'air humide, et il faisait assez froid pour hérisser la peau sur les bras de Luc.

Euphorique, le jeune homme décida de mesurer l'étendue de sa liberté. D'un geste brusque, il voulut se précipiter en avant, s'écarter des deux hommes, espérant l'impossible : arriver le premier auprès de Sybille, d'une manière ou d'une autre.

Il tomba lourdement à genoux sur la pierre, et seuls ses bras tendus en avant l'empêchèrent de dégringoler en bas de l'escalier.

Chrétien gloussa ; Thomas, les yeux écarquillés et sombres à la lueur de la lanterne, ne manifesta aucune réaction, tandis que Luc, trop furieux, trop désespéré pour interpréter ce manque d'émotion comme de l'embarras, se relevait et recommençait à marcher à leurs côtés.

Prends garde, se dit Luc. *Prends garde à* tout, *surtout à elle.* Car il entendait bien qu'il vivait sa dernière heure de liberté d'esprit et de cœur, sinon de corps. La dernière heure d'espoir pour la Race.

Dehors, le ciel étendait son voile obscur au-dessus des rues, sans que l'on puisse deviner que l'aube approchait. On ne voyait pas grand-chose, hormis des silhouettes sombres qui se déplaçaient non loin dans l'obscurité, venues de la prison, et un bref croissant de lune, vite occulté par les nuages noirs qui filaient au firmament. Mais, aux yeux de Luc, tout était d'une beauté insoutenable, car cette heure était la dernière dont Sybille honorerait la Terre de sa présence.

Il lui semblait indu que le monde, tel qu'il le connaissait, pût continuer sans elle. Il éprouvait à l'égard de sa Bien-aimée un amour si violent que son propre destin, face à la tragédie qu'elle vivait, lui apparaissait dénué de signification.

Une rafale de vent fit voler de la poussière. Il la reçut dans les yeux et tituba, aveuglé. Ce fut la main longue et fine de Thomas qui le replaça dans le bon chemin. Une éternité durant, il continua à trébucher en se frottant les yeux de douleur.

Lorsque ses larmes eurent enfin éclairci sa vue, il constata qu'ils ne s'étaient point dirigés vers la place de la cité et la berme qui avait été préparée pour les exécutions. Ils se trouvaient, pour autant qu'il parvenait à distinguer quelque chose dans les ténèbres, dans une ruelle située derrière la geôle.

À quelques pas de distance, face aux trois inquisiteurs, Sybille était agenouillée devant un bûcher. Un gendarme du pape s'affairait à refermer la chaîne qui maintenait le poteau entre ses tibias ; deux autres avaient déjà commencé à empiler des fagots et du petit bois autour de ses pieds et du bas de ses jambes. À la lueur faible et vacillante projetée par la lanterne de Thomas, Michel ne parvint pas à distinguer ses traits. Il voyait tout juste le contour sombre de ses épaules et de sa tête et le tissu pâle de sa chemise.

Les gendarmes eurent vite fait d'entasser le bois jusqu'à hauteur de ses hanches. L'un d'eux prit une longue baguette et la tendit à Thomas qui souleva le couvercle de verre de sa lanterne.

Il y eut une nouvelle rafale de vent, si forte que Michel ferma les yeux pour ne pas être aveuglé par la poussière ; lorsqu'il les rouvrit, la flamme de la lampe s'était rétrécie jusqu'à n'être plus qu'un minuscule crépitement bleu teinté d'or, sur le point de mourir. Puis le vent tomba abruptement, et le gendarme porta le bout de la baguette à la flamme ; la lampe et le bois s'embrasèrent à la fois.

Le visage de Thomas était éclairé ; la lucidité étonnante d'un homme condamné permit à Michel d'entrevoir l'expression passagère de profond chagrin qui s'inscrivait sur les traits du jeune prêtre. Personne d'autre que lui ne s'en aperçut : ni Chrétien, ni les gendarmes. En dépit de l'obscurité, Thomas coula un regard de complicité en direction de Michel.

Il est l'un de nous ; il l'a toujours été, songea Michel, en proie à une exaltation subite.

Mais le visage de Thomas se durcit tout de suite. Il baissa la lampe pour surveiller le gendarme qui s'accroupissait et portait la baguette embrasée au petit bois encerclant les pieds et les jambes de Sybille.

Chrétien s'était déjà écarté de deux pas.

La flamme du gendarme prit le vent, et avec un bruit à peine audible – une rafale d'air, songea Luc, semblable à celle qui avait pénétré dans la masure de Sybille la nuit de sa naissance – embrasa les fagots autour de l'abbesse.

Jusque-là, l'obscurité n'était percée que par le faible miroitement de la lanterne de Thomas. Le feu prenant, il illumina la silhouette agenouillée de façon si frappante que rien ne sembla plus exister que la nuit et elle : elle, son visage, son corps et sa chemise incandescents dans les ténèbres.

Dans le monastère dominicain d'Avignon, Luc avait souvent prié devant un petit autel de terre cuite voué à la Vierge Marie. Marie seule, sans son époux et sans son enfant. Elle se tenait à l'intérieur d'une alcôve étroite, les bras le long des flancs, les paumes tournées vers l'extérieur comme si elle accueillait le monde, un ex-voto placé devant ses pieds délicats. De nuit, lorsque la mèche était allumée, la lumière projetée vers le haut insufflait un éclat surnaturel à son visage translucide empli de béatitude. Cet éclat semblait alors émaner de l'intérieur et rejaillir sur l'alcôve en forme de porte en ogive, ou de fenêtre de cathédrale. Un miracle, avaient conclu les frères, si bien que l'on venait régulièrement déposer des fleurs, des prières et des offrandes devant l'autel.

Luc eut l'impression que les traits de Sybille possédaient la même sérénité, la même compassion qui englobait tout, le même rayonnement qui l'enveloppait comme une voûte. Si ses bras n'avaient pas été cruellement retenus en arrière par les chaînes, elle les aurait généreusement déployés, y compris pour accueillir son Ennemi, Chrétien. Malgré les flammes qui l'éblouissaient sans nul doute temporairement, elle dirigea le regard vers lui, Luc, qui se tenait dans l'ombre. Elle plongea les yeux directement dans les siens et lui adressa un sourire radieux.

– Sainte Marie…, l'implora-t-il, non pas avec l'humilité d'un pécheur mais avec l'exaltation d'un croyant, pleine de grâce ! Le Seigneur soit avec vous. Soyez bénie entre toutes…

Chrétien ne le réprimanda point. Il était bien trop occupé à se délecter du spectacle qui s'offrait à ses yeux. Personne n'aurait pu dire quel brasier était le plus terrifiant : celui qui venait de s'enflammer aux pieds de Sybille ou celui qui s'était allumé dans les yeux du cardinal.

Le vent sifflait comme s'il pleurait. Un tourbillon furieux balaya la ruelle. Les flammes jaillirent plus haut, consumant d'un appétit dévorant le petit bois et les brindilles. Luc, incapable de supporter son impuissance, vit Sybille serrer les lèvres, puis clore les yeux afin de dissimuler sa souffrance. Les bûches entourant ses pieds s'étaient vite enflammées, beaucoup plus vite qu'à l'ordinaire à cause du vent. Les chaînes retenant le bas de son corps prisonnier étaient déjà assez brûlantes pour cloquer sa peau.

Avec le vent, une petite bruine avait commencé à tomber. Une goutte froide piqua la joue de Luc. *Faites tomber la pluie, Sybille. Sainte Mère, faites tomber des torrents de pluie, et éteignez le feu…*

Mais les gouttes demeurèrent faibles et rares. Quant au vent, qui pénétrait le corps de Luc d'un froid si vif que ses dents s'entrechoquaient, il fit monter les flammes des bûches jusqu'à la chemise en toile de lin de Sybille, qui s'embrasa et se consuma très vite, les flammes orangées se propageant le long de l'ourlet qui se festonna de cendres.

– Domenico ! apostropha-t-elle, d'une voix qui restait mélodieuse malgré son supplice.

> *Tu penses que la haine l'a finalement emporté.*
> *Ne serais-tu point aveugle ? Elle a seulement permis*
> *À l'Amour de gagner encore,*
> *De forcir encore.*

Un craquement de bois explosif : le feu monta plus haut, plus vite que Luc ne l'avait jamais vu faire. Sybille se mordit les lèvres, puis elle s'abandonna enfin : la Déesse, indépendamment de la Présence, restait sans nul doute humaine. La douleur à laquelle elle essayait d'échapper s'engouffra dans sa poitrine, vint effleurer le contour de sa mâchoire et lui arracha un cri. Le vent augmenta le tirage des flammes qui tourbillonnaient autour de son corps, jusqu'au moment où ce dernier sembla irradier de l'intérieur, tout comme la lumière émanait de la petite statue de la Vierge Marie du monastère.

Elle finit par ne plus retenir ses hurlements de souffrance, tandis qu'à deux pas Chrétien observait. Les flammes projetaient une lueur orangée sur ses traits affaissés, ses yeux voraces, ses lèvres entrouvertes pour laisser échapper le souffle haletant de celui qui jouit.

Dieu, pria Luc tout bas, luttant contre les chaînes magiques qui maintenaient son corps prisonnier. *Dieu, Déesse, Sainte Mère...* Dans son désespoir, il ne savait que demander et ne parvenait qu'à répéter les supplices qui n'avaient pas été entendues. Puis il se souvint de la tendresse et du chagrin que Sybille avait éprouvés à la mort de sa grand-mère. *Sainte Mère, si vous ne la sauvez point grâce à la pluie, si vous ne faites point venir ses chevaliers à son secours, laissez-moi partager ses souffrances. Je ne suis pas initié ; j'ai vécu ma vie dans l'erreur. Mais, de toutes les personnes que j'ai jamais connues,* elle *mérite moins que quiconque de souffrir, et j'ai beaucoup à expier...*

Luc fut traversé subitement d'une douleur si aiguë que sa tête tomba en avant. Il se contorsionna, sanglotant, incapable de discerner si cette souffrance aveuglante provenait du chagrin insoutenable qu'il ressentait, s'il s'agissait d'une douleur du corps, ou des deux.

Il ne sut combien de temps il resta paralysé de la sorte, mais lorsqu'il s'habitua un peu à cette douleur, il parvint enfin à ouvrir les yeux sur Sybille qui n'avait plus rien d'humain. Ses traits avaient pris un aspect transcendant et farouche, sa chevelure enflammée ressemblait à l'auréole d'une sainte et ses yeux, d'un autre monde, contemplaient quelque chose de beaucoup plus grand que la ruelle ou que la geôle.

Chrétien s'était approché des flammes. La transe dans laquelle il semblait plongé l'empêchait de rien voir d'autre ; une joie morbide, la voracité et la cupidité se lisaient sur son visage. Luc réalisa qu'il attendait l'instant de se nourrir de la plus puissante des âmes, afin de découvrir à son tour son pouvoir.

Les yeux de Sybille vacillèrent et se ternirent, son menton s'affaissa en avant, si bien que son visage fut caché par les flammes et la fumée.

Elle est morte, songea Luc, alors même que son cœur ne le croyait point.

À l'instant où Chrétien exhalait un soupir de triomphe, elle leva la tête et l'apostropha :

– Tu crois avoir gagné, Domenico ! Mais voici la magie : la victoire est nôtre !

Elle tourna alors son visage noirci par la fumée vers Luc et d'une voix qui se brisait, éraillée, à peine humaine, elle hurla :

– Luc de la Rose, souvenez-vous !

Sa tête retomba sur sa poitrine et, cette fois, Luc sut, sans l'ombre d'un doute, qu'elle était morte pour de bon.

À côté, Chrétien soupirait d'extase et de jubilation.

Luc s'arma contre la houle de souffrance... et contre l'Ennemi, contre l'écrasement absolu de ses souvenirs, ses émotions, sa volonté. Mais rien de ce qu'il attendait n'arriva ; au contraire, il se souvint.

Il se souvint du moment, avec émerveillement plutôt qu'avec peur, où sa mère l'avait saisi par les mains et où il était tombé sous l'emprise de l'Ennemi, et où il avait vu le visage de Chrétien miroiter et se transformer en celui du futur Ennemi, celui que Sybille avait redouté plus que tout :

Lui-même, Luc, l'inquisiteur.

Il se souvint de son père, de sa mère, de Nana. Tous devinrent des personnes de chair et de sang dans son esprit et son cœur, pour lesquelles il éprouvait un amour véritable et de la nostalgie.

Luc éclata en sanglots, non point de chagrin mais de joie pure ; car la restauration de sa mémoire était accompagnée de la Présence et de la conscience que Sybille avait toujours été prête à endurer la mort pour lui permettre d'être initié. Il n'y avait ni peur, ni chagrin, ni ombre dans son cœur, rien qu'un amour et une connaissance si infinis que lorsqu'il sentit son corps se libérer des chaînes magiques, il sut que c'était Sybille qui les avait détachées.

En même temps que ce souvenir lui revinrent bien d'autres choses à l'esprit...

Chevaliers du Temple ! Venez dans la ruelle derrière la prison !

Derrière lui, Thomas laissa échapper, pas plus haut qu'un soupir :

– Allez-y, mon Seigneur ! Allez-y !

Luc se dirigea directement vers Sybille.

Il constata sur-le-champ que ce n'était ni Chrétien ni ses gendarmes qui le séparaient de son amante, mais l'apparition de Jacob – le beau

Jacob, avec ses yeux sombres pleins de grâce et sa longue barbe frisée, sa kippa en équilibre instable sur sa crinière de cheveux gris indomptés ; près de lui se tenait une femme de petite taille, robuste, à la chevelure de jais striée de mèches blanches. À son visage, il reconnut sans l'ombre d'un doute la bien-aimée Noni.

Devant eux était aussi apparu le fantôme d'une femme, grande et mince, en habit de sœur franciscaine, avec un voile blanc. Luc ne l'avait jamais vue, mais il comprit tout de suite que cette femme était Géraldine, l'ancienne abbesse.

– Ce sont les martyrs de cette génération, lui annonça Géraldine d'un ton solennel, mais avec grande affection. Ils sont venus assister au point culminant de leur œuvre. À présent, Sybille a accompli pour vous un sacrifice identique à celui d'Anna-Magdalena pour sa petite-fille. Vous aussi êtes devenu bien davantage qu'humain, doué d'un grand pouvoir qu'elle a acheté au prix de sa vie, couplé à l'amour. Telle est l'initiation suprême, destinée à vous permettre de devenir plus puissant que votre Ennemi ; à vous libérer.

Jacob et Noni, souriants, levèrent les mains pour lui accorder leur bénédiction, de même que Géraldine. Puis ils s'estompèrent tous les trois, ne laissant que la vision plus solide de Sybille, morte au milieu des flammes.

Un coup de tonnerre soudain : provenant non du ciel, mais du sol, sous les pieds de Luc, de plus en plus tonitruant à chaque souffle qu'il exhalait. Sept individus anonymes, drapés dans des capes et coiffés de casques, émergèrent sur leurs destriers en direction du brasier ; à leur approche, ils tirèrent leurs épées et les brandirent dans les airs. Les trois gendarmes du pape, manifestement dépassés en nombre, n'en levèrent pas moins leurs propres estocs pour obéir à l'ordre que leur lançait Chrétien :

– Tuez-les ! Tues-les tous !

Le fracas du fer contre le fer ; les chevaux se cabrant dans la lumière orangée, tandis que leurs cavaliers se penchaient pour contrer les coups des gendarmes, leurs silhouettes se reflétant, immenses ombres sombres, contre les murailles de la prison.

Lorsque le combat commença, Luc s'immobilisa afin de regarder ses compagnons sans mot dire, puis il reprit sa marche vers le brasier pour rejoindre Sybille. Mais Chrétien s'interposa vivement sur sa route.

– Tes chevaliers vont peut-être occire mes hommes, déclara le cardinal, mais ils ne peuvent pas me tuer, et toi non plus. Tu es mon fils,

Michel, et tu le resteras à jamais. Tu n'échapperas jamais à mon emprise.

– J'ai grand-peine pour vous, répondit Luc qui éprouvait de sincères regrets. Je n'ai nul désir de vous faire du mal. Il est encore temps de vous libérer, de vous amender et de vous joindre à nous. Il n'est jamais trop tard pour suivre son *vrai* destin.

Des éclairs métalliques. Chrétien leva un poignard au-dessus de sa tête et le fit retomber en visant le cœur de Luc. La lame ne s'arrêta qu'à moins d'un centimètre de son but, tremblante, dans l'air. Le cardinal poussa un hurlement indigné, tressaillant sous l'effort qu'il faisait pour l'abaisser.

– Pourquoi ne point utiliser votre magie, cardinal ? demanda Luc sur un ton de léger reproche. La trouveriez-vous inutile dans le cas présent ?

L'image de Chrétien disparut subitement de sa vision, mais non la menace silencieuse du cardinal : *Il ne s'agit point de la fin, de la Rose ; je ne serai point défait...*

Un claquement de métal contre le sol : les trois gendarmes venaient d'abandonner leurs armes et de prendre la fuite.

En dépit des dernières paroles de Chrétien, la peur ne trouvait aucune prise dans le cœur de Luc. Il continua à avancer vers le brasier, où le corps de l'abbesse brûlait toujours.

Dans les flammes qui s'élevaient à hauteur de hanches, sans peur, sans douleur, sans craindre un instant de voir le feu boursoufler sa peau ou consumer ses vêtements, Luc pénétra. Sous ses semelles, le feu était aussi frais que de l'herbe humide de rosée ; quant à sa robe de moine, elle ne s'embrasa pas davantage qu'elle ne se réduisit en cendres. Il avait l'impression de se déplacer dans l'air.

Un sourire aux lèvres – aussi doux dans son esprit que celui de Sybille lorsqu'elle avait touché son cœur fendu –, il se pencha en avant pour détacher sans nul effort les chaînes qui entravaient ses pieds. Sa chair sentait la chaleur mais refusait de l'accepter.

Elle tomba en avant et il la rattrapa dans ses bras.

Aucune magie diabolique ne pouvait suffire à empêcher cet instant. Soutenant le haut du torse de Sybille des mains, Luc pressa une paume sur sa poitrine, sans frémir lorsque ses doigts effleurèrent des os et du métal liquide : le sceau de Salomon qui s'était incrusté dans son cœur.

Un cœur si petit, si immobile et si brûlant dans sa main ! Une goutte de pluie égarée tomba dessus et se transforma sur-le-champ en vapeur.

Pourtant, Luc ne pleurait point. Il s'abandonna au contraire à la chaleur, la douceur, la même Présence qui s'était imposée à lui jadis, le jour où, petit garçon, il avait suivi son instinct et s'était faufilé dans la chambre de son père mourant.

Luc posa la main sur le cœur brûlé de Sybille, sur le métal chauffé à blanc, sans éprouver ni douleur ni chagrin, mais une félicité si profonde qu'il n'existait ni Mal, ni Ennemi, ni temps, ni séparation, ni attente, mais uniquement lui et sa Bien-aimée, unis en cet instant d'éternité…

Lentement, doucement, l'or rafraîchit sous sa paume et reprit sa forme originelle. Le cœur refroidit lui aussi et se remit à battre ; les os calcinés redevinrent ivoire, se ressoudèrent, se recouvrirent de chair puis, de façon inouïe, de tissu.

Sous les yeux de Luc, la pluie commença à tomber, avec délicatesse pour commencer, puis de plus en plus drue… et son amour lui prit les mains et s'assit, riant comme il riait, lui offrant son beau visage et sa belle chevelure intacts, luisant d'humidité à travers la brume de vapeur qui montait encore des cendres grésillantes du brasier.

Ils se levèrent alors dans leurs vêtements trempés et leurs lèvres s'épousèrent, tandis qu'ils s'étreignaient dans l'obscurité un instant, un temps, une éternité…

Épilogue

SYBILLE

XXIII

En direction de l'est nous chevauchons, mon Bien-aimé et moi ; nous chevauchons en compagnie de ceux qui nous ont fidèlement servis, qui des années durant, par des moyens astraux et matériels – y compris dans le camp de l'Ennemi, tel notre fidèle serviteur, Thomas –, ont œuvré à nos retrouvailles longuement attendues. Géraldine est des nôtres, vêtue et drapée comme un homme, de même que la mère de Luc, dame Béatrice, et l'évêque Rigaud, d'une solidité surprenante malgré son âge canonique. L'oncle bien-aimé de Luc chevauche aussi à nos côtés, le visage constamment irradié de joie. Édouard a profondément souffert pendant bien longtemps, mais aujourd'hui il a retrouvé sa sœur et son neveu.

Il est vrai que le destin se montre parfois amer et cruel ; mais il sait aussi parfois être d'une infinie douceur.

Malgré tout, grande est la tâche qu'il nous reste à accomplir. Chrétien n'a point encore été vaincu, et nombreux sont ceux, dans d'autres cités et d'autres contrées, qui voudraient nous détruire, ainsi que ceux de notre espèce. Les âmes restent captives de l'infâme chambre magique secrète du Palais des Papes, à Avignon.

J'en ai pleinement conscience et je me retourne pour jeter un coup d'œil par-dessus mon épaule à mon Bien-aimé, qui tient les rênes de l'étalon. Son visage est empourpré et ses yeux vert pâle, tachetés d'or, dans lesquels brille une étincelle divine, m'adressent un regard éclatant d'amour, de bonheur... et de reconnaissance. Ensemble nous rions d'une joie indicible : il me connaît, mon Bien-aimé, il me connaît et, à cet instant même, les sabots de notre destrier écrasent une touffe de romarin dont je respire l'âpre parfum avec délice.

Le romarin fait remonter des souvenirs à la mémoire.

Nous avons remporté le premier défi. Cependant, grande est la tâche qu'il nous reste à accomplir...

Cet ouvrage a été imprimé par la
SOCIÉTÉ NOUVELLE FIRMIN-DIDOT
Mesnil-sur-l'Estrée
pour le compte des Éditions du Rocher
en novembre 2001

Éditions du Rocher
28, rue Comte-Félix-Gastaldi
Monaco

Imprimé en France
Dépôt légal : novembre 2001
CNE Section commerce et industrie Monaco : 19023
N° d'impression : 57299